Téméraire

Tome deuxième

Naomi Novik

Téméraire

* *

Le trône de jade

Traduit de l'anglais (américain)
par Guillaume Fournier

ÉDITIONS FRANCE LOISIRS

L'édition originale de cet ouvrage est parue en langue anglaise (américaine) sous le titre :
Temeraire : Throne of Jade

Édition du Club France Loisirs,
avec l'autorisation des Éditions Le Pré aux Clercs

Éditions France Loisirs
123, boulevard de Grenelle, Paris
www.franceloisirs.com

ISBN : 978-2-298-02208-7

À la mémoire de Chawa Nowik,
Dans l'espoir qu'un jour
je serai prête à écrire son livre.

Livre I

1

Il faisait exceptionnellement doux pour un mois de novembre, mais, en vertu de quelque déférence mal inspirée envers l'ambassade chinoise, on avait poussé le feu à l'excès dans la salle de réunion de l'Amirauté, et Laurence se tenait juste devant. S'étant habillé avec un soin tout particulier, dans son plus bel uniforme, il voyait la doublure de sa veste en popeline vert bouteille s'imprégner de sueur au fil de l'interminable entrevue.

Au-delà du seuil, derrière lord Barham, la girouette officielle avec sa flèche de boussole montrait la direction du vent au-dessus de la Manche : au nord, nord-est aujourd'hui, idéal pour la France ; plusieurs vaisseaux de la flotte de la Manche devaient probablement manœuvrer en ce moment même pour scruter les ports de Napoléon. Debout au garde-à-vous, Laurence fixa son regard sur le large disque de métal et tâcha de se distraire par ce genre de spéculations ; cela lui semblait plus prudent que d'affronter le regard froid et inamical posé sur lui.

Barham cessa de parler et toussa de nouveau dans son poing ; les phrases élaborées qu'il avait préparées sonnaient faux dans sa bouche de marin, et à l'issue de chaque tirade hachée et maladroite, il s'interrompait pour jeter un coup d'œil en direction des Chinois, avec une agitation nerveuse proche de l'obséquiosité. Sa performance ne lui faisait pas honneur, mais en des circonstances plus ordinaires Laurence eût éprouvé une certaine sympathie pour sa position : on avait bien anticipé une réaction officielle, peut-être même l'envoi d'un émissaire, mais personne n'avait imaginé que l'empereur de Chine dépêcherait son propre frère à l'autre bout du monde.

Le prince Yongxing pouvait d'un simple mot déclencher une guerre entre leurs deux nations ; par ailleurs, il y avait quelque chose de terrible dans sa présence : le silence impassible avec lequel il accueillait les remarques de Barham ; la splendeur de sa robe jaune foncé, brodée de dragons ; le lent tapotement de ses doigts chargés de pierres précieuses sur le bras de son fauteuil. Il n'avait même pas un regard pour Barham : il se contentait de fixer directement Laurence par-dessus la table, maussade, les lèvres pincées.

Son escorte était si nombreuse qu'elle occupait toute la salle de réunion, avec sa douzaine de gardes accablés de chaleur dans leur armure matelassée et autant de serviteurs à côté, inoccupés pour la plupart, simples suivants sans fonction précise, tous alignés contre le mur du fond et tâchant de brasser l'air avec leurs éventails. L'un d'eux, manifestement un traducteur, se tenait derrière le prince et murmurait quelques mots chaque fois que Yongxing levait une main, généralement après l'une des tirades les plus alambiquées de Barham.

Deux autres envoyés officiels encadraient Yongxing de part et d'autre. On les avait présentés succinctement à Laurence et aucun d'eux n'avait encore dit un mot, quoique le plus jeune, dénommé Sun Kai, suivît les débats de près, en écoutant les paroles du traducteur avec une attention imperturbable. Le plus âgé, solide gaillard à la bedaine arrondie et à la barbe grise clairsemée, succombait progressivement à la chaleur : il dodelinait de la tête, la bouche entrouverte en quête d'air frais, et sa main parvenait à peine à agiter son éventail devant sa figure. Tous deux portaient des robes de soie bleu foncé, presque aussi somptueuses que celle du prince. Ils offraient à eux trois un spectacle impressionnant : une ambassade comme personne n'en avait encore jamais vu en Occident.

On aurait pu comprendre qu'un diplomate beaucoup plus averti que Barham se laissât aller à un certain degré de servilité, mais Laurence n'était pas d'humeur à se montrer indulgent – même s'il était tout aussi furieux contre lui-même d'avoir espéré mieux. Il était venu plaider sa cause, et, en son for intérieur, avait même imaginé pouvoir bénéficier d'un sursis ; au lieu de quoi, il s'était fait houspiller en des termes qu'il aurait eu scrupules à employer contre un simple lieutenant, et devant un prince étranger et sa suite, réunis comme un tribunal pour entendre ses crimes. Il tint sa langue malgré tout, mais la coupe fut pleine quand Barham, avec une expression de condescendance insupportable, déclara :

— Naturellement, capitaine, nous avons envisagé de vous soumettre à une nouvelle éclosion, par la suite.

— Non, monsieur, dit-il. Je regrette, mais non : je refuse, et quant à un nouveau poste, je crains de devoir décliner votre offre.

Assis à côté de Barham, l'amiral Powys, des Aerial Corps, était demeuré plus ou moins silencieux pendant toute l'entrevue ; cette fois, il se contenta de secouer la tête sans manifester la moindre surprise et de croiser les mains sur sa large panse. Barham lui jeta un regard furibond et dit à Laurence :

— Peut-être me fais-je mal comprendre, capitaine ; il ne s'agit pas d'une requête. Vous avez reçu vos ordres, vous les exécuterez.

— Je préfère encore être pendu, répondit sèchement Laurence.

Il n'en était plus à se préoccuper du ton qu'il employait envers le Premier lord de l'Amirauté : ton qui eût sonné le glas de sa carrière s'il avait encore appartenu à la Navy, et qui ne pouvait guère le servir même en tant qu'aviateur. Toutefois, s'ils avaient l'intention de renvoyer Téméraire en Chine, sa carrière d'aviateur était fichue : jamais il n'accepterait un poste auprès d'un autre dragon. Aucun ne saurait se comparer à Téméraire, et Laurence ne se présenterait pas à contrecœur à une éclosion alors que d'autres membres des Corps s'alignaient par rangées de six dans l'attente d'une telle occasion.

Yongxing ne dit rien, mais pinça les lèvres ; ses suivants s'agitèrent et murmurèrent dans leur propre langue. Laurence crut percevoir une note de dédain dans leurs propos, moins dirigée contre lui que contre Barham ; et le Premier lord partageait manifestement cette impression, car son visage s'empourpra sous l'effort de préserver une apparence de calme.

— Par Dieu, Laurence, si vous imaginez pouvoir vous mutiner ici, au beau milieu de Whitehall, vous faites erreur ; je crois que vous oubliez que votre premier devoir est envers votre pays et votre roi, et non envers ce fichu dragon.

— Non, monsieur ; je crois que c'est vous qui oubliez. C'est pourtant par devoir que j'ai passé le harnais à Téméraire, en sacrifiant mon rang naval, sans savoir à ce moment-là qu'il ne s'agissait pas d'un dragon ordinaire, et encore moins d'un Céleste, dit Laurence. Par devoir, que je l'ai soumis à un entraînement rigoureux ainsi qu'à un service pénible et dangereux ; par devoir, que je l'ai mené au combat en lui demandant de risquer sa vie et son bonheur. Je ne répondrai pas à sa loyauté par des mensonges et des tromperies.

— Foin de mélodrame, dit Barham. On croirait qu'on vous demande de remettre votre fils premier-né. Je suis navré si vous avez pris cet animal en affection au point de ne pouvoir supporter de le perdre…

— Téméraire n'est ni ma créature ni ma chose, monsieur, riposta Laurence d'un ton cinglant. Il a servi l'Angleterre et le roi au même titre que moi, ou que vous, et maintenant, parce qu'il se refuse à retourner en Chine, vous venez me demander de lui mentir. J'imagine mal à quel semblant d'honneur je pourrais encore prétendre si j'acceptais de me prêter à cette mascarade. En fait, ajouta-t-il, incapable de se réfréner plus longtemps, je m'étonne que vous osiez seulement me faire une telle proposition ; je m'en étonne grandement.

— Oh ! allez au diable, Laurence, gronda Barham, perdant son dernier vernis de civilité. (Il avait servi en mer pendant des années avant de rejoindre le gouvernement, et la colère lui faisait facilement oublier ses manières de politicien.) C'est un dragon chinois, il paraît évident qu'il devrait se plaire davantage en Chine ; de toute manière, il leur appartient, et il n'y a pas à revenir là-dessus. « Voleur » est un qualificatif parfaitement déplaisant, que le gouvernement de Sa Majesté ne met aucun empressement à se voir accoler.

— Je crois savoir comment je dois prendre cela. (Si Laurence n'était pas déjà en train de fulminer, il serait devenu rouge de colère.) Et je rejette catégoriquement cette accusation, monsieur. Ces gens ne peuvent nier avoir offert l'œuf à la France ; nous l'avons saisi à bord d'un vaisseau de guerre français ; vaisseau et œuf ont été jugés comme prises légales par les tribunaux de l'Amirauté, vous le savez aussi bien que moi. Je ne vois pas en vertu de quel argument on pourrait affirmer que Téméraire leur appartient ; s'ils rechignaient tellement à voir un Céleste leur échapper, ils n'auraient pas dû le donner dans sa coquille.

Yongxing renifla et intervint dans leur dispute :

— *Cela* est parfaitement exact, dit-il dans un anglais à l'accent prononcé, lent et scolaire, mais dont la cadence mesurée ne donnait que plus de poids à ses paroles. Depuis le premier jour, ç'a été pure folie que d'envoyer le deuxième œuf de Lung Tien Xiang de l'autre côté des mers. *Cela*, personne ne le conteste.

Son intervention les réduisit tous deux au silence et, pendant un instant, personne n'ajouta rien, sinon le traducteur, qui répétait à voix basse la teneur de ses propos aux autres Chinois. Puis, de manière inattendue, Sun Kai émit un commentaire dans leur langue qui lui valut d'être fusillé du regard par Yongxing. Il garda les yeux baissés avec déférence et ne releva pas la tête, mais, pour la première fois, Laurence constata que leur ambassade ne parlait pas forcément d'une seule voix. Yongxing aboya quelque chose d'un ton qui ne souffrait aucune réplique, et Sun Kai ne se hasarda pas à lui répondre ; satisfait d'avoir mis son subordonné au pas, Yongxing se retourna vers eux et ajouta :

— Quoi qu'il en soit, malgré la malchance qui l'a fait aboutir entre vos mains, Lung Tien Xiang était destiné à l'empereur français, pas à devenir la bête de somme d'un vulgaire soldat.

Laurence se raidit ; « vulgaire soldat » faisait mal, et pour la première fois il se tourna vers le prince pour le dévisager bien en face, affrontant sans ciller son regard froid et méprisant.

— Nous sommes en guerre contre la France, monsieur ; si vous choisissez de vous allier à nos ennemis et de leur envoyer une assistance matérielle, ne venez pas vous plaindre si nous la détournons de haute lutte.

— C'est absurde ! éclata aussitôt Barham d'une voix forte. La Chine n'est en rien une alliée de la

France, jamais de la vie ; nous ne considérons certainement pas la Chine comme une alliée française. Vous n'êtes pas là pour vous adresser à Son Altesse impériale, Laurence ; contrôlez-vous, grinça-t-il sur un ton féroce.

Mais Yongxing ignora cette tentative d'interruption.

— Vous prenez donc la piraterie comme défense ? s'enquit-il avec mépris. Les coutumes des nations barbares ne nous concernent pas. La manière dont peuvent s'entendre des marchands et des voleurs pour se piller les uns les autres n'est d'aucun intérêt pour le Trône céleste, sauf lorsqu'ils choisissent d'insulter l'empereur ainsi que vous l'avez fait.

— Non, Votre Altesse, rien de tel, pas le moins du monde, s'empressa de protester Barham en jetant un regard venimeux à Laurence. Sa Majesté et son gouvernement n'éprouvent que l'affection la plus profonde envers l'empereur ; aucune insulte ne lui serait délibérément infligée, je vous l'assure. Si seulement nous avions connu la nature extraordinaire de l'œuf, vos objections, jamais la situation n'en serait arrivée là…

— Eh bien, vous êtes au courant, désormais, l'interrompit Yongxing, et l'insulte demeure : Lung Tien Xiang est toujours sous le harnais, à peine mieux traité qu'un cheval, sollicité pour transporter des fardeaux et exposé à toutes les brutalités de la guerre ; et par-dessus tout avec un simple capitaine pour compagnon. Il aurait mieux valu que son œuf coule au fond de l'océan !

Consterné, Laurence fut heureux de voir que cette

insensibilité laissait Barham et Powys aussi stupéfaits et mutiques que lui. Même parmi la suite de Yongxing, le traducteur tressaillit, s'agita nerveusement et, pour une fois, s'abstint de traduire les propos du prince en chinois.

— Monsieur, je vous assure que depuis que nous avons connaissance de vos objections, il n'a plus endossé le harnais une seule fois, pas la moindre sangle, dit Barham, qui reprenait ses esprits. Nous n'avons pas épargné nos efforts pour veiller au confort de Téméraire – enfin, de Lung Tien Xiang – et corriger toute inadéquation éventuelle de son traitement. Il n'est plus assigné au capitaine Laurence, cela, je peux vous l'assurer : ils ne se sont plus parlé depuis deux semaines.

Ce rappel était douloureux, et Laurence sentit le peu de sang-froid qui lui restait lui échapper.

— Si vous aviez l'un et l'autre le moindre souci de son confort, vous prêteriez l'oreille à ce qu'il souhaite, non à ce que vous voulez, dit-il en haussant le ton, d'une voix entraînée à rugir des ordres au milieu d'une tempête. Vous vous plaignez de le voir sous le harnais, et, dans le même souffle, vous me demandez de vous aider à l'enchaîner afin de pouvoir l'emmener loin d'ici contre sa volonté. Je m'y refuse ; jamais je ne vous aiderai, et en ce qui me concerne, vous pouvez tous aller au diable.

À en juger par l'expression de Barham, rien ne lui aurait fait plus plaisir que de voir Laurence lui-même mis aux fers : les yeux qui jaillissaient presque des orbites, les mains à plat sur la table, il semblait sur le point de se lever ; pour la première fois, l'amiral Powys intervint, prenant la parole avant lui :

— Suffit, Laurence, tenez votre langue. Barham, sa présence ici n'est plus d'aucune utilité. Dehors, Laurence ; dehors, sur l'heure : rompez.

La longue habitude de l'obéissance eut gain de cause : Laurence sortit de la pièce à grands pas. L'intervention de l'amiral l'avait probablement sauvé d'une arrestation pour insubordination, mais il n'en éprouvait aucune gratitude ; mille paroles demeuraient coincées en travers de sa gorge, et quand la porte claqua lourdement dans son dos, il se retourna. Mais les fusiliers postés de part et d'autre le fixaient avec grossièreté, comme s'il était une bête curieuse. Sous leurs regards inquisiteurs, il se domina du mieux qu'il put et se détourna avant de perdre tout contrôle.

Les paroles de Barham lui parvenaient assourdies par le bois épais, mais l'écho indistinct de ses éclats de voix accompagna Laurence tout au long du couloir. Ivre de colère, il avait le souffle court et la vision brouillée, mais pas de larmes, sinon peut-être des larmes de rage. L'antichambre de l'Amirauté était remplie d'officiers navals, de clercs, d'hommes politiques, et même d'un aviateur en manteau vert, pressé, les bras chargés de dépêches. Laurence se fraya un chemin à coups d'épaule jusqu'à la sortie, gardant ses mains enfoncées dans ses poches pour que personne ne remarque à quel point elles tremblaient.

Il émergea dans le vacarme assourdissant de Londres en fin d'après-midi, dans la cohue des employés de Whitehall qui rentraient chez eux pour le dîner, au milieu de la bousculade des coches et des chaises à porteurs qui fendaient la foule aux cris de « Place, place ! ». Ses sentiments étaient dans le même désordre que son environnement, et il s'enfonça dans les rues au hasard ; on dut l'appeler trois fois avant qu'il reconnaisse son propre nom.

Il ne se retourna qu'avec réticence ; il n'avait aucun désir d'échanger la moindre amabilité ni quelque geste d'affection avec un ancien collègue. Mais il découvrit avec soulagement qu'il s'agissait du capitaine Roland, et non d'une vague connaissance. Il fut surpris de la voir ; très surpris, car son dragon, Excidium, était chef de formation à la base de Douvres. Il n'était jamais simple de lui accorder une permission, et, de toute manière, elle ne pouvait se rendre ouvertement à l'Amirauté, étant l'une de ces rares femmes officiers qui devaient leur statut au fait que les Longwings exigeaient des capitaines féminins. Ce secret était très peu connu hors des rangs des aviateurs, et jalousement gardé contre une désapprobation publique certaine ; Laurence lui-même avait eu quelques difficultés à accepter l'idée, de prime abord. Désormais, il y était tellement habitué que Roland lui paraissait étrange, habillée en civil : les jupes et le long manteau qu'elle avait revêtus ne lui allaient pas très bien.

— Je m'essouffle à vous courir après depuis cinq minutes, dit-elle en lui prenant le bras quand elle le rejoignit. Je traînais devant cette énorme bâtisse caverneuse, en attendant de vous voir ressortir, et vous êtes passé droit devant moi comme une furie. J'ai eu toutes les peines du monde à vous rattraper. Le diable emporte ces vêtements ; j'espère que vous appréciez les efforts que je fais pour vous, Laurence. Mais peu importe, ajouta-t-elle d'une voix radoucie. Je lis sur votre visage que l'entrevue ne s'est pas bien passée : allons dîner quelque part, où vous me raconterez tout.

— Merci, Jane ; je suis heureux de vous voir, dit-il. (Il se laissa entraîner en direction de son auberge, même s'il n'était pas certain de pouvoir avaler quoi que ce fût.) Mais comment se fait-il que vous soyez ici, dites-moi ? J'espère qu'il n'est rien arrivé à Excidium ?

— Rien du tout, à moins qu'il ne se soit offert une indigestion, le rassura-t-elle. Non ; mais Lily et le capitaine Harcourt se rétablissent magnifiquement, de sorte que Lenton a pu doubler leurs patrouilles et m'octroyer quelques jours de liberté. Excidium en a aussitôt profité pour dévorer trois énormes vaches, le maudit goinfre ; à peine s'il a soulevé une paupière quand je lui ai proposé de l'abandonner aux bons soins de Sanders – c'est mon nouveau premier lieutenant – pour venir vous tenir compagnie. Alors, j'ai enfilé une tenue civile et suis venue avec le courrier. Oh ! par l'enfer : attendez-moi une minute, voulez-vous ?

Elle s'arrêta, le temps de donner quelques coups de pied vigoureux pour secouer ses jupes : elles étaient trop longues, et l'ourlet s'était pris dans son talon.

Il la retint par le bras pour lui éviter de perdre l'équilibre, après quoi ils repartirent dans les rues de Londres à une allure moins soutenue. La foulée virile et la balafre de Roland attiraient une telle curiosité que Laurence se mit à foudroyer du regard tous ceux qui la dévisageaient un peu trop longuement, bien qu'elle-même ne leur accordât aucune importance. Remarquant son comportement, elle lui dit :

— Vous êtes terrible quand vous êtes en colère ; n'effrayez pas ces pauvres filles. Que vous ont donc dit ces messieurs de l'Amirauté ?

— Vous savez, je suppose, qu'une ambassade est arrivée de Chine ? Elle compte ramener Téméraire avec elle, et le gouvernement n'a pas l'intention de s'y opposer. Mais, de toute évidence, lui ne veut pas en entendre parler ; il leur a conseillé à tous d'aller se faire pendre, bien qu'ils le harcèlent sans relâche depuis des semaines, dit Laurence.

Alors qu'il parlait, il éprouva une sensation douloureuse, semblable à un serrement juste à l'intérieur du plexus. Il se représentait clairement Téméraire gardé seul dans l'ancienne base de Londres, pratiquement inutilisée depuis les cent dernières années, sans la compagnie de Laurence ou de son équipage ni personne pour lui faire la lecture, et ne croisant pour tout représentant de son espèce que quelques petits dragons rapides du service du courrier.

— C'est bien naturel qu'il refuse de les suivre ! s'indigna Roland. Je n'arrive pas à croire qu'ils espéraient le persuader de vous quitter. Je les aurais crus plus avisés ; j'ai toujours entendu saluer les Chinois comme le summum des éleveurs de dragons.

— Leur prince n'a pas fait mystère de la piètre estime dans laquelle il me tient ; ils s'attendaient probablement que Téméraire partage leur opinion et se montre trop heureux de rentrer avec eux, dit Laurence.

Quoi qu'il en soit, ils ont renoncé à le convaincre ; et cet ignoble Barham m'a ordonné de lui mentir, de lui raconter que nous étions affectés à Gibraltar, afin de le faire embarquer sur un navire de transport et qu'il se retrouve trop loin en mer pour regagner la terre avant d'avoir compris de quoi il retournait.

— Oh ! c'est infâme. (Roland serra le bras de Laurence, à lui faire mal.) Powys n'a-t-il rien objecté ? Je ne peux croire qu'il ait toléré un tel stratagème ; on ne peut pas escompter qu'un officier naval comprenne ce genre de choses, mais Powys aurait dû le lui expliquer.

— Je crains qu'il ne puisse rien faire ; il n'est qu'un officier d'active, alors que Barham est mandaté par le ministère, dit Laurence. Au moins m'a-t-il empêché de me faire passer la corde au cou : me voyant sur le point de perdre mon sang-froid, il m'a renvoyé.

Ils avaient atteint le Strand ; l'augmentation du trafic rendait la conversation difficile, et ils devaient prendre garde à ne pas se faire éclabousser par la neige fondue d'un gris douteux accumulée dans le caniveau, que les roues des coches et des carrioles à bras rejetaient sur le trottoir. À mesure que sa colère se dissipait, Laurence se sentait de plus en plus abattu.

Dès les premiers instants de leur séparation, il s'était consolé en se répétant quotidiennement qu'elle prendrait bientôt fin, que les Chinois comprendraient que Téméraire ne souhaitait pas partir, ou que l'Amirauté renoncerait à tout faire pour leur être agréable. Même ainsi, la sentence lui avait semblé cruelle ; ils ne s'étaient pas quittés une journée au cours des mois qui avaient suivi l'éclosion de Téméraire, et Laurence ne savait que faire de lui-même, ni comment occuper ses heures. Pourtant, ces deux semaines n'étaient rien comparées à l'effroyable certitude qu'il venait de ruiner toutes ses chances. Les Chinois ne plieraient pas, et le ministère finirait par trouver un moyen de renvoyer Téméraire en Chine : il ne verrait aucune objection à lui raconter les pires mensonges à cette fin. Selon toute vraisemblance, Barham ne consentirait même pas à ce que Laurence et Téméraire se revoient une dernière fois pour se dire adieu.

Laurence n'avait pas voulu réfléchir à ce que deviendrait sa vie sans Téméraire. Un autre dragon était inimaginable, naturellement, et la Navy refuserait de le reprendre, désormais. Il supposait qu'il pourrait toujours trouver un commandement dans la marine marchande, ou en tant que corsaire ; toutefois, il doutait d'en avoir vraiment envie, et il avait accumulé suffisamment de parts de prise pour vivre de ses rentes. Peut-être même pourrait-il se marier et s'établir comme gentilhomme paysan ; mais cette perspective, autrefois si idyllique dans son imagination, lui paraissait désormais ennuyeuse et terne.

Pire encore, il ne rencontrerait guère de sympathie nulle part : ses anciens amis envieraient sa chance, sa famille se réjouirait et personne ne prendrait en considération tout ce qu'il aurait perdu. En toute honnêteté, son abattement avait quelque chose d'un peu ridicule : il était devenu aviateur malgré lui, sous la seule impulsion de son sens aigu du devoir, et il ne s'était pas écoulé un an depuis qu'il avait changé de statut ;

pourtant, le seul fait d'envisager l'éventualité de ne plus l'être lui était des plus pénible. Seuls d'autres aviateurs, voire un autre capitaine, seraient vraiment à même de comprendre ses sentiments, mais une fois Téméraire parti, il se retrouverait coupé de leur compagnie, exactement comme les aviateurs eux-mêmes étaient coupés du monde.

La grand-salle au rez-de-chaussée de l'hostellerie du Crown and Anchor était loin d'être calme, bien qu'il fût encore tôt pour dîner selon les mœurs citadines. L'établissement n'était ni à la mode ni même « convenable », sa clientèle se composant principalement de campagnards habitués à manger et à boire à une heure plus conventionnelle. Ce n'était pas un endroit digne d'une femme respectable, et Laurence, par le passé, n'eût jamais choisi de fréquenter ce genre de lieu. Roland s'attira quelques regards insolents, d'autres seulement curieux, mais personne ne poussa plus loin l'impolitesse : Laurence offrait un tableau imposant à ses côtés, avec ses larges épaules et son épée d'apparat sur la hanche.

Roland fit monter Laurence dans ses appartements, l'invita à s'asseoir dans un méchant fauteuil et lui offrit un verre de vin. Il but à grands traits, se cachant derrière son verre pour échapper au regard empli de sollicitude de son hôtesse : il craignait de perdre toute contenance.

— Vous devez être mort de faim, Laurence, dit-elle. La moitié du problème vient de là.

Elle tira le cordon de la sonnette ; peu après, deux serviteurs leur apportèrent un bon dîner : une volaille rôtie, avec des légumes et du bœuf en sauce, quelques petits cheesecakes à la confiture, une terrine de pieds de veau, une assiette de chou rouge bouilli et un modeste pudding aux biscuits pour le dessert. Elle leur fit déposer le tout sur la table et les renvoya.

Laurence ne croyait pas pouvoir manger, mais, devant ce festin, il s'aperçut qu'il avait faim. Il se nourrissait plutôt mal ces derniers temps, à cause de ses horaires irréguliers, mais surtout de la table médiocre de sa pension de famille, choisie pour sa proximité avec la base où l'on gardait Téméraire ; pour une fois, il dévora avec appétit, laissant Roland assurer la conversation pratiquement seule et le distraire avec les ragots et nouvelles du service.

— J'étais navrée de perdre Lloyd, naturellement – ils ont l'intention de le présenter à un œuf d'Anglewing qui est en train de durcir à Kinloch Laggan, dit-elle en parlant de son premier lieutenant.

— Je crois l'avoir aperçu là-bas, dit Laurence, s'animant quelque peu et levant la tête de son assiette. L'œuf d'Obversaria ?

— Oui, et nous en espérons beaucoup, dit-elle. Lloyd était aux anges, bien sûr, et je suis ravie pour lui ; malgré tout, ce n'est pas facile d'intégrer un nouveau premier lieutenant après cinq ans, avec tout l'équipage, y compris Excidium, qui murmure à propos de la façon dont il menait les choses. Mais Sanders est un brave garçon, auquel on peut se fier ; on me l'a envoyé de Gibraltar après que Granby a refusé le poste.

— Quoi ? Il a refusé ? s'écria Laurence avec

consternation. (Granby était son premier lieutenant.) Pas à cause de moi, j'espère.

— Oh ! Seigneur, vous l'ignoriez donc ? dit Roland, tout aussi effarée. Granby m'a parlé très joliment ; m'a dit qu'il se sentait flatté, mais préférait ne pas changer d'affectation. J'étais certaine qu'il vous avait consulté ; je pensais que, peut-être, on vous avait donné quelque raison d'espérer.

— Non, dit tout bas Laurence. Il risque vraisemblablement de terminer sans la moindre affectation ; je suis sincèrement désolé d'apprendre qu'il a laissé passer une si belle occasion.

Ce refus ne servirait pas la carrière de Granby dans les Corps ; un homme qui refusait un poste ne pouvait s'attendre à s'en voir proposer un autre avant longtemps, et, sous peu, Laurence n'aurait plus la moindre influence pour l'aider.

— Ma foi, je suis navrée de vous causer des soucis supplémentaires, dit Roland après un moment. L'amiral Lenton n'a pas véritablement dissous votre équipage, vous savez ; il s'est contenté de donner quelques hommes à Berkley, qui en manque cruellement. Nous étions tous certains que Maximus avait achevé sa croissance ; peu après votre convocation ici, il a commencé à nous faire mentir, et, pour l'instant, il a gagné une bonne quinzaine de pieds en longueur.

Elle ajouta cette dernière remarque pour tenter de ramener la conversation sur un terrain plus léger, mais c'était peine perdue : Laurence avait l'estomac noué, et il reposa son couteau et sa fourchette dans son assiette à moitié pleine.

Roland tira les rideaux ; le soir commençait à tomber.

— Aimeriez-vous assister à un concert ?

— Je me ferais un plaisir de vous accompagner, dit-il mécaniquement, et elle secoua la tête.

— Non, oubliez cela ; je vois que vous n'êtes pas d'humeur. Venez plutôt vous coucher, mon cher ; il ne sert à rien de rester assis à broyer du noir.

Ils soufflèrent les chandelles et s'allongèrent côte à côte.

— Je n'ai pas la moindre idée de ce que je dois faire, avoua-t-il doucement. (L'obscurité rendait cette confession un peu plus facile.) J'ai insulté Barham, et je ne lui pardonne pas de m'avoir demandé de mentir ; c'est indigne d'un gentilhomme. Pourtant, ce n'est pas une canaille ; il n'aurait pas eu recours à un tel faux-fuyant s'il avait le moindre choix.

— Cela me rend malade d'entendre qu'il se prosterne et s'humilie ainsi devant ce prince étranger. (Roland se redressa sur un coude.) J'ai pu voir le port de Canton autrefois, alors que j'étais aspirant, à bord d'un vaisseau de transport qui revenait des Indes par la longue route ; ces jonques qu'ils possèdent ne me paraissent guère taillées pour la haute mer, et encore moins pour affronter une tempête. Même s'ils voulaient partir en guerre contre nous, ils ne pourraient pas faire franchir l'océan à leurs dragons sans une escale.

— C'est aussi ce que j'ai pensé, en apprenant la nouvelle, dit Laurence. Mais ils n'ont pas besoin de survoler l'océan pour mettre un terme à notre commerce avec la Chine et ruiner nos échanges avec l'Inde, s'ils le souhaitent ; sans oublier qu'ils ont une frontière commune avec la Russie. Ce serait la fin de la coalition contre Bonaparte, si le tsar se faisait attaquer sur ses frontières orientales.

— Je ne sache pas que les Russes nous aient été d'une grande utilité jusqu'ici dans cette guerre, et l'argent est une piètre excuse pour se comporter en gredin, de la part d'un homme comme d'un pays, dit Roland. L'État s'est déjà trouvé à court de fonds par le passé, et nous avons tout de même réussi à pocher un œil à Bonaparte. Quoi qu'il en soit, je lui en veux de vous tenir éloigné de Téméraire. Barham ne vous a toujours pas laissé le voir, je suppose ?

— Non, pas depuis deux semaines. Je connais un brave garçon à la base qui lui remet mes messages et me fait savoir qu'il s'alimente, mais je ne peux pas lui demander de me laisser entrer ; ce serait la cour martiale pour nous deux. Quoique, en ce qui me concerne, je ne suis pas certain que cela m'arrêterait.

Un an plus tôt, il n'aurait jamais imaginé pouvoir faire un aveu pareil ; il n'aimait pas davantage y songer maintenant, mais l'honnêteté lui avait mis les mots en bouche. Roland ne s'en offusqua pas, mais elle était aviatrice elle-même. Elle leva la main, lui caressa la joue et l'attira entre ses bras pour lui offrir tout le réconfort qu'on pouvait y trouver.

Laurence se réveilla en sursaut dans l'obscurité, sommeil cassé : Roland était déjà debout. Une servante bâillait sur le seuil, tenant une chandelle dont la lumière jaune se déversait dans la chambre. Elle tendit à Roland une missive scellée et se tint là, dévisageant Laurence avec un intérêt lascif ; il sentit une rougeur coupable lui monter aux joues et baissa les yeux afin de s'assurer qu'il était bien recouvert par les draps.

Roland avait déjà brisé le sceau ; elle tendit le bras et prit la chandelle des mains de la fille.

— Voilà pour vous ; laissez-nous, maintenant, dit-elle en glissant un shilling à la servante avant de lui refermer la porte au nez sans plus de cérémonie. Laurence, il me faut partir sur-le-champ, annonça-t-elle à voix basse en s'approchant du lit pour allumer les autres chandelles. Ce sont des nouvelles de Douvres : un convoi français protégé par des dragons tente de rallier Le Havre. La flotte de la Manche le poursuit, mais il compte un Flamme-de-Gloire dans son escorte, et elle ne peut pas engager le combat sans soutien aérien.

— Combien de vaisseaux dans le convoi français ? Est-ce précisé ?

Il était déjà hors du lit, en train d'enfiler ses pantalons. Un cracheur de feu représentait l'un des pires dangers auxquels pouvait se retrouver confronté un vaisseau de ligne, même lorsque ce dernier bénéficiait d'un soutien aérien conséquent.

— Une trentaine au moins, sans doute chargés jusqu'à la gueule de matériel de guerre, dit-elle en tressant ses cheveux en natte serrée. Avez-vous vu ma veste ?

Par la fenêtre, on voyait le bleu du ciel commencer à s'éclaircir ; bientôt, les chandelles ne seraient plus nécessaires. Laurence trouva la veste et aida Roland à l'endosser, tout en calculant mentalement la puissance de feu probable des navires marchands, quelle proportion de la flotte serait envoyée à leur poursuite, combien risquaient de s'échapper et de parvenir à bon port – les batteries du Havre étaient redoutables. Si le vent n'avait pas tourné depuis la veille, ils bénéficiaient de conditions favorables pour s'enfuir. Une trentaine de vaisseaux chargés de fer, de cuivre, de vif-argent et de poudre à canon : Bonaparte ne représentait peut-être plus un danger sur mer après Trafalgar, mais sur terre il demeurait le maître de l'Europe, et une telle cargaison pouvait facilement subvenir à ses besoins pour plusieurs mois.

— Donnez-moi cette cape, voulez-vous ? lui demanda Roland, interrompant ses réflexions. (Les plis volumineux de la cape dissimulèrent son habit d'homme, et elle rabattit le capuchon sur son visage.) Là, cela fera l'affaire.

— Un moment ; je vous accompagne ! dit Laurence en enfilant son propre manteau. J'espère pouvoir me rendre utile. Puisque Berkley manque d'hommes sur Maximus, je devrais au moins pouvoir tirer une sangle ici ou là, ou aider à repousser un abordage. Laissez vos bagages et sonnez la servante : nous ferons envoyer le reste de vos affaires à ma pension de famille.

Ils se hâtèrent le long des rues encore quasiment vides : ils ne croisèrent que des ramasseurs d'ordures tirant leurs carrioles fétides et brinquebalantes, des journaliers qui commençaient leur tournée à la recherche de travail, des servantes qui se rendaient au marché en faisant claquer leurs sabots, ainsi que quelques bestiaux dont le souffle formait un panache blanc dans l'air froid. Un brouillard épais s'était levé pendant la nuit, formant comme un mince vernis de glace sur la peau. Au moins, en l'absence de foule, Roland n'avait pas à se soucier de son manteau et ils pouvaient presque courir sans craindre d'attirer l'attention.

La base de Londres était située non loin des bureaux de l'Amirauté, sur la rive ouest de la Tamise ; en dépit de cet emplacement, pourtant si commode, les bâtiments alentour présentaient un état de délabrement avancé ; y vivaient ceux qui ne pouvaient se permettre d'habiter plus loin des dragons. Certaines maisons paraissaient même à l'abandon, récupérées par quelques gamins faméliques qui vinrent se poster aux fenêtres avec un air soupçonneux en entendant passer des étrangers. Une boue de déjections liquides remplissait les caniveaux ; dans leur hâte, Laurence et Roland crevèrent la mince croûte de glace qui la recouvrait, libérant une puanteur qui s'accrocha à leurs bottes.

Ici, les rues étaient vraiment désertes ; pourtant, un coche massif surgit brusquement du brouillard comme s'il avait l'intention de les écraser : Roland eut tout juste le temps d'attraper Laurence et de le hisser sur le trottoir avant qu'il ne passe sous les roues. Le cocher ne ralentit même pas, et tourna au coin de la rue sans un mot d'excuse.

Laurence baissa les yeux avec consternation sur ses plus beaux pantalons : ils étaient noirs de boue.

— Ne vous en faites pas, le consola Roland.

Personne ne s'en souciera une fois en l'air, et cela finira peut-être par s'en aller tout seul.

C'était sans doute un peu trop optimiste, mais le temps manquait pour y faire quoi que ce fût, et ils repartirent donc en pressant le pas.

Les portes de la base se détachaient singulièrement au milieu de ces rues ternes, dans le matin gris, avec leurs ferrures fraîchement repeintes en noir et les serrures en laiton poli ; curieusement, deux jeunes fusiliers en uniforme rouge faisaient les cent pas non loin de là, leurs armes appuyées contre le mur. Le concierge de service toucha son chapeau à l'adresse de Roland en venant leur ouvrir, tandis que les fusiliers la dévisageaient, non sans perplexité : sa cape avait glissé de ses épaules, découvrant aussi bien ses triples barrettes de capitaine que son uniforme rutilant.

Laurence s'interposa pour la masquer à leur vue, sourcils froncés.

— Merci, Patson ; le courrier de Douvres ? s'enquit-il auprès du gardien dès qu'ils furent entrés.

— Je crois qu'il vous attend, monsieur, dit Patson en refermant la grille. (Il indiqua du pouce l'intérieur de la base.) Dans la première clairière, s'il vous plaît. Ne vous en faites pas pour eux, ajouta-t-il avec un regard noir vers les fusiliers, qui parurent passablement intimidés (ce n'étaient encore que des enfants alors que Patson était un solide gaillard, un ancien armurier, que son bandeau sur l'œil et la cicatrice rougeâtre qui en dépassait rendaient encore plus impressionnant). Je leur ferai la leçon, n'ayez crainte.

— Merci, Patson ; allons-y, dit Roland en pénétrant

dans la base, Laurence sur ses talons. Que faisaient ces deux homards dans le coin ? Encore heureux que ce ne soient pas des officiers. Je me rappelle que, il y a douze ans, je ne sais plus quel officier de l'armée avait découvert le capitaine Saint-Germain qui venait d'être blessée à Toulon ; il avait causé un tel raffut que l'affaire avait failli éclater dans les journaux : une belle idiotie.

Seule une mince barrière d'arbres et de bâtiments autour du périmètre de la base la protégeait des fumées et du bruit de la ville ; ils atteignirent presque aussitôt la première clairière, à peine assez large pour qu'un dragon de taille moyenne puisse y déployer ses ailes. Le courrier les y attendait bel et bien : une jeune Winchester, dont les ailes pourpres n'avaient pas encore foncé jusqu'à leur coloration adulte, mais déjà harnachée et impatiente de s'envoler.

— Eh bien, Hollin, dit Laurence, serrant la main du capitaine avec entrain (c'était un réel plaisir de revoir ainsi son ancien maître de l'équipe au sol, désormais en veste d'officier). Est-ce là votre dragonne ?

— Oui, monsieur, en effet ; je vous présente Elsie, dit Hollin, rayonnant de fierté. Elsie, voici le capitaine Laurence : je t'en ai souvent parlé, c'est grâce à lui qu'on nous a présentés.

La Winchester tourna la tête afin d'étudier Laurence d'un œil vif et intéressé : sortie de sa coquille depuis moins de trois mois, elle restait petite, même pour sa race, mais sa peau brillait comme un sou neuf et elle semblait particulièrement soignée.

— Ainsi, c'est toi le capitaine de Téméraire ?

Merci ; j'aime beaucoup mon Hollin, dit-elle d'une petite voix flûtée, avant de donner à Hollin une bourrade affectueuse qui manqua le renverser.

— Très heureux d'avoir pu vous être utile, ainsi que de faire ta connaissance, dit Laurence.

Il se forçait à témoigner un certain enthousiasme, mais cette rencontre lui rappelait douloureusement que Téméraire se trouvait à moins de cinq cents mètres, et qu'il n'avait même pas le droit d'aller échanger deux mots avec lui. Il regarda dans sa direction, mais des bâtiments lui bouchaient la vue ; il n'aperçut pas la moindre parcelle de peau noire.

Roland demanda à Hollin :

— Tout est-il prêt ? Nous devons partir sans attendre.

— Oui, madame, nous sommes prêts ; nous n'attendons plus que les dépêches, répondit Hollin. Vous avez cinq minutes, si vous souhaitez vous dégourdir les jambes avant le vol.

La tentation était forte ; Laurence avala sa salive. Mais le sens de la discipline l'emporta : refuser ouvertement un ordre déshonorant était une chose, désobéir sournoisement à des instructions déplaisantes en était une autre ; et cela risquait de porter tort à Hollin comme à Roland.

— Je vais marcher jusqu'à ces baraquements, et toucher quelques mots à Jervis, dit-il, puis il alla trouver l'homme qui supervisait les soins quotidiens de Téméraire.

Jervis était un homme d'âge mûr, ancien maître de harnais, qui avait perdu la majeure partie de ses membres du côté gauche à la suite d'un terrible coup de griffe au flanc du dragon sur lequel il servait. S'étant rétabli contre toute attente, il s'était vu affecté au service peu exigeant de la base de Londres, si rarement utilisée. Sa jambe de bois et son crochet lui donnaient une drôle d'allure bancale, et l'oisiveté l'avait rendu paresseux et quelque peu grincheux, mais Laurence avait souvent prêté l'oreille à ses histoires et fut accueilli chaleureusement.

— Voulez-vous être assez aimable pour transmettre un message de ma part ? demanda Laurence après avoir décliné une tasse de thé. Je me rends à Douvres, voir si je peux servir à quelque chose ; je ne voudrais pas que Téméraire s'inquiète de mon silence.

— Je lui passerai le mot et le lui lirai ; il en aura besoin, le pauvre bougre, dit Jervis qui alla clopin-clopant chercher sa plume et son encrier. (Laurence sortit un bout de papier de sa poche afin de rédiger son message.) Ce gros lard de l'Amirauté est revenu il y a moins d'une demi-heure avec toute une bande de fusiliers et ces maudits Chinois, et ils sont encore là, à l'abrutir de parlottes. S'ils ne décampent pas bientôt, je ne garantis pas qu'il mangera aujourd'hui, ça non. Foutu salopard de marin ; pour qui se prend-il, à s'imaginer qu'il comprend quoi que ce soit aux dragons ? Soit dit sans vouloir vous offenser, monsieur, s'empressa d'ajouter Jervis.

La main de Laurence tremblait tellement au-dessus du papier qu'il fit des pâtés sur les premières lignes ainsi que sur la table. Il bredouilla une vague réponse et s'efforça de poursuivre sa lettre ; les mots ne venaient pas. Il en était là, suspendu au milieu d'une phrase, quand il fut subitement jeté au sol tandis que la table se renversait et que l'encre se répandait par terre ; un fracas terrible retentit à l'extérieur, un craquement de tonnerre comme au plus fort d'une tempête hivernale en mer du Nord.

Il tenait toujours sa plume à la main ; il la lâcha et se rua sur la porte. Jervis sortit derrière lui en clopinant. L'air vibrait encore sous l'écho, et Elsie s'était assise sur son arrière-train, ouvrant et refermant nerveusement les ailes, malgré les efforts de Hollin et de Roland pour la rassurer ; les autres dragons présents dans la base avaient levé la tête également, et regardaient par-dessus les arbres en poussant des sifflements inquiets.

— Laurence, appela Roland.

Mais il l'ignora ; il était déjà en train de courir le long du sentier, la main posée inconsciemment sur la poignée de son épée. En parvenant à la clairière, il trouva le chemin barré par les décombres d'un baraquement ainsi que plusieurs arbres déracinés.

Mille ans avant que les Romains, les premiers, ne parviennent à domestiquer les dragons occidentaux, les Chinois étaient déjà passés maîtres dans cet art. Ils plaçaient la beauté et l'intelligence au-dessus des prouesses martiales, et considéraient avec mépris les cracheurs de feu et d'acide si hautement prisés en Occident ; leurs légions aériennes étaient tellement nombreuses qu'ils n'avaient pas besoin de cultiver ce genre de manifestations tapageuses. Pour autant, ils ne dédaignaient pas entièrement ces facultés exceptionnelles ; et dans le Céleste, ils avaient atteint le sommet de leur réussite : le mariage de tous les dons avec ce pouvoir subtil et meurtrier que les Chinois appelaient « vent divin » – le rugissement aux effets plus dévastateurs qu'une canonnade.

Laurence avait déjà assisté une fois aux dégâts occasionnés par le vent divin, lors de la bataille de Douvres, quand Téméraire s'en était servi avec une efficacité redoutable contre les troupes aéroportées de Napoléon. Mais ici, les pauvres arbres avaient reçu l'impact à bout portant : ils étaient couchés comme des allumettes, leurs troncs réduits en miettes. Le baraquement avait été littéralement soufflé, lui aussi, le ciment pulvérisé et les briques fendues, éparpillées dans l'herbe. Une telle dévastation faisait songer à un ouragan, ou à un tremblement de terre, et ce nom de « vent divin », qui semblait jusque-là poétique, prenait soudain une tout autre dimension.

Quasiment tous les fusiliers de l'escorte avaient battu en retraite dans les sous-bois qui bordaient la clairière, livides de terreur ; seul Barham n'avait pas bougé. Les Chinois n'avaient pas reculé non plus, mais presque tous étaient prosternés face contre terre, à l'exception du prince Yongxing, qui restait debout à leur tête sans broncher.

La carcasse d'un gigantesque chêne aux racines maculées de terre leur barrait l'accès à la clairière, et Téméraire se dressait derrière, une patte sur le tronc, dominant tout le monde de sa masse ondulante.

— Ne me dites plus jamais une telle chose, gronda-t-il en baissant la tête vers Barham. (Il avait les crocs dénudés, et sa collerette dressée frémissait de rage.) Je n'y crois pas un instant, et je refuse d'entendre ces mensonges plus longtemps ; Laurence n'aurait jamais pris un autre dragon. Si vous l'avez envoyé au loin, je partirai à sa recherche, et si vous lui avez fait du mal…

Il prit son souffle en préparation d'un nouveau rugissement ; sa poitrine se gonfla comme une voile au vent, et cette fois-ci les hommes se tenaient sans défense, directement devant lui.

— Téméraire, cria Laurence.

Il escalada les décombres, maladroitement, avant de se laisser glisser de l'autre côté sans prendre garde aux échardes qui s'enfonçaient dans ses vêtements et dans sa peau.

— Téméraire, je vais bien, je suis là…

Téméraire avait tourné la tête au premier mot ; il fit aussitôt les deux enjambées nécessaires pour franchir la clairière. Laurence se tint immobile, le cœur battant, mais pas de peur ; les deux énormes pattes avant et leurs griffes redoutables se posèrent sur sa taille tandis que le corps reptilien s'enroulait autour de lui ; les flancs écailleux l'enveloppèrent, telle une muraille protectrice noire, et la tête anguleuse vint s'appuyer près de lui.

Laurence saisit la tête de Téméraire à deux mains et, pendant un moment, pressa sa joue contre le museau souple ; Téméraire poussa un grognement de mécontentement.

— Laurence, Laurence, ne m'abandonne plus jamais ainsi.

Laurence déglutit.

— Mon cher, commença-t-il, avant de s'interrompre. Il n'y avait pas de réponse possible.

Ils restèrent ainsi tête contre tête sans rien dire, coupés du monde ; mais un instant seulement.

— Laurence, appela Roland de l'autre côté des anneaux. (Elle paraissait hors d'haleine, et son ton était urgent.) Téméraire, sois gentil, écarte-toi.

Téméraire souleva la tête et desserra son étreinte à contrecœur, afin de leur permettre de se parler ; mais il continua à faire écran entre Laurence et le groupe de Barham.

Roland se glissa sous la patte avant de Téméraire pour rejoindre Laurence.

— Il vous fallait rejoindre Téméraire, bien sûr, mais cela risque d'avoir un effet déplorable auprès de quelqu'un qui ne comprend rien aux dragons. Par pitié, ne laissez pas Barham vous entraîner à commettre l'irréparable ; montrez-vous doux comme un agneau avec lui, et faites tout ce qu'il vous dira. (Elle secoua la tête.) Par Dieu, Laurence ; je déteste vous laisser dans un tel embarras, mais les dépêches sont arrivées, et chaque minute peut avoir son importance.

— Bien sûr, vous ne pouvez pas rester, protesta Laurence. On doit vous attendre en ce moment même à Douvres pour déclencher l'attaque ; nous saurons nous débrouiller, n'ayez crainte.

— Une attaque ? Il va y avoir une bataille ? s'enquit Téméraire qui les avait écoutés.

Il fit jouer ses griffes et regarda vers l'est, comme s'il pouvait apercevoir d'ici les formations qui prenaient leur essor.

— Partez sur-le-champ, et soyez prudente, enjoignit Laurence à Roland. Transmettez mes excuses à Hollin.

Elle acquiesça.

— Ne vous mettez pas martel en tête. Je parlerai à Lenton avant l'envol. Les Corps ne pourront pas demeurer muets plus longtemps ; vouloir vous séparer était déjà odieux, mais cette pression, cette façon de bouleverser tous les autres dragons, est proprement insupportable : cela doit cesser, et personne ne pourra vous en tenir pour responsable.

— Ne vous souciez pas de moi et ne perdez pas un instant de plus : vous devez songer à l'attaque, dit-il énergiquement.

Son assurance était aussi factice que la confiance manifestée par Roland ; ils connaissaient tous deux la gravité de la situation. Laurence ne regrettait pas une seconde d'être accouru auprès de Téméraire, mais il avait ouvertement enfreint les ordres. Aucune cour martiale ne pourrait le juger innocent ; pas avec Barham en personne pour prononcer l'accusation, sans compter que, si on l'interrogeait, Laurence pourrait difficilement nier les faits. Il ne pensait pas encourir la pendaison : l'insubordination n'avait pas eu lieu sur le champ de bataille, et les circonstances offraient quelques excuses, mais s'il avait encore appartenu à la Navy, il aurait certainement été renvoyé du service. Il n'y avait rien à faire, sinon affronter les conséquences ; il eut un sourire forcé, Roland lui pressa le bras, puis elle partit.

Les Chinois s'étaient relevés et reprenaient

contenance, avec plus de succès que les fusiliers qui semblaient prêts à détaler à la moindre alerte. Tout le monde escaladait tant bien que mal le chêne abattu. Le plus jeune des envoyés, Sun Kai, s'en tira plus adroitement que les autres et, avec l'un des suivants, tendit la main au prince pour l'aider à descendre du tronc. Yongxing, empêtré dans sa lourde robe brodée, laissa derrière lui des filaments de soie accrochés aux branches, pareils à des toiles d'araignée de couleur vive ; mais, s'il éprouvait un peu de la terreur qui se lisait clairement sur le visage des soldats britanniques, il n'en montra rien : il avait conservé son expression impassible.

Téméraire les foudroya du regard.

— Je n'ai pas l'intention de rester tranquillement assis là pendant qu'on va se battre, et peu importe ce qu'on peut en penser.

Laurence lui flatta l'encolure pour le réconforter.

— Ne cède pas à la colère, je t'en prie. Restons calmes, mon cher ; perdre notre sang-froid n'arrangerait rien.

Téméraire se contenta de renifler avec dédain, la prunelle fixe et flamboyante, la collerette tendue, toutes les pointes dressées : il n'était pas d'humeur à se laisser apaiser.

Le visage cendreux, Barham ne fit pas mine de vouloir s'approcher davantage, mais Yongxing s'adressa vivement à lui, d'un ton à la fois pressant et coléreux, à en juger par ses gesticulations en direction du dragon ; Sun Kai, pour sa part, se tint à l'écart, regardant Laurence et Téméraire d'un air songeur.

Enfin, Barham s'avança en fronçant les sourcils, trouvant visiblement dans la colère un dérivatif à sa frayeur ; Laurence avait souvent remarqué ce phénomène chez des hommes à la veille d'une bataille.

— Voilà donc toute la discipline qu'on vous enseigne dans les Corps ! commença Barham.

Remarque mesquine et méprisable, la désobéissance de Laurence lui ayant très probablement sauvé la vie ; il dut s'en rendre compte, car il devint encore plus furieux :

— Eh bien, cela ne suffira pas avec moi, Laurence, pas une seconde ; je vous ferai casser pour ça. Sergent, mettez cet homme aux arrêts…

La fin de sa phrase fut inaudible ; Barham s'enfonça, devint de plus en plus petit, sa bouche rouge vociférante s'ouvrant et se refermant comme la gueule d'un poisson, ses paroles de moins en moins distinctes tandis que le sol se dérobait sous les pieds de Laurence. Téméraire avait refermé ses pattes en coupe autour de lui et ses grandes ailes noires brassaient l'air avec vigueur ; il s'éleva dans le ciel grisâtre de Londres, à travers la suie qui ternissait ses flancs et maculait les mains de Laurence.

Ce dernier s'installa le plus confortablement possible entre les pattes du dragon et garda le silence ; le mal était fait, et il savait le moment mal choisi pour demander à Téméraire de regagner le sol sur-le-champ : on sentait une vraie violence derrière ses battements d'ailes, une rage contenue à grand-peine. Ils volaient très vite. Laurence baissa les yeux avec une certaine anxiété au moment de survoler les remparts de la ville : Téméraire volait sans harnais ni signaux, et il craignait que les canons ne soient tournés contre eux. Mais les batteries restèrent muettes : Téméraire était suffisamment caractéristique, avec sa peau d'un noir immaculé à l'exception des taches bleu foncé et gris perle au bord des ailes, pour qu'on le reconnût.

À moins qu'ils ne fussent passés trop vite pour essuyer le moindre tir : ils laissèrent la ville derrière eux moins de quinze minutes après avoir quitté le sol et furent bientôt hors de portée des longs canons à poivre. Des routes se divisaient dans la campagne sous eux, couvertes de neige, et l'air semblait déjà beaucoup plus propre. Téméraire marqua une pause en volant sur place un moment, secoua la tête pour en faire tomber la poussière, et éternua bruyamment, malmenant quelque peu Laurence ; mais ensuite, il continua son vol à une allure plus modérée, et après une minute ou deux il replia la tête pour lui demander :

— Ça va, Laurence ? Es-tu bien installé ?

Il semblait plus anxieux que la question ne le méritait. Laurence lui tapota la patte.

— Ça va, je t'assure.

— Je suis navré de t'avoir enlevé de cette façon, dit Téméraire, un peu soulagé par la chaleur perceptible dans la voix de Laurence. Ne sois pas fâché, je t'en prie ; je ne pouvais pas laisser cet homme t'arrêter.

— Non, je ne suis pas fâché, dit Laurence.

De fait, il éprouvait même une joie immense à se retrouver de nouveau en l'air, à sentir la puissance qui parcourait le corps de Téméraire, même s'il savait au fond de lui que cette situation ne pouvait pas durer.

— Et je ne t'en veux pas d'être parti ainsi, poursuivit-il, pas du tout, mais je crains qu'il ne nous faille rentrer maintenant.

— Non, pas question que je te ramène à cet homme, déclara Téméraire avec obstination, et Laurence comprit avec détresse qu'il se trouvait confronté aux instincts protecteurs du dragon. Il m'a menti, il t'a tenu éloigné de moi et il a voulu te mettre aux arrêts : il peut s'estimer heureux que je ne l'aie pas aplati comme une crêpe.

— Mon cher, nous ne pouvons pas nous enfuir dans la nature, dit Laurence. Ce serait nous mettre au ban de la société ; comment ferions-nous pour manger, crois-tu, sinon en volant ? Et nous abandonnerions également tous nos amis.

— Je ne leur suis pas d'un grand secours à Londres, assis dans une base, répondit Téméraire avec justesse, laissant Laurence incapable de répliquer. Mais je n'avais pas l'intention de m'enfuir dans la nature ; même si, ajouta-t-il avec une pointe de regret, pour sûr, ce ne serait pas désagréable d'agir comme il nous plaît, et je ne pense pas que quelques moutons en moins ici ou là manqueraient à qui que ce soit. Mais pas alors qu'il y a une bataille à livrer.

— Oh ! Seigneur, dit Laurence, plissant les yeux face au soleil et réalisant qu'ils volaient au sud-est, directement vers leur ancienne base de Douvres. Téméraire, on ne nous laissera pas participer ; Lenton n'aura d'autre choix que de m'ordonner de rentrer, et si je désobéis, il me fera arrêter aussi vite que Barham, je peux te l'assurer.

— Je ne crois pas que l'amiral d'Obversaria te ferait arrêter, objecta Téméraire. Elle est très aimable et m'a toujours parlé avec gentillesse, bien qu'elle soit beaucoup plus âgée que moi, et dragon-amiral, qui plus est. De toute façon, Maximus et Lily seront là, et ils m'aideront ; et si cet homme de Londres vient essayer de t'emporter encore une fois, je le tuerai, annonça-t-il avec une joie sanguinaire passablement alarmante.

2

Ils se posèrent à la base de Douvres au milieu du tumulte et de la cohue des préparatifs – entre les ordres que les maîtres de harnais beuglaient aux équipes au sol, le cliquetis des sangles et le tintement métallique plus grave des bombes que l'on tendait par sacs aux hommes de ventre ; les fusiliers chargeaient leurs armes, et des pierres à aiguiser crissaient sur le fil des épées. Une douzaine de dragons avaient suivi leur descente avec intérêt, et beaucoup saluèrent Téméraire à son arrivée. Il leur rendit la politesse, tout excité, et son humeur s'éclairait à mesure que celle de Laurence s'assombrissait.

Téméraire les avait conduits dans la clairière d'Obversaria. C'était l'une des plus grandes de la base, comme il convenait à son statut de dragon-amiral, bien qu'elle fût Anglewing, donc de taille moyenne ; il y avait par conséquent largement la place nécessaire pour un autre dragon. Obversaria était déjà sanglée, et son équipage embarquait ; l'amiral Lenton en personne se tenait auprès d'elle en tenue de vol, n'attendant plus que le signal de ses officiers : le décollage était imminent.

— Eh bien, qu'avez-vous fait là ? demanda Lenton avant même que Laurence ait pu s'extirper des griffes de Téméraire. Roland m'en a touché deux mots, mais en me disant qu'elle vous avait enjoint de rester tranquille ; cette affaire va causer un raffut de tous les diables.

— Monsieur, je suis navré de vous placer dans une situation aussi intenable, déclara Laurence, embarrassé, cherchant un moyen d'expliquer le refus de Téméraire de retourner à Londres, sans donner l'impression de se chercher des excuses.

— Non, c'est ma faute, intervint Téméraire. (Il baissa la tête en s'efforçant de prendre un air coupable, sans grand succès ; on ne pouvait se méprendre sur la lueur de satisfaction qui brillait dans ses prunelles.) J'ai emporté Laurence ; cet homme était sur le point de l'arrêter.

Il semblait particulièrement fier de lui, et Obversaria se pencha abruptement pour lui administrer une bonne tape sur le coin de la tête, assez fort pour le faire chanceler, bien qu'il fût une fois et demi plus grand qu'elle. Il cligna des paupières et la fixa avec une expression de surprise blessée ; elle se contenta de renifler et de dire :

— Tu as passé l'âge de voler les yeux fermés. Lenton, je crois que nous sommes parés.

— Oui, dit Lenton, plissant les yeux sous le soleil pour examiner son harnais. Je n'ai pas le temps de m'occuper de vous maintenant, Laurence ; cela va devoir attendre.

— Bien sûr, monsieur ; je vous demande pardon,

dit doucement Laurence. Ne perdez pas de temps à cause de nous ; avec votre permission, nous allons nous installer dans la clairière de Téméraire jusqu'à votre retour.

Même intimidé par le reproche d'Obversaria, Téméraire émit un petit grognement de protestation en entendant cela.

— Non, non ; ne parlez pas comme un terrien, s'impatienta Lenton. Un jeune mâle comme lui ne saurait rester en arrière alors qu'il voit partir sa formation au feu, pas sans dégâts. C'est la même foutue erreur commise par ce Barham et tous ces messieurs de l'Amirauté, chaque fois que le gouvernement nomme quelqu'un de nouveau. Quand nous parvenons à leur faire entrer dans le crâne que les dragons ne sont pas de vulgaires animaux, ils les considèrent aussitôt comme des hommes, pouvant être soumis à la discipline militaire au même titre que les autres.

Laurence ouvrit la bouche pour protester que Téméraire se tiendrait tranquille, puis la referma après un coup d'œil en arrière ; Téméraire grattait impatiemment le sol avec ses griffes, les ailes à demi déployées, se refusant à croiser son regard.

— Vous voyez ? dit sèchement Lenton. (Il soupira, se détendit quelque peu et repoussa quelques cheveux gris qui lui tombaient sur le front.) Si ces Chinois tiennent à le récupérer, qu'il se fasse blesser en combattant sans armure ni équipage ne ferait qu'aggraver les choses, dit-il. Allez donc le préparer ; nous parlerons après.

Laurence ne trouva pas de mots pour exprimer sa

gratitude, mais ils auraient été inutiles de toute façon ; Lenton se retournait déjà vers Obversaria. De fait, il n'y avait pas un instant à perdre ; Laurence fit signe à Téméraire de le suivre et courut jusqu'à leur clairière habituelle, oubliant toute dignité. Un flot de pensées éparses se bousculaient en lui, et parmi elles un grand soulagement – il était certain que Téméraire aurait refusé de rester en arrière ; de quoi auraient-ils eu l'air, à se joindre à la bataille en dépit des ordres ? Ils se retrouveraient en l'air dans un moment, et cependant, rien n'avait vraiment changé dans leur situation : ce serait peut-être leur dernière occasion.

Plusieurs membres de son équipage étaient assis dans l'herbe, en train de polir inutilement l'équipement et d'huiler le harnais, faisant mine de ne pas scruter le ciel ; silencieux, l'air abattu, ils se contentèrent d'abord de fixer Laurence avec de grands yeux quand celui-ci fit irruption dans la clairière.

— Où est Granby ? demanda Laurence. Au matériel de combat, messieurs ; le harnais lourd, sur-le-champ.

Et puis Téméraire apparut au-dessus d'eux, et le reste de l'équipage se déversa des bâtiments pour l'acclamer ; s'ensuivit une ruée générale vers les armes et l'équipement, ruée qui semblait autrefois si chaotique aux yeux de Laurence, habitué qu'il était à l'ordre naval, mais qui accomplissait la tâche formidable d'équiper un dragon dans une hâte frénétique.

Granby jaillit des baraquements au milieu de la cavalcade, jeune officier aux cheveux bruns, grand et dégingandé, dont la peau claire apparaissait d'ordinaire brûlée et pelée par les vols quotidiens mais qui se trouvait pour une fois épargnée, puisqu'il était cloué au sol depuis des semaines. Il était né et avait grandi dans les Corps, contrairement à Laurence, et leurs relations avaient d'abord été tendues ; à l'instar de nombreux aviateurs, il n'appréciait guère de voir un dragon aussi remarquable que Téméraire échoir à un officier naval. Mais ce ressentiment initial n'avait pas survécu à leur première mission périlleuse en commun, et Laurence n'avait jamais regretté de l'avoir pris comme premier lieutenant, malgré leurs différences radicales de tempérament. Dans un premier temps, Granby avait fait un effort pour imiter le formalisme que Laurence, avec son éducation de gentilhomme, affichait sans même y penser ; mais il n'avait pas réussi à l'adopter. Comme la plupart des aviateurs, élevés en marge de la bonne société à partir de sept ans, il était par nature accoutumé à une grande liberté dans les manières, qu'un œil critique eût sans doute considérée comme de la familiarité.

— Bon sang, Laurence, je suis bougrement content de vous voir, s'écria-t-il en venant lui serrer la main.

Il ne semblait pas comprendre ce qu'il pouvait y avoir d'incongru dans cette façon de s'adresser à un officier supérieur, avant même de le saluer. D'ailleurs, il s'efforçait simultanément de boucler de l'autre main le ceinturon de son épée.

— Ont-ils changé d'avis ? Je ne m'attendais pas à tant de bon sens de leur part, mais je serais le premier à implorer le pardon de Leurs Seigneuries s'ils renonçaient à cette idée de le renvoyer en Chine.

Laurence avait admis depuis longtemps que ces façons cavalières ne traduisaient aucun irrespect. Sur l'instant, il ne les remarqua même pas ; il était bien trop navré de décevoir Granby, d'autant plus que ce dernier avait refusé un excellent poste par loyauté.

— J'ai peur que non, John, mais je n'ai pas le temps de vous expliquer : nous devons faire décoller Téméraire au plus vite. La moitié de l'armement habituel, et oubliez les bombes ; la Navy nous en voudrait de couler les vaisseaux, et, au besoin, Téméraire peut leur causer plus de dégâts en leur rugissant dessus.

— Entendu, dit Granby avant de courir à l'autre bout de la clairière en lançant ses ordres à la cantonade.

On apportait déjà le grand harnais en toute hâte, et Téméraire fit de son mieux pour faciliter le processus, en se couchant au sol pour que les hommes puissent ajuster plus facilement les larges sangles en travers de son dos.

Les cottes de mailles couvrant son poitrail et son ventre furent soulevées presque aussi rapidement.

— Pas de cérémonie, dit Laurence, et l'équipage grimpa à bord pêle-mêle aussitôt que les positions furent bouclées, sans tenir compte de l'ordre habituel.

— Je suis au regret de vous annoncer qu'il nous manque dix hommes, dit Granby en rejoignant Laurence. J'en ai envoyé six à l'équipage de Maximus à la requête de l'Amirauté ; quant aux autres…

Il hésita.

— Je comprends, dit Laurence, lui épargnant la peine de poursuivre.

Naturellement, les hommes avaient dû être déçus d'apprendre qu'ils resteraient en dehors de l'action, et les quatre manquants étaient sans doute partis chercher dans la bouteille ou auprès d'une femme une consolation plus convaincante que celle que leurs collègues avaient trouvée dans le travail. Laurence était heureux qu'ils fussent si peu nombreux à avoir réagi de la sorte, et se promit de ne pas les chapitrer à ce sujet par la suite ; il ne se sentait pas en position de sermonner qui que ce fût.

— Nous nous débrouillerons, reprit-il. Mais s'il y a dans l'équipe au sol des hommes qui sachent manier l'épée ou le pistolet et qui n'aient pas le vertige, harnachons-les, s'ils veulent se porter volontaires.

Lui-même avait déjà troqué sa redingote pour le long manteau de cuir qu'il portait au combat, et s'affairait à sangler son baudrier. Plusieurs grondements sourds se firent entendre, non loin ; Laurence leva la tête : les petits dragons étaient en train de décoller. Il reconnut Dulcia et le gris-bleu Nitidus, les deux ailiers de leur formation, qui décrivaient des cercles en attendant les autres.

— Laurence, es-tu prêt ? Fais vite, je t'en prie, les autres s'envolent, lui lança anxieusement Téméraire en se dévissant le cou pour mieux voir.

Au-dessus d'eux, les dragons poids moyen apparaissaient à leur tour.

Granby se hissa à bord, ainsi que deux jeunes gens de haute taille, Willoughby et Porter. Laurence attendit qu'ils aient bouclé leurs mousquetons sur le harnais, puis dit :

— Paré partout ; procédons à l'essai.

Il s'agissait là d'un rituel que la sécurité interdisait de négliger : Téméraire se dressa sur son train arrière et s'ébroua, afin de s'assurer que son harnais tenait bien en place et que tous les hommes étaient correctement sanglés.

— Plus fort, jeta sèchement Laurence. Dans son impatience à se mettre en route, Téméraire n'avait pas fait preuve d'une grande vigueur.

Téméraire renifla mais obéit, et rien ne fit mine de se décrocher nulle part.

— Tout va bien ; embarque maintenant, s'il te plaît, dit le dragon, qui se laissa retomber lourdement et tendit sa patte avant.

Laurence grimpa dans sa patte et fut aussitôt soulevé jusqu'à sa place habituelle, à la base du cou de Téméraire. Il ne s'en formalisa pas ; au contraire, tout le réjouissait, l'excitait : le tintement profondément satisfaisant de ses mousquetons qui se refermaient, la souplesse butyreuse des sangles bien huilées du harnais, et, sous lui, les muscles de Téméraire qui se bandaient en préparation de l'envol.

Maximus jaillit soudain des arbres au nord de leur clairière, son corps rouge et or encore plus grand qu'auparavant, ainsi que Roland l'avait rapporté. Il restait le seul et unique Regal Copper stationné dans la Manche, et auprès de lui tous les autres dragons paraissaient minuscules ; il occultait un énorme pan de soleil. Téméraire poussa un rugissement joyeux en le voyant et s'élança à sa suite, battant des ailes un peu trop vite dans son enthousiasme.

— Doucement, lui dit Laurence.

Téméraire hocha la tête, mais dépassa malgré tout son compagnon moins rapide.

— Maximus, Maximus, regarde, je suis de retour ! cria Téméraire, cerclant pour venir se ranger le long du grand dragon. (Ils commencèrent à battre des ailes en cadence pour rejoindre le reste de leur formation.) J'ai emmené Laurence loin de Londres, ajouta-t-il sur un ton triomphal, dans ce qu'il espérait sans doute être un murmure confidentiel. On voulait l'arrêter.

— A-t-il tué quelqu'un ? s'enquit Maximus avec intérêt, sans le moindre soupçon de désapprobation dans sa grosse voix caverneuse. Je suis content de te revoir ; on me faisait voler au centre, en ton absence, et cela change toutes les manœuvres.

— Non, répondit Téméraire, il est seulement venu me parler alors qu'un vieillard ventripotent le lui avait interdit, ce qui ne me paraît pas une raison très valable.

— Faites donc taire ce foutu jacobin de dragon, cria Berkley depuis le dos de Maximus, tandis que Laurence secouait désespérément la tête, tâchant d'ignorer les regards interloqués de ses jeunes enseignes.

— Tâche de te rappeler que nous sommes en service, Téméraire, lança Laurence à son dragon en prenant une voix sévère.

Mais après tout, il semblait inutile de garder le secret ; la nouvelle serait éventée dans moins d'une semaine. L'heure d'affronter la gravité de la situation viendrait bien assez tôt ; Laurence pouvait bien laisser

Téméraire savourer sa joie tant que cela était encore possible.

— Laurence ! lui cria Granby derrière son épaule. Dans la précipitation, les munitions ont été rangées à leur place habituelle, à gauche, mais nous n'avons pas de bombes pour équilibrer le poids ; nous aurions besoin de les répartir.

— Pouvez-vous le faire avant l'engagement ? Oh ! Seigneur, fit Laurence en prenant conscience du problème. Je ne connais même pas la position du convoi ; et vous ?

Granby secoua la tête, embarrassé, et Laurence ravala sa fierté pour crier :

— Berkley, savez-vous où nous allons ?

Une hilarité générale secoua les hommes sur le dos de Maximus. Berkley vociféra en réponse :

— Tout droit en enfer ! Ah ! ah !

Nouvel éclat de rire, qui noya presque les coordonnées qu'il rugit par-dessus.

— Quinze minutes de vol, calcula mentalement Laurence. Et il faudrait en garder au moins cinq comme marge de sécurité.

Granby acquiesça.

— Cela suffira, dit-il.

Il descendit aussitôt diriger la manœuvre, décrochant et raccrochant ses mousquetons avec l'aisance de l'habitude, le long des anneaux régulièrement espacés qui menaient jusqu'aux filets de rangement sous le ventre de Téméraire.

Le reste de la formation était déjà en place quand Téméraire et Maximus la rejoignirent pour prendre leur position défensive à l'arrière. Laurence remarqua la bannière du leader sur le dos de Lily ; cela signifiait que, en leur absence, le capitaine Harcourt avait enfin reçu le commandement. Il se réjouit de ce changement : c'était difficile pour l'enseigne de signaux de surveiller un ailier tout en gardant un œil sur l'avant, et les dragons suivaient toujours d'instinct le dragon de tête sans se soucier de préséance.

Néanmoins, il lui semblait étrange de se voir placé sous les ordres d'une jeune fille de vingt ans : le capitaine Harcourt restait un officier très jeune, promu rapidement en raison de l'éclosion prématurée de Lily. Mais dans les Corps, la chaîne de commandement se fondait sur les capacités des dragons, et les cracheurs d'acide comme les Longwings étaient trop rares et trop précieux pour être placés ailleurs qu'au centre d'une formation, même s'ils n'acceptaient que des femmes pour capitaines.

— Signal de l'amiral : « Procédez au regroupement », annonça Turner, l'enseigne des signaux.

Un instant plus tard, le signal « En formation serrée » leur parvint de Lily, et les dragons se rapprochèrent, avant d'établir leur vitesse de croisière à dix-sept nœuds : un train de sénateur pour Téméraire, mais que les Yellow Reapers et l'énorme Maximus pouvaient soutenir indéfiniment sans se fatiguer.

Laurence eut le loisir de faire coulisser son épée dans son fourreau et de charger ses pistolets ; en bas, Granby criait des ordres dans le vent : sa voix paraissait calme, et Laurence avait toute confiance dans sa capacité de mener sa tâche à bien dans le temps imparti. Les dragons de la base constituaient un impressionnant déploiement de forces, bien qu'ils ne fussent pas aussi nombreux que lors de la bataille de Douvres, en octobre, lorsqu'ils avaient repoussé la tentative d'invasion de Napoléon.

Mais, au cours de cette bataille, ils s'étaient vus contraints d'aligner tous les dragons disponibles, jusqu'aux petits courriers : la plupart des dragons de combat se trouvaient loin dans le Sud, à Trafalgar. Aujourd'hui, l'escadrille d'Excidium et du capitaine Roland avait repris sa place en tête. Forte de dix dragons, dont le plus petit était un Yellow Reaper de poids moyen, elle volait en ordre parfait, sans un coup d'ailes de trop : le fruit de plusieurs années de vol en formation.

L'escadrille de Lily n'offrait pas un spectacle aussi imposant, pas encore : six dragons seulement suivaient la Longwing, avec sur ses flancs et ses ailes des bêtes plus petites, plus légères – dirigées par des officiers aguerris qui sauraient compenser son inexpérience le cas échéant – et Téméraire et Maximus en arrière-garde. En se rapprochant, Laurence vit Sutton, le capitaine de Messoria, se dresser sur son dos et se retourner vers eux afin de s'assurer que les jeunes dragons suivaient bien ; il le rassura d'un geste de la main, et aperçut Berkley qui faisait de même.

Les voiles du convoi français et de la flotte de la Manche apparurent bien avant que les dragons ne parviennent à portée. Une forme de dignité se dégageait de ce tableau, évoquant les pièces d'un jeu d'échecs se mettant en place. Les vaisseaux de guerre britanniques convergeaient avec impatience vers la foule immense des marchands français, plus modestes ; un splendide déploiement de toile blanche scintillait sur tous les navires, festonné par les couleurs britanniques. Granby escalada la sangle d'épaule pour revenir au côté de Laurence.

— Cela devrait convenir, je crois.

— Parfait, répondit machinalement Laurence, dont l'attention restait fixée sur ce qu'il distinguait de la flotte britannique à travers sa longue-vue.

Le gros de la flotte était constitué de frégates rapides, avec une collection hétéroclite de petits sloops ainsi qu'une poignée de soixante-quatre et de soixante-quatorze. La Navy n'irait pas risquer des vaisseaux de première ou de seconde classe contre le cracheur de feu ; le risque était trop grand qu'un coup heureux fasse s'embraser comme une torche un trois-ponts rempli de poudre, emportant dans son explosion une demi-douzaine de vaisseaux plus petits.

— Tout le monde aux postes de combat, M. Harley ! dit Laurence en se redressant.

L'enseigne de signaux fit passer au rouge le fanion glissé dans le harnais, et les fusiliers postés sur le dos de Téméraire se penchèrent vers l'extérieur, armant leurs fusils, tandis que le reste des hommes d'échine s'accroupissaient, pistolets en main.

Excidium et le gros de l'escadrille descendirent au-dessus des vaisseaux britanniques, venant occuper la position défensive la plus importante en leur laissant le champ libre. Tandis que Lily pressait l'allure, Téméraire poussa un grondement sourd ; Laurence le sentit frémir. Il prit le temps de se pencher pour coller sa main nue contre le cou de Téméraire : sans que les mots ne soient nécessaires, il sentit la tension nerveuse se dissiper un peu et se releva pour remettre son gant.

— Ennemi en vue ! cria dans le vent la vigie de Lily, d'une voie faible mais audible, à laquelle fit écho un instant plus tard le jeune Allen, posté près de l'articulation de l'aile de Téméraire.

Un murmure parcourut l'équipage, et Laurence ressortit sa longue-vue pour mieux voir.

— *Le Grand Crabe*, je crois, dit-il avant de passer la lunette à Granby, espérant dans son for intérieur n'avoir pas massacré la prononciation.

Il était à peu près certain d'avoir identifié correctement la figure, en dépit de sa faible expérience des engagements aériens ; les formations composées de quatorze dragons étaient rares, et celle-ci était distinctement reconnaissable, avec ses deux rangées de petits dragons pareilles à des pinces de part et d'autre d'un noyau central de grands dragons.

Le Flamme-de-Gloire ne fut pas facile à repérer, entouré comme il l'était de dragons-leurres de coloration similaire : deux Papillons-Noirs, dont les zébrures naturelles bleues et vertes avaient été agrémentées de taches de peinture jaune afin d'entretenir la confusion à distance.

— Aha ! je crois que je la tiens : c'est Accendare. Elle est là, foutue bestiole, dit Granby, rendant la longue-vue en pointant le doigt. Il lui manque une griffe à la patte arrière gauche, et elle est aveugle de l'œil droit : nous lui avons refilé une bonne dose de poivre lors de la bataille du Glorious First.

— Vu. Monsieur Harley, passez le mot à toutes les vigies. Téméraire, appela Laurence en prenant son porte-voix, aperçois-tu la Flamme-de-Gloire ? C'est celle qui se trouve en bas à droite, avec la griffe manquante ; elle ne voit pas du côté droit.

— Je la vois, dit Téméraire avec excitation, en tournant légèrement la tête. Faut-il l'attaquer ?

— Notre mission consiste avant tout à l'empêcher d'incendier les vaisseaux de la Navy ; essaie de garder l'œil sur elle en permanence, dit Laurence, et Téméraire hocha brièvement la tête avant de se redresser.

Laurence rangea sa lunette dans la petite sacoche accrochée au harnais ; très bientôt, il n'en aurait plus besoin.

— Vous feriez mieux de descendre, John, dit-il à Granby. On peut s'attendre qu'ils tentent un abordage avec quelques-uns de ces petits dragons rapides sur les côtés.

Ils n'avaient cessé de se rapprocher rapidement tout au long de cet échange : soudain, il n'y eut plus le temps et l'on vit les Français virer à la perfection, tous leurs dragons soigneusement alignés, gracieux comme un vol d'oies sauvages. Un sifflement d'admiration monta d'en bas ; de fait, le spectacle était impressionnant, mais Laurence fronça les sourcils, bien qu'il sentît son propre pouls s'accélérer malgré lui.

— Silence, dessous !

L'un des Papillons se présenta directement au-dessus d'eux, mâchoires ouvertes comme s'il se préparait à cracher des flammes qu'il était incapable de produire ; Laurence éprouva un amusement curieux, détaché, à voir un dragon jouer ainsi la comédie. Téméraire ne pouvait rugir depuis sa position en arrière-garde, pas avec Messoria et Lily devant lui, mais il ne fit pas un geste pour se dérober ; au contraire, il leva les griffes et, alors que les deux formations se croisaient à vive allure, le Papillon et lui s'entrechoquèrent avec une violence qui secoua leurs deux équipages.

Laurence se cramponna au harnais et trouva des prises pour ses pieds.

— Accrochez-vous à moi, Allen, dit-il en lui tendant la main. Le garçon pendouillait au bout de ses sangles, battant des bras et des jambes comme une tortue sur le dos.

Allen parvint à se hisser et à reprendre sa place, blanc comme un linge ; comme toutes les vigies, c'était un jeune enseigne, d'une douzaine d'années à peine, et il n'avait pas encore appris à résister aux heurts et secousses de la bataille.

Téméraire griffait et mordait, battant furieusement des ailes en essayant de retenir le Papillon ; le dragon français était plus léger que lui, et il était clair qu'il ne songeait qu'à se libérer pour rejoindre sa formation.

— Garde ta position ! cria Laurence.

Le plus important dans l'immédiat était de maintenir la formation. Téméraire relâcha son adversaire à contrecœur et redressa sa trajectoire.

D'en bas leur parvinrent distinctement les premiers échos d'une canonnade : les vaisseaux britanniques ouvraient le feu avec leurs batteries de proue, dans l'espoir de briser quelques espars français par un coup de chance. C'était peu vraisemblable, mais cela mettrait les hommes dans une bonne disposition d'esprit. Un crépitement régulier éclata derrière lui, suivi du bruit des fusiliers en train de recharger ; la partie du harnais qu'il voyait semblait intacte ; on ne voyait de sang nulle part, et Téméraire volait bien. Le temps manquait pour lui demander comment il se sentait ; ils se regroupaient, entraînés une fois de plus par Lily, contre la formation ennemie.

Cette fois-ci, les Français n'offrirent aucune résistance : leurs dragons s'éparpillèrent – au petit bonheur, crut d'abord Laurence, avant de remarquer à quel point ils s'étaient admirablement répartis. Quatre des petits dragons avaient filé en hauteur ; le reste avait plongé d'une centaine de pieds environ, et Accendare devenait une fois de plus difficile à distinguer des leurres.

Faute de cible clairement identifiée, la formation anglaise, surplombée par les petits dragons, devenait dangereusement vulnérable : « Engagez l'ennemi au plus près », signala Lily, autorisant ses partenaires à quitter la formation pour combattre séparément. Téméraire savait lire les signaux aussi bien que l'enseigne : il piqua instantanément sur le leurre aux plaies sanglantes, impatient d'achever son travail.

— Non, Téméraire ! lui cria Laurence, qui souhaitait qu'il visât Accendare elle-même.

Mais trop tard : deux des petits dragons, tous deux de la race des Pêcheurs-Rayés, fondaient sur eux de chaque côté.

— Paré à repousser l'abordage ! cria dans son dos le lieutenant Ferris, chef des hommes d'échine.

Deux de ses hommes les plus imposants vinrent se poster juste derrière Laurence ; celui-ci leur adressa un coup d'œil par-dessus son épaule, lèvres pincées : cela le hérissait toujours de se faire protéger ainsi. Cela ressemblait trop à une lâcheté. Mais un dragon qui voyait une lame sur la gorge de son capitaine cessait aussitôt le combat ; Laurence devait donc supporter cette indignité.

Téméraire se contenta d'infliger une entaille supplémentaire au dragon-leurre en fuite, puis s'écarta soudain, revenant à sa position précédente. Ses poursuivants le dépassèrent en trombe et durent entamer un long demi-tour : une bonne minute de gagnée, qui valait de l'or à cet instant. Laurence jeta un coup d'œil sur l'affrontement : les dragons légers, vifs et rapides, plongeaient pour repousser les dragons britanniques, mais les plus lourds se regroupaient et continuaient à protéger le convoi.

La flamme d'un tir de canon capta son regard ; un instant plus tard, on entendit le sifflement aigu d'un boulet à poivre qui montait des navires français. L'un des membres de leur formation, Immortalis, avait piqué un cheveu trop bas à la poursuite d'un autre dragon. Heureusement, le tir manquait de précision : le boulet l'atteignit à l'épaule sans toucher la tête, et la majeure partie du poivre se dispersa sans dommage dans la mer ; toutefois, le reste suffit à déclencher une crise d'éternuements chez le pauvre Immortalis, qui perdait dix longueurs chaque fois qu'il se mouchait dans les nuages.

— Digby, lancez et notez cette hauteur ! dit Laurence.

L'un des devoirs de la vigie tribord consistait à prévenir lorsqu'ils descendaient à portée des canons en contrebas.

Digby s'empara de la balle de plomb percée attachée à une corde et la lança par-dessus l'épaule de Téméraire ; le mince cordon de soie, portant un nœud tous les cinquante yards, défila entre ses doigts.

— Six à la marque, dix-sept à l'eau, annonça-t-il en comptant à partir de l'altitude d'Immortalis, avant de couper la corde. Distance cinq cent cinquante yards jusqu'aux canons à poivre, monsieur.

Il glissait déjà la corde dans une autre balle, en prévision de la prochaine mesure qu'on lui demanderait.

Une distance plus courte qu'à l'ordinaire ; retenaient-ils volontairement leurs coups, dans l'espoir d'amener les dragons les plus dangereux à descendre plus bas, ou bien le vent jouait-il en leur défaveur ?

— Ne descends pas au-dessous de six cents yards, Téméraire, cria Laurence.

Mieux valait se montrer prudent pour l'instant.

— Monsieur, le leader signale : « Prenez le flanc gauche de Maximus », annonça Turner.

Impossible de s'exécuter sur-le-champ : les deux Pêcheurs revenaient, tâchant d'encadrer Téméraire pour lâcher des hommes à son bord, même s'ils volaient d'une manière étrange, en zigzag.

— Que diable font-ils ? grommela Martin, et la réponse surgit d'elle-même dans l'esprit de Laurence.

— Ils craignent d'offrir une cible à son rugissement, cria Laurence à haute voix pour le bénéfice de Téméraire.

Téméraire renifla avec dédain, puis s'immobilisa brusquement en plein vol et pivota sur lui-même pour affronter ses poursuivants, la collerette dressée : les petits dragons, visiblement alarmés à cette vue, s'écartèrent d'instinct, leur laissant le champ libre.

— Ah, ah ! s'écria Téméraire.

Il continua à voler sur place, très content de son petit effet ; Laurence dut tirer sur les rênes afin d'attirer son attention sur le signal, qu'il n'avait pas encore aperçu.

— Oh, j'ai vu ! s'écria-t-il en s'élançant aussitôt pour venir se placer à la gauche de Maximus.

Lily s'était déjà positionnée sur sa droite. Les intentions de Harcourt étaient claires.

— Baissez-vous tous ! ordonna Laurence tout en se couchant sur l'encolure de Téméraire.

Ils furent aussitôt en place, et Berkley lança Maximus à fond de train, en plein sur la masse des dragons français.

Téméraire gonfla sa poitrine, et sa collerette se dressa ; ils volaient si vite que le vent arracha des larmes à Laurence, mais il vit Lily rejeter la tête en arrière pour se préparer elle aussi. Maximus, pour sa part, se contenta de foncer au milieu de l'ennemi, forçant le passage entre ses rangs grâce à son gigantesque avantage de poids : les dragons français s'écartèrent de chaque côté, pour se retrouver face au rugissement de Téméraire ou au jet d'acide de Lily.

Des hurlements de douleur s'élevèrent dans leur sillage, et les premiers hommes d'équipage tués furent détachés des harnais et lâchés au-dessus de l'océan, comme des poupées de chiffon. La progression des Français était presque stoppée ; beaucoup d'entre eux s'éparpillèrent en cédant à la panique, sans se préoccuper de manœuvre, cette fois-ci. Puis Maximus et les autres se retrouvèrent de l'autre côté ; le groupe était dispersé, et désormais Accendare n'était plus protégée que par un Petit-Chevalier, à peine plus grand que Téméraire, et un autre de ses leurres.

Ils ralentirent. Maximus respirait pesamment, peinant pour maintenir son altitude. Harcourt adressa des signes frénétiques à Laurence en lui criant : « Poursuivez-la ! » dans son porte-voix, alors que le signal officiel était encore en place sur le dos de Lily. Laurence toucha le flanc de Téméraire et le poussa en avant ; Lily souffla une autre giclée d'acide, et les deux dragons d'escorte s'écartèrent suffisamment pour que Téméraire les esquive et se faufile entre eux.

La voix de Granby tonna d'en bas :

— Abordeurs !

Certains Français avaient bondi sur le dos de Téméraire. Laurence n'avait pas le temps de regarder : Accendare était en train de se retourner directement face à lui, à moins d'une dizaine de yards. Son œil droit était laiteux tandis que le gauche brûlait d'une lueur mauvaise, avec sa pupille jaune pâle dans sa sclérotique noire ; elle avait des cornes longues et fines s'incurvant vers le bas autour du front et au coin de la gueule – sa gueule béante : une chaleur cuisante fit onduler l'air tandis qu'un flot de flammes se déversait sur eux. « C'est comme regarder dans la bouche de l'enfer », songea fugitivement Laurence face à la gueule rougeoyante ; alors Téméraire replia sèchement ses ailes et se laissa tomber comme une pierre.

Laurence sentit son estomac lui remonter dans la gorge. Derrière lui, il entendit des bruits métalliques et des cris de surprise – abordeurs et défenseurs avaient tous perdu l'équilibre. Il ne s'écoula qu'un instant avant que Téméraire ne rouvrît les ailes et ne redressât sa course, mais ils avaient perdu beaucoup d'altitude, et Accendare s'éloignait rapidement en direction des vaisseaux en contrebas.

Les derniers navires marchands du convoi français étaient parvenus à portée des longs canons des vaisseaux britanniques : le grondement régulier d'une canonnade s'éleva, mêlé de soufre et de fumée. Les frégates les plus rapides avaient pris de l'avance, dépassant les marchands sous le feu afin de poursuivre les proies plus précieuses en tête de convoi. Ce faisant, néanmoins, elles avaient quitté la protection de la formation d'Excidium, et Accendare fondit sur elles ; son équipage entreprit de larguer des bombes incendiaires, grosses comme le poing, qu'elle arrosait de flammes tandis qu'elles pleuvaient sur les vaisseaux britanniques sans défense.

Plus de la moitié des projectiles tombèrent à l'eau – bien plus, en fait. Attentive à la poursuite de Téméraire, Accendare n'était pas descendue très bas et il était difficile de viser juste d'aussi haut. Mais Laurence en vit tout de même quelques-uns exploser en contrebas : leur mince coquille métallique se brisait sur les vaisseaux, et le naphte qu'elle contenait s'enflammait au contact du métal brûlant, répandant une flaque de feu à travers le pont.

Téméraire poussa un grondement sourd en voyant s'embraser les voiles d'une des frégates et mit aussitôt une énergie accrue à se rapprocher d'Accendare : il avait éclos sur le pont d'un navire, avait passé ses trois premières semaines en mer ; l'affection demeurait. Laurence l'encouragea de la voix et du geste, en proie à la même colère. Entièrement tourné sur la poursuite tout en surveillant qu'aucun autre dragon ne s'approchât suffisamment pour venir au secours d'Accendare, Laurence fut désagréablement arraché à sa concentration quand Croyn, l'un des hommes d'échine, s'écroula contre lui avant de rouler dans le vide, la bouche arrondie et grande ouverte, les mains tendues ; on avait tranché les sangles de son baudrier.

Il rata le harnais, et ses mains glissèrent sur la peau lisse de Téméraire. Laurence tenta de l'attraper, vainement : le garçon tomba en battant des bras sur près d'un quart de mile, avant de s'enfoncer dans l'eau. Une petite gerbe d'écume ; il ne refit pas surface. Un autre homme tomba juste après lui, l'un des abordeurs, mais il était déjà mort au moment de basculer mollement dans le vide. Laurence allongea ses propres sangles et se leva, sortant ses pistolets en se retournant. Il restait sept abordeurs à bord, qui se battaient comme des enragés. L'un d'eux, portant des barrettes de lieutenant sur l'épaule, se trouvait à quelques pas seulement, engagé au corps à corps avec Quarle, l'autre aspirant affecté à la garde de Laurence.

Alors même que Laurence se mettait debout, le lieutenant écarta brutalement le bras de Quarle avec son épée avant de lui enfoncer, de la main gauche, un long poignard dans le flanc. Laurence l'avait en plein dans sa ligne de mire mais, juste derrière le lieutenant, un autre abordeur venait de mettre Martin à genoux : le cou de l'aspirant s'offrait au sabre de son adversaire.

Laurence pointa son arme et fit feu : l'abordeur bascula en arrière, un trou rouge à la poitrine, tandis que Martin se redressait tant bien que mal. Avant que Laurence puisse braquer son deuxième pistolet, cependant, le lieutenant prit le risque de trancher ses propres sangles et de bondir par-dessus le corps de Quarle ; il put ainsi saisir le bras de Laurence, autant pour se raccrocher à quelque chose que pour repousser le pistolet. Inspirée par la bravoure ou la témérité, c'était là une manœuvre extraordinaire.

— *Bravo* [1], dit Laurence malgré lui.

Le Français le regarda d'un air surpris, puis sourit, une expression presque enfantine sur son visage maculé de sang, avant de lever son épée.

Laurence bénéficiait d'un avantage injuste, naturellement ; mort, il était inutile, car un dragon dont le capitaine se faisait tuer se retournait contre l'ennemi avec une férocité inouïe, hors de tout contrôle, mais néanmoins très dangereuse. Le Français devait donc le

1. En français dans le texte. *(N.d.T.)*

prendre vivant, et cela l'obligeait à se montrer excessivement prudent alors que Laurence pouvait viser pour tuer et frapper sans retenue.

Mais les choses ne se présentaient pas au mieux, pour l'instant. C'était un curieux combat ; ils se tenaient à la base du cou de Téméraire, engagés de si près que Laurence ne souffrait pas de l'allonge supérieure du grand lieutenant ; pourtant, cette situation même permettait au Français de se cramponner à Laurence, sans quoi il aurait certainement glissé dans le vide. Ils se poussaient l'un l'autre plus qu'ils ne ferraillaient ; leurs lames se détachaient à peine d'un pouce ou deux avant de s'entrecroiser de nouveau, et Laurence commençait à croire que la lutte ne prendrait fin qu'avec la chute de l'un d'entre eux.

Il avança un pied ; cela lui permit de les faire pivoter légèrement, de manière qu'il pût observer le reste du combat par-dessus l'épaule du lieutenant. Martin et Ferris étaient encore debout, ainsi que plusieurs fusiliers, mais ils étaient débordés par le nombre et il suffirait que quelques abordeurs supplémentaires réussissent à passer pour que la situation de Laurence devînt véritablement intenable. Plusieurs hommes de ventre tentaient de grimper d'en bas, mais les abordeurs avaient détaché deux hommes pour les repousser : alors même que Laurence regardait, Johnson fut transpercé et tomba.

— *Vive l'empereur*[1] *!* cria le lieutenant afin

1. En français dans le texte. *(N.d.T.)*

d'encourager les siens, après avoir lui aussi jeté un coup d'œil par-dessus son épaule.

Il profita de sa position pour frapper de plus belle, visant la jambe de son adversaire. Laurence para le coup : son épée rendit un son curieux sous l'impact, et il réalisa avec effroi qu'il s'agissait de son épée d'apparat qu'il portait la veille à l'Amirauté : il n'avait pas eu le temps de l'échanger.

Il resserra sa défense, tâchant de croiser le fer avec le Français au-delà de la moitié de sa lame : il ne tenait pas à la perdre entièrement si elle venait à se casser. Nouvelle passe d'armes, contre son bras droit cette fois-ci : il la bloqua également, mais cinq pouces d'acier se brisèrent bel et bien, traçant une fine entaille le long de sa mâchoire avant de tournoyer dans le soleil avec des reflets rouge et or.

Le Français avait remarqué la faiblesse de sa lame et tentait désormais de la réduire en pièces. Un autre choc eut raison d'une nouvelle portion de lame : Laurence ne se battait plus qu'avec six pouces d'acier, maintenant, dont la garde plaquée d'argent scintillait joliment, ridicule. Il serra les dents ; jamais il ne se rendrait pour voir Téméraire contraint de voler vers la France : mieux valait mourir. S'il bondissait sur le côté, il existait une chance que Téméraire le rattrape ; dans le cas contraire, au moins ne pourrait-on pas lui reprocher d'avoir remis Téméraire entre les mains de Napoléon.

Puis, un cri : Granby surgit le long de la sangle de queue, boucla sur le harnais ses mousquetons qu'il avait décrochés pour grimper, et plongea sur l'homme qui gardait la ventrière du côté gauche. Ce dernier s'écroula, raide mort, et six hommes de ventre jaillirent aussitôt sur le dos : les abordeurs restants se regroupèrent, mais dans un moment il leur faudrait se rendre ou se faire tuer. Martin, soulagé par les renforts montés d'en bas, s'était retourné et escaladait déjà le corps de Quarle, l'épée prête.

— *Ah ! voici un joli gâchis* [1], se désespéra le lieutenant en regardant autour de lui.

Il fit une dernière tentative courageuse, liant la garde de Laurence avec sa propre lame et se servant de sa longueur comme levier : dans un violent effort, il parvint à lui arracher son tronçon d'épée, mais tituba soudain, surpris, tandis qu'un filet de sang coulait de son nez. Il s'écroula entre les bras de Laurence, assommé : le jeune Digby se dressait derrière lui sur des jambes flageolantes, tenant à la main le poids rond du cordon de mesure ; il s'était avancé discrètement depuis son poste à l'épaule de Téméraire pour frapper le Français derrière la tête.

— Bien joué, lui dit Laurence une fois qu'il eut compris ce qui venait de se passer. (Le garçon rougit de fierté.) Monsieur Martin, faites descendre ce gaillard à l'infirmerie, voulez-vous ? (Laurence lui montra la forme inerte du Français.) Il s'est battu comme un lion.

— Très bien, monsieur.

La bouche de Martin continua à remuer, il ajoutait quelque chose, mais un rugissement venu d'en haut

1. En français dans le texte. *(N.d.T.)*

noya ses paroles : ce fut la dernière chose que Laurence entendit.

Le grondement sourd et menaçant de Téméraire, juste au-dessus de lui, pénétra son inconscience étouffante. Laurence essaya de remuer, de regarder autour de lui, mais la lumière lui faisait mal aux yeux et sa jambe refusait de lui obéir ; tâtonnant à l'aveuglette le long de sa cuisse, il la trouva emmêlée dans les sangles de son baudrier et sentit un filet de sang couler à l'endroit où l'une des boucles avait percé son pantalon pour lui entrer dans les chairs.

Il crut d'abord qu'ils avaient été capturés ; mais les voix qu'il entendait étaient anglaises, et il reconnut celle de Barham, qui criait, et Granby qui lui répondait d'un ton farouche :

— Non, monsieur, ne faites pas un foutu pas de plus. Téméraire, si ces hommes mettent en joue, tu peux les renverser.

Laurence lutta pour se redresser, et se retrouva soudainement soutenu par des mains anxieuses.

— Doucement, monsieur. Vous allez bien ?

C'était le jeune Digby, qui lui fourra une gourde entre les mains. Laurence s'humecta les lèvres, mais n'osa pas boire ; il avait l'estomac noué.

— Aidez-moi à me lever, dit-il d'une voix rauque, en s'efforçant d'entrouvrir les yeux.

— Non, monsieur, n'en faites rien, lui murmura Digby d'une voix pressante. Vous avez reçu un vilain coup sur la tête, et ces gars-là, ils sont venus vous arrêter. Granby a dit de vous garder hors de vue et d'attendre l'amiral.

Il était allongé à l'abri derrière la patte de Téméraire, à même la terre battue de la clairière ; Digby et Allen, les deux vigies avant, se tenaient accroupis de chaque côté de son corps meurtri. Des gouttelettes de sang sombre coulaient le long de la patte de Téméraire et noircissaient le sol non loin de là.

— Il est blessé, s'alarma Laurence, en essayant de nouveau de se lever.

— M. Keynes est parti chercher des bandages, monsieur ; un Pêcheur nous a touchés en travers des épaules, mais ce ne sont que des égratignures, le rassura Digby en le repoussant doucement ; avec succès, car Laurence était incapable de plier cette fichue jambe, et à plus forte raison de s'appuyer dessus. Il ne faut pas vous lever, monsieur, Baylesworth est allé chercher un brancard.

— Assez de sottises, aidez-moi, ordonna sèchement Laurence.

Lenton n'arriverait pas de sitôt, pas juste après une bataille, et il n'avait pas l'intention de rester couché en laissant la situation s'aggraver ; il se fit aider par Digby et Allen et sortit de sa cachette, soutenu tant bien que mal par les deux enseignes.

Barham se trouvait là avec une douzaine de fusiliers, qui n'étaient plus cette fois les gamins inexpérimentés de son escorte à Londres, mais des vétérans endurcis, plus âgés, ayant apporté un canon à poivre : un petit canon court et trapu, mais à une telle distance ils n'avaient guère besoin de mieux. Barham, le visage empourpré, se querellait avec Granby à l'orée de la clairière ; il plissa les yeux en apercevant Laurence.

— Vous voilà. Pensiez-vous pouvoir vous cacher là, comme un couard ? Éloignez-vous de cet animal, sur-le-champ ; sergent, allez le chercher.

— N'approchez pas de Laurence, aucun de vous, gronda Téméraire à l'adresse des soldats, avant que Laurence pût répondre quoi que ce fût.

Le dragon leva une patte aux griffes mortelles, prêtes à frapper ; le sang qui striait ses épaules et son cou lui donnait un aspect sauvage, et sa collerette se hérissait tout autour de sa tête.

Les hommes hésitèrent brièvement, mais le sergent lança d'une voix ferme :

— Paré au canon, caporal.

D'un geste, il ordonna aux autres d'épauler leurs mousquets.

Laurence, très inquiet, s'écria :

— Téméraire, arrête ! Pour l'amour du ciel, calme-toi.

Mais c'était inutile. Téméraire écumait de rage et ne lui prêta aucune attention. Quand bien même les mousquets ne lui feraient pas grand mal, le canon à poivre risquait de l'aveugler et de le rendre fou de colère, ce qui pouvait facilement le plonger dans une frénésie incontrôlable, aussi dangereuse pour lui-même que pour les autres.

Les arbres se mirent à trembler du côté ouest et, subitement, la tête et les épaules énormes de Maximus s'élevèrent au-dessus de la verdure ; rejetant le cou en arrière, il ouvrit grand la gueule, dévoilant plusieurs rangées de crocs acérés, et frissonna de la tête aux pieds.

— La bataille n'est donc pas terminée ? Quel est ce raffut ?

— Vous, là-bas ! cria Barham au grand Regal Copper en lui indiquant Téméraire. Retenez ce dragon !

Comme tous les Regal Copper, Maximus était gravement hypermétrope ; pour voir dans la clairière, il fut contraint de se dresser sur son train arrière afin de prendre suffisamment de recul. Il faisait le double du poids de Téméraire et lui rendait vingt bons pieds de long, désormais ; ses ailes, qu'il avait déployées pour conserver l'équilibre, jetaient une ombre immense sur la clairière, et le soleil rougeoyait derrière elles, faisant ressortir ses veines sur sa peau translucide.

Surplombant la scène, il tendit le cou en arrière et jeta un coup d'œil dans la clairière.

— Pourquoi as-tu besoin d'être retenu ? s'enquit-il avec curiosité auprès de Téméraire.

— Je n'en ai pas besoin ! répondit Téméraire, postillonnant de colère, la collerette frémissante. (Son saignement s'était accéléré.) Ces hommes veulent emmener Laurence loin de moi, et le jeter en prison, et l'exécuter, et je ne les laisserai pas faire, jamais. Et je me *moque* que Laurence me dise de ne pas vous aplatir, ajouta-t-il férocement à l'intention de lord Barham.

— Oh ! mon Dieu, s'exclama Laurence à voix basse, consterné.

Il venait de saisir la vraie nature des craintes de

Téméraire. La seule fois que Téméraire avait vu arrêter un homme, il s'agissait d'un traître, exécuté peu après sous les yeux de son propre dragon. L'expérience avait laissé Téméraire et tous les jeunes dragons de la base accablés de compassion pendant des jours ; il n'y avait dès lors rien d'étonnant à ce qu'il fût en train de paniquer.

Granby mit à profit la diversion involontaire fournie par Maximus pour adresser un signe impulsif aux autres officiers de l'équipage : Evans et Ferris bondirent derrière lui, Riggs et ses fusiliers leur emboîtèrent le pas, et un instant plus tard ils furent tous alignés en rang devant Téméraire, pistolets et fusils brandis. Pure bravade, leurs armes étant déchargées depuis la bataille, mais le geste n'en était pas moins lourd de signification. Laurence ferma les yeux avec consternation. Granby et tous ses hommes venaient de se jeter dans le bouillon avec lui, par leur désobéissance directe ; de fait, il y avait désormais toutes les raisons de considérer que l'on assistait là à une mutinerie.

Les mousquets qui leur faisaient face ne tremblèrent pas, cependant ; les fusiliers se hâtèrent de terminer le chargement du canon, en bourrant l'un des gros boulets à poivre au moyen d'un petit refouloir.

— Paré à faire feu ! annonça le caporal.

Laurence ne savait que faire. S'il ordonnait à Téméraire de renverser le canon, ils attaqueraient des soldats de leur camp, des hommes qui ne faisaient que leur devoir : un acte impardonnable, même à ses yeux, à peine moins imaginable que de rester là sans rien faire pendant qu'on blessait Téméraire, ou ses propres hommes.

— Que diable êtes-vous en train de fabriquer, tous autant que vous êtes ?

Keynes, le chirurgien assigné aux soins de Téméraire, revenait tout juste dans la clairière, suivi de deux aides qui titubaient sous le poids des bandages propres et du fil de soie destiné aux sutures. Il se fraya un chemin au milieu des fusiliers, impressionnés par l'air d'autorité que lui conféraient ses cheveux grisonnants ainsi que sa veste maculée de sang, et arracha la mèche lente des mains de l'homme debout près du canon.

Il jeta la mèche par terre et l'éteignit à coups de talon avant de fusiller du regard toutes les personnes présentes, n'épargnant ni Barham et ses hommes ni Granby et les siens, furieux contre tout le monde.

— Il sort à peine du feu ; auriez-vous tous perdu l'esprit ? On n'excite pas les dragons de cette manière aussitôt après une bataille ; dans moins d'une minute, nous aurons tout le reste de la base sur le dos, et pas uniquement cette grande gueule là-haut, ajouta-t-il en pointant le doigt vers Maximus.

Effectivement, d'autres dragons hissaient déjà la tête au-dessus des arbres, se dévissant le cou pour tenter de voir ce qui se passait, dans un grand fracas de branches brisées ; le sol trembla même quand Maximus, décontenancé, se laissa retomber sur son arrière-train dans l'espoir de rendre sa curiosité moins évidente. Barham jeta un regard gêné sur ces nombreux badauds : les dragons avaient l'habitude de manger directement après la bataille et bon nombre d'entre eux, les mâchoires dégouttantes de sang, produisaient des craquements d'os broyés en mâchant.

Keynes ne lui laissa pas le temps de reprendre ses esprits.

— Allez ouste, fichez-moi le camp, tous ; je ne peux pas opérer au milieu de ce cirque, et quant à vous, aboya-t-il vers Laurence, rallongez-vous tout de suite ; j'avais donné l'ordre qu'on vous emmène chez le chirurgien. Dieu seul sait ce que vous êtes en train d'infliger à cette jambe, en boitillant dessus comme vous le faites. Que diable fabrique Baylesworth avec ce brancard ?

Barham, qui hésitait, bondit à ces propos.

— Laurence est en état d'arrestation, et j'ai bien l'intention de faire mettre aux fers toute cette satanée bande de mutins, commença-t-il, s'attirant aussitôt les foudres de Keynes.

— Vous pourrez l'arrêter demain, une fois que sa jambe et son dragon auront été soignés. Foutu chrétien que vous faites, à tomber comme ça sur le dos des gens et des bêtes alors qu'ils sont blessés…

Keynes agitait son poing sous le nez de Barham – geste passablement inquiétant, avec la tenaille longue de dix pouces qu'il serrait entre ses doigts –, et la force morale de son argument eut son impact : Barham recula malgré lui. Les fusiliers s'empressèrent d'y voir un signal de repli et emportèrent leur canon hors de la clairière ; déconcerté, abandonné, Barham n'eut d'autre choix que de capituler.

Le délai qu'ils venaient de gagner fut de courte durée. Les chirurgiens se grattèrent la tête devant la jambe de Laurence ; l'os n'était pas brisé, en dépit de la douleur déchirante que lui occasionnaient les palpations, et il n'avait pas de plaie visible, sinon les contusions qui recouvraient pratiquement chaque pouce carré de sa peau. Sa tête l'élançait également, mais ils n'y pouvaient pas grand-chose hormis lui proposer du laudanum, qu'il refusa, et lui déconseiller de prendre appui sur sa jambe : conseil aussi précieux qu'inutile, puisqu'il était incapable de se tenir debout sans défaillir.

Pendant ce temps, les blessures de Téméraire, heureusement mineures, furent recousues et Laurence parvint, à force de cajoleries, à le persuader de s'alimenter un peu malgré son agitation. Au petit matin, il fut clair que Téméraire se rétablissait bien, sans le moindre signe de fièvre, et Laurence n'eut plus d'excuse pour tergiverser davantage ; il avait reçu une convocation formelle de l'amiral Lenton lui ordonnant de se présenter au rapport au quartier général de la base. Il dut se faire transporter en chaise à bras, laissant derrière lui un Téméraire inquiet et agité.

— Si tu n'es pas de retour avant demain matin, je viendrai te chercher, promit le dragon qui ne voulut pas en démordre.

En toute honnêteté, Laurence ne pouvait guère le rassurer : il serait vraisemblablement mis aux arrêts, à moins d'un miracle de persuasion de la part de Lenton, et, au vu de ses nombreux délits, la cour martiale risquait fort de le condamner à la peine capitale.

D'ordinaire, un aviateur n'était pendu que dans les affaires de haute trahison ; mais Barham le ferait certainement traduire devant une cour d'officiers de la Navy, qui se montreraient beaucoup plus sévères, et la question de garder le dragon dans le service n'entrerait pas en considération : en tant que combattant, Téméraire était déjà perdu pour l'Angleterre à cause des exigences des Chinois.

Sa situation n'avait rien de facile ou de confortable, et le pire, c'est qu'il avait placé tous ses hommes en danger ; Granby devrait répondre de son insubordination, et les autres lieutenants également – Evans, Ferris et Riggs ; tous risquaient de se voir renvoyer du service : sort terrible pour un aviateur, élevé parmi les Corps depuis la petite enfance. Même les aspirants qui ne passaient jamais lieutenants étaient rarement remerciés ; on leur trouvait du travail dans les fermes de reproduction ou dans les bases, afin de les garder au contact de leurs collègues.

Bien que l'état de sa jambe se fût quelque peu amélioré durant la nuit, Laurence pâlit et se mit à suer au sommet des quelques marches qu'il se risqua à gravir à l'entrée du bâtiment. La douleur se réveilla, fulgurante, et il fut contraint de s'arrêter pour reprendre son souffle avant de pénétrer dans le petit bureau.

— Au nom du ciel ! Je croyais que les chirurgiens vous avaient libéré. Asseyez-vous, Laurence, avant de vous écrouler ; prenez ça, dit Lenton en lui fourrant un verre de brandy dans les mains, malgré la grimace d'impatience de Barham.

— Merci, monsieur ; vous ne vous trompez pas, on m'a laissé sortir, dit Laurence.

Il trempa ses lèvres dans le brandy, par politesse ; il avait déjà les idées suffisamment embrumées.

— Cela suffit ; il n'est pas là pour se faire dorloter, intervint Barham. De toute ma vie je n'avais jamais assisté à un comportement aussi outrageant, et de la part d'un officier. Par Dieu, Laurence, je n'ai jamais pris plaisir à une pendaison, mais en cette occasion j'aurais dit « bon débarras » ! Toutefois, Lenton m'a juré ses grands dieux que votre animal deviendrait incontrôlable ; même si je vois mal quelle différence cela ferait.

Lenton pinça les lèvres devant ce ton méprisant ; Laurence pouvait imaginer les humiliations qu'il avait dû consentir pour faire admettre ce point à Barham. Qu'il fût amiral et auréolé d'une victoire récente ne signifiait pas grand-chose dans les hautes sphères du pouvoir ; Barham pouvait l'offenser en toute impunité, alors qu'un amiral de la Navy aurait eu assez d'influence et d'amis pour être traité avec davantage d'égards.

— Vous serez renvoyé du service, cela va sans dire, poursuivit Barham. Mais la bête doit retourner en Chine, et pour cela, je suis au regret de l'admettre, nous avons besoin de votre coopération. Trouvez un moyen de le raisonner, et l'affaire en restera là ; mais continuez à jouer les fortes têtes, et que je sois damné si je ne vous fais pas pendre haut et court ; oui, et je ferai abattre l'animal, et au diable ces Chinois !

Ce dernier éclat fit presque bondir Laurence de son

fauteuil, en dépit de sa blessure ; seule la main de Lenton, fermement appuyée sur son épaule, le retint.

— Vous allez trop loin, monsieur, dit Lenton. Nous n'avons jamais abattu de dragons en Angleterre pour d'autres crimes qu'avoir mangé de la chair humaine, et nous n'allons pas commencer maintenant ; j'aurais une vraie mutinerie sur les bras.

Barham fronça les sourcils et marmonna dans sa barbe des propos relativement peu intelligibles à propos du manque de discipline ; ce qui ne manquait pas de sel, venant d'un homme dont Laurence savait parfaitement qu'il avait servi durant les grandes mutineries navales de 1797, au cours desquelles la moitié de la flotte s'était soulevée.

— Eh bien, espérons que nous n'aurons pas à en venir là. Il y a un transport en révision à Spithead. l'*Allegiance* ; il pourra prendre la mer dans une semaine. Mais comment faire embarquer l'animal, puisqu'il choisit de se montrer récalcitrant ?

Laurence ne trouva rien à répondre ; une semaine lui semblait un délai horriblement court, et l'espace d'un instant il se laissa follement aller à envisager la fuite. Téméraire pourrait facilement rallier le continent depuis Douvres, et il existait encore certains endroits dans la forêt germanique où des dragons vivaient à l'état sauvage ; quoique seulement des petits dragons.

— Cela demande réflexion, dit Lenton. Je n'aurai pas scrupule à déclarer, monsieur, que l'affaire a été bien mal engagée depuis le début. L'animal est pris à rebrousse-poil, désormais, et ce n'est pas chose facile que d'amener un dragon à se plier à quelque chose qui lui répugne.

— Assez d'excuses, Lenton ; il suffit, commença Barham. Puis on frappa à la porte ; ils levèrent tous un regard étonné tandis qu'un aspirant livide ouvrait la porte en balbutiant « Monsieur, monsieur… » avant de dégager précipitamment : les soldats chinois donnaient l'impression d'être prêts à le piétiner afin d'ouvrir la voie au prince Yongxing.

Ils furent tellement surpris que, dans un premier temps, ils en oublièrent de se lever ; Laurence s'efforçait encore de se mettre debout que le prince avait déjà pénétré dans la pièce. Ses serviteurs s'empressèrent de lui approcher un fauteuil – celui de lord Barham –, mais Yongxing le refusa d'un geste, obligeant tout le monde à rester debout. Lenton glissa discrètement la main sous le bras de Laurence pour le soutenir, mais la pièce vacillait et tournoyait autour de lui, et les couleurs vives de la robe de Yongxing lui faisaient mal aux yeux.

— C'est donc ainsi que vous témoignez votre respect envers le Fils du Ciel, déclara Yongxing en s'adressant à Barham. Une fois encore, vous avez envoyé Lung Tien Xiang au combat ; et voilà que vous tenez des réunions secrètes, pour discuter de la manière dont vous pourriez conserver le fruit de votre larcin.

Bien que Barham eût envoyé les Chinois au diable cinq minutes plus tôt, il pâlit et bredouilla :

— Monsieur, Votre Altesse, pas le moins du monde…

Mais Yongxing ne se laissa pas interrompre.

— J'ai traversé cette *base*, ainsi que vous appelez ces enclos à bestiaux, poursuivit-il. Il n'est pas surprenant, lorsque l'on découvre vos méthodes barbares, que Lung Tien Xiang ait formé cet attachement malheureux. Bien sûr qu'il ne souhaite pas être séparé de la personne responsable du peu de confort qu'il a reçu. (Il se tourna vers Laurence et le toisa de haut en bas avec dédain.) Vous avez abusé de sa jeunesse et de son inexpérience ; mais cela ne sera pas toléré plus longtemps. Nous n'admettrons plus le moindre délai. Quand il aura retrouvé son pays et sa place, il apprendra vite à apprécier une compagnie plus digne de son rang.

— Vous vous méprenez, Votre Altesse ; nous avons toute intention de coopérer avec vous, déclara Lenton avec brusquerie, tandis que Barham cherchait ses mots pour trouver une formulation plus courtoise. Mais Téméraire refuse d'abandonner Laurence, et l'on ne peut pas donner d'ordre à un dragon, seulement tenter de le convaincre, comme je ne doute pas que vous le sachiez parfaitement.

Yongxing répliqua d'un ton glacial :

— Il est clair dans ce cas que le capitaine Laurence doit venir également ; ou tenterez-vous de me convaincre qu'on ne peut pas lui donner d'ordre, à lui non plus ?

Ils le dévisagèrent tous avec ébahissement ; Laurence n'en croyait pas ses oreilles. Puis Barham balbutia :

— Juste ciel, si vous voulez Laurence, emmenez-le, et grand bien vous fasse.

Le reste de la réunion se déroula comme dans un brouillard pour Laurence, que le mélange de confusion et d'immense soulagement laissa bigrement distrait. La tête lui tournait, et il répondait au hasard aux remarques qu'on lui adressait, jusqu'à ce que Lenton intervînt une fois de plus en l'envoyant se coucher. Il parvint à rester éveillé suffisamment longtemps pour rédiger à l'intention de Téméraire un bref billet qu'il remit à la servante, après quoi il sombra directement dans un sommeil de plomb.

Il s'en extirpa le lendemain matin, ayant dormi quatorze heures d'affilée. Le capitaine Roland somnolait à son chevet, la tête appuyée contre le dossier de son fauteuil, la bouche ouverte ; en l'entendant remuer, elle se réveilla et se frotta le visage en bâillant.

— Eh bien, Laurence, vous sentez-vous mieux ? Vous nous avez flanqué une sacrée frousse. Emily est venue m'avertir que le pauvre Téméraire était dans tous ses états : quelle mouche vous a piqué de lui envoyer un mot pareil ?

Laurence s'efforça désespérément de se rappeler ce qu'il avait écrit : impossible, il avait tout oublié. D'ailleurs, il se rappelait peu de choses de la journée de la veille, sinon le point central, essentiel, qui demeurait gravé dans son esprit.

— Roland, je n'ai pas la moindre idée de ce que j'ai pu lui dire. Téméraire sait-il que je l'accompagne ?

— Ma foi, il le sait maintenant, depuis que Lenton

m'en a informée quand je suis venue lui demander où vous étiez, mais ce n'est certainement pas là-dedans qu'il l'a appris, dit-elle en lui tendant un bout de papier.

Le billet était rédigé de sa main et portait sa signature, mais les propos ne lui ressemblaient pas et n'avaient ni queue ni tête :

Téméraire...

Ne crains rien, je viens. Le Fils du Ciel ne tolérera aucun délai, et Barham me donne congé. L'Allégeance nous emportera ! Mange quelque chose, je t'en prie.

— L

Laurence fixa le message avec une certaine détresse, se demandant comment il avait pu en venir à rédiger cela.

— Je n'en comprends pas un traître mot. Si, attendez : l'*Allegiance* est le nom du transport, et le prince Yongxing a fait référence à l'empereur comme au Fils du Ciel, quoique je voudrais bien savoir ce qui m'a pris de répéter ce genre de propos blasphématoires. (Il lui rendit le billet.) Je ne devais pas avoir toute ma tête. Jetez ça au feu, s'il vous plaît, et allez dire à Téméraire que je vais bien maintenant, et que je vais venir le voir tout de suite. Voulez-vous sonner le valet pour moi ? Il faut que je m'habille.

— Il vous faut surtout éviter de vous lever pour le moment, rétorqua Roland. Non : restez donc tranquille. Rien ne presse, et je sais que Barham a l'intention de vous parler ; Lenton également. Je vais informer

Téméraire que vous n'êtes pas mort ou qu'il ne vous a pas poussé une deuxième tête, et je chargerai Emily de faire la navette entre vous deux si vous avez d'autres messages.

Laurence se rendit à ses arguments ; de fait, il ne se sentait pas véritablement en état de se lever, et si Barham souhaitait le voir, il préférait économiser le peu de forces qu'il avait. Toutefois, dans l'affaire, il fut épargné ; Lenton vint le trouver seul.

— Eh bien, Laurence, vous voilà embarqué dans un foutu périple, je le crains, et j'espère que vous n'aurez pas trop vilain temps, déclara-t-il en attrapant un fauteuil. Mon transport a essuyé une tempête de trois jours sur la route de l'Inde dans les années 1790 ; la pluie gelait en tombant, si bien que les dragons ne pouvaient même pas s'envoler pour se réfugier au-dessus du gros temps. La pauvre Obversaria a été malade d'un bout à l'autre. Il n'y a rien de plus désagréable qu'un dragon qui souffre du mal de mer, pour lui comme pour vous.

Laurence n'avait jamais commandé un transport de dragons, mais la description de Lenton était parlante.

— Je suis bien aise de pouvoir dire, monsieur, que Téméraire n'a jamais connu la moindre difficulté de ce genre, et que, en fait, il raffole des voyages en mer.

— Nous verrons si jamais vous croisez un ouragan, dit Lenton en secouant la tête. Non que je m'attende à vous voir soulever la moindre objection l'un ou l'autre, étant donné les circonstances.

— Non, pas le moins du monde, dit Laurence du fond du cœur.

On l'avait peut-être retiré de la poêle à frire pour le jeter au feu, mais au moins la cuisson durerait-elle plus longtemps ainsi ; le voyage prendrait de nombreux mois, et laissait place à quelque espoir : il pouvait se produire toutes sortes d'événements avant qu'ils atteignissent la Chine.

Lenton acquiesça.

— Ma foi, vous avez une mine passablement épouvantable, je serai donc bref. J'ai réussi à persuader Barham que la meilleure chose à faire consistait à vous envoyer le plus loin possible avec armes et bagages, autrement dit avec votre équipage ; certains de vos officiers risqueraient de passer un mauvais quart d'heure, sinon, et nous avons intérêt à vous faire partir au plus vite, avant qu'il ne change d'avis.

Autre soulagement, tout à fait inespéré.

— Monsieur, commença Laurence, je dois vous dire à quel point je vous suis reconnaissant de…

— Non, ne soyez pas absurde ; vous n'avez pas à me remercier.

Lenton chassa une mèche grise qui lui tombait sur le front, et déclara abruptement :

— Je suis navré de ce qui vous arrive, Laurence. Je serais devenu enragé depuis longtemps, à votre place. Cette affaire a été menée fort brutalement depuis le début.

Laurence ne sut quoi dire ; il ne s'attendait pas à un tel témoignage de sympathie, qu'il n'était pas certain de mériter. Après un moment, Lenton poursuivit sur un ton plus pragmatique :

— Désolé de ne pouvoir vous accorder davantage

de temps pour vous remettre, mais vous aurez tout le loisir de vous reposer à bord du transport. Barham m'a promis que l'*Allegiance* serait en état de naviguer d'ici une semaine ; mais, d'après ce que j'ai compris, il aura bien du mal à lui trouver un capitaine en si peu de temps.

— Il me semblait qu'on l'avait donné à Cartwright ? s'étonna Laurence.

Il continuait à lire la *Gazette navale* et à suivre l'attribution des vaisseaux ; le nom de Cartwright lui était resté en mémoire ; ils avaient servi tous les deux à bord du *Goliath*, quelques années auparavant.

— Oui, quand l'*Allegiance* devait partir pour Halifax ; apparemment, il y aurait un navire en construction pour lui, là-bas. Mais on ne peut pas attendre qu'il ait bouclé un aller-retour de deux ans jusqu'en Chine, ajouta Lenton. Cela dit, on trouvera bien quelqu'un ; soyez prêt à partir.

— Je le serai, monsieur, dit Laurence. Je serai rétabli d'ici là.

Son optimisme était peut-être exagéré ; après le départ de Lenton, Laurence voulut écrire une lettre et s'aperçut qu'il en était incapable. Sa tête l'élançait trop douloureusement. Fort heureusement, Granby passa lui rendre visite une heure plus tard, tout excité à la perspective du voyage qui les attendait, et parfaitement indifférent aux dangers qu'il encourait pour sa propre carrière.

— Je me fiche de cela comme de mon premier débris de coquille, dit-il. Ce coquin allait vous arrêter, et faisait mettre Téméraire en joue ! N'y pensez plus, je vous en prie, et dites-moi ce que vous souhaiteriez que j'écrive.

Laurence renonça à l'exhorter à la prudence ; la loyauté de Granby était aussi obstinée que son aversion initiale, quoique autrement plus gratifiante.

— Quelques lignes seulement, s'il vous plaît – au capitaine Thomas Riley ; dites-lui que nous devons partir pour la Chine dans une semaine, et que s'il ne rechigne pas à commander un transport, il peut probablement obtenir l'*Allegiance*, à condition de se rendre sur-le-champ à l'Amirauté : Barham n'a personne pour le commander ; mais surtout, recommandez-lui de ne pas mentionner mon nom.

— Compris, dit Granby, en griffonnant quelques lignes. (Son écriture manquait d'élégance et s'étalait inutilement en longueur, mais elle restait lisible.) Le connaissez-vous bien ? Nous devrons nous en accommoder pendant une longue période.

— Oui, très bien, dit Laurence. Il était mon troisième lieutenant sur le *Belize* et mon second sur le *Reliant* ; il était présent lors de l'éclosion de Téméraire : un officier remarquable, et un vrai marin. Nous ne pourrions espérer mieux.

— Je le porterai moi-même au courrier, en lui recommandant de s'assurer qu'il arrive, promit Granby. Quel soulagement ce serait de ne pas s'embarquer avec l'un de ces foutus saligauds secs comme un coup de trique…

Il s'interrompit, gêné ; il n'y avait pas si longtemps qu'il avait compté Laurence parmi ces « foutus saligauds », après tout.

— Merci, John, s'empressa de dire Laurence pour le tirer d'embarras. Mais ne nous emballons pas trop vite ; le ministère préférera peut-être un officier ayant davantage d'ancienneté.

Pourtant, il estimait secrètement que leurs chances étaient excellentes. Barham aurait bien du mal à trouver quelqu'un d'autre prêt à accepter le poste.

Si impressionnants fussent-ils, les transports de dragons faisaient de bien méchants navires à commander ; ils devaient souvent patienter au port pendant des jours interminables, à attendre leurs passagers draconiques, tandis que leur équipage s'adonnait à la boisson et aux femmes. Ou bien ils restaient pendant des mois au beau milieu de l'océan, à s'efforcer de maintenir leur position afin de servir d'étape aux dragons lors des grandes traversées ; comme dans les missions de blocus, mais sans aucun contact avec le reste de la société. Offrant peu d'occasions de bataille ou de gloire, et encore moins de parts de prise, ils constituaient un choix peu enviable pour quiconque pouvait prétendre à mieux.

Mais le *Reliant*, rudement touché dans la tempête après Trafalgar, resterait en cale sèche pendant longtemps encore. Cloué à terre, sans relations pour l'aider à obtenir un nouveau vaisseau et sans aucune ancienneté à son grade, Riley serait sans doute trop heureux de saisir cette opportunité ; quant à Barham, il se jetterait vraisemblablement sur le premier capitaine qui s'offrirait.

Laurence passa la journée suivante à s'échiner, avec un peu plus de succès, sur d'autres lettres nécessaires. Ses affaires n'étaient pas préparées pour un long voyage, surtout un voyage bien au-delà des limites de circulation du courrier. Et puis, au cours de ces dernières semaines épouvantables, il avait totalement négligé sa correspondance privée, et il devait désormais plusieurs réponses, en particulier à sa famille. Après la bataille de Douvres, son père s'était montré plus tolérant envers sa nouvelle profession ; s'ils ne s'écrivaient toujours pas, du moins Laurence n'était-il plus obligé d'écrire à sa mère en cachette, et depuis quelque temps il lui adressait ses lettres ouvertement. Son père pourrait fort bien décider de suspendre ce privilège à la suite de cette affaire, mais Laurence espérait qu'il en ignorerait les détails ; heureusement, Barham n'avait rien à gagner à mettre lord Allendale dans l'embarras ; en particulier maintenant, alors que Wilberforce, leur allié politique à tous les deux, avait l'intention de relancer le débat sur l'abolition de l'esclavage lors de la prochaine session au Parlement.

Laurence griffonna rapidement une douzaine de missives courtes, d'une écriture qui ne lui ressemblait guère, à d'autres correspondants ; la plupart étaient des marins, qui comprendraient les nécessités d'un départ précipité. Il eut beau écourter au maximum, l'effort l'épuisa, et quand Jane Roland revint lui rendre visite, elle le trouva presque prostré une fois de plus, couché les yeux fermés au milieu des oreillers.

— Oui, je les posterai, mais vous vous comportez

de manière absurde, Laurence, dit-elle en ramassant ses lettres. Un coup sur la tête peut avoir des conséquences sérieuses, même si vous ne vous êtes pas brisé le crâne. Lorsque j'ai eu la fièvre jaune, je ne me promenais pas en racontant partout que j'allais bien ; je suis restée couchée à prendre ma bouillie et mon *posset*[1], et me suis rétablie plus vite que tous les autres gaillards des Antilles qui l'avaient attrapée.

— Merci, Jane, dit-il, sans chercher à discuter.

De fait, il se sentait au plus mal et lui fut reconnaissant quand elle tira les rideaux afin de plonger la chambre dans une agréable pénombre.

Il émergea brièvement du sommeil quelques heures plus tard, réveillé par des éclats de voix à la porte. Il reconnut celle de Roland :

— Vous allez me fiche le camp immédiatement, ou c'est moi qui vous fais redescendre à coups de pied dans le train. Quelles sont ces façons de vouloir l'importuner dès que j'ai le dos tourné ?

— Mais je dois absolument parler au capitaine Laurence ; la situation est extrêmement urgente… (La protestation émanait d'une voix inconnue, et manifestement perplexe.) J'arrive directement de Londres…

— Si c'est tellement urgent, allez donc en discuter avec l'amiral Lenton, dit Roland. Non ; je me moque de savoir que vous appartenez au ministère. Vous m'avez l'air assez jeune pour être l'un de mes

1. Boisson à base de lait chaud mélangé de vin ou de bière, que l'on prenait jadis en cas de rhume. *(N.d.T.)*

aspirants, et je refuse de croire que ce que vous avez à dire ne peut pas attendre demain.

Sur quoi elle claqua la porte derrière elle, étouffant le reste de la discussion ; Laurence se rendormit. Mais le lendemain matin personne n'était plus là pour le protéger, et à peine la servante lui eut-elle apporté son petit déjeuner – la bouillie et le *posset* dont on l'avait menacé, aussi peu appétissants l'une que l'autre – qu'une nouvelle tentative d'intrusion eut lieu, avec davantage de succès cette fois-ci.

— Je vous demande pardon, monsieur, de m'imposer à vous de façon aussi cavalière, déclara l'inconnu dans un débit rapide, tout en approchant un fauteuil au chevet de Laurence sans attendre qu'on l'y invite. Laissez-moi vous expliquer ; je me rends bien compte que les circonstances sont tout à fait extraordinaires… (Il reposa pesamment le fauteuil et s'assit dessus, ou plutôt se percha juste au bord.) Mon nom est Hammond, Arthur Hammond ; j'ai été mandaté par le ministère pour vous accompagner devant la cour de Chine.

Hammond était un homme étonnamment jeune, d'une vingtaine d'années peut-être, aux cheveux bruns mal soignés et au visage étroit, mais si intensément expressif qu'il avait presque un air d'illuminé. Il commença par s'exprimer par bribes de phrases, partagé entre les excuses et son désir manifeste d'en venir au vif du sujet.

— Vous me pardonnerez, j'espère, cette absence d'introduction. Nous avons été pris totalement, totalement par surprise, et lord Barham a déjà arrêté la date de notre départ au 23. Mais si vous préférez, bien sûr, nous pouvons insister auprès de lui pour obtenir un délai…

C'était là une chose que Laurence voulait éviter par-dessus tout, même si la hâte de Hammond l'ébahissait quelque peu. Il s'empressa de dire :

— Non, monsieur, je suis entièrement à votre service ; ne retardons pas notre voyage à seule fin d'échanger des civilités, surtout si cette date a déjà été annoncée au prince Yongxing.

— Ah ! Je suis dans la même disposition d'esprit, avoua Hammond avec un profond soulagement.

En voyant son visage et en estimant son âge, Laurence soupçonna que le choix de sa nomination ne s'était porté sur lui que par manque de temps. Mais s'il croyait que sa disposition à s'embarquer d'office pour la Chine était sa seule et unique qualification, Hammond eut tôt fait de le détromper. Une fois installé, il sortit une épaisse liasse de papiers qui déformait sa veste et entreprit de s'étendre à toute vitesse et de manière détaillée sur les perspectives de leur mission.

Laurence fut presque aussitôt incapable de le suivre. Hammond passait de temps à autre au chinois sans s'en rendre compte, lorsqu'il baissait les yeux sur des documents rédigés dans cette langue, et lorsqu'il s'exprimait en anglais, il s'étendait à l'envi sur la question de l'ambassade de Macartney en Chine, qui s'était tenue quatorze ans auparavant. Laurence, qui venait de passer lieutenant à cette époque et dont l'esprit était alors entièrement tourné vers les affaires navales et sa propre carrière, se souvenait à peine de cette mission, et encore moins de ses détails.

Il n'interrompit pas immédiatement Hammond, cependant ; il ne trouva dans ce flot de paroles aucune pause qui lui eût permis de le faire poliment, d'une part, et, d'autre part, ce monologue avait quelque chose de rassurant. Hammond parlait avec une autorité largement supérieure à ses années, une maîtrise évidente de son sujet et, plus important, sans la moindre trace de l'incivilité à laquelle Laurence s'attendait désormais de la part de Barham comme du ministère. Laurence se réjouit à l'idée de trouver un allié pour lui prêter une oreille attentive, même si tout ce qu'il savait de l'expédition, c'était que le vaisseau de Macartney, le *Lion*, avait été le premier navire occidental à cartographier la baie de Zhitao.

— Oh ! dit Hammond, visiblement déçu quand il réalisa enfin à quel point il s'était mépris sur son auditoire. Eh bien, je suppose que cela n'a pas grande importance ; pour dire les choses carrément, l'ambassade s'est soldée par un échec lamentable. Lord Macartney s'est refusé à accomplir le rituel d'obéissance devant l'empereur, la prosternation, et les Chinois en ont pris ombrage. Ils ont refusé tout net de nous accorder une représentation permanente, et, en fin de compte, lord Macartney s'est fait escorter hors de la mer de Chine par une douzaine de dragons.

— Ça, je m'en souviens, dit Laurence (de fait, il se rappelait vaguement avoir discuté de l'affaire avec ses amis, dans le carré, passablement échauffés par l'offense faite à l'émissaire britannique). Ce rituel d'obéissance avait quelque chose d'insultant, je crois ; ne lui demandait-on pas de se coucher à plat ventre sur le sol ?

— Nous ne pouvons pas nous boucher le nez devant les coutumes des étrangers lorsque nous débarquons dans leur pays, le chapeau à la main, déclara Hammond en se penchant en avant. Vous en constatez vous-même, monsieur, les conséquences néfastes : je suis convaincu que le ressentiment engendré par cet incident continue d'empoisonner nos relations à l'heure actuelle.

Laurence fronça les sourcils ; cet argument ne manquait pas de pertinence, et pouvait expliquer pourquoi Yongxing se montrait aussi susceptible depuis son arrivée en Angleterre.

— Croyez-vous que cette querelle soit la raison pour laquelle ils ont voulu offrir un Céleste à Bonaparte ? Si longtemps après ?

— Je serai franc avec vous, capitaine : nous n'en avons pas la moindre idée, admit Hammond. Notre seule consolation durant ces quatorze dernières années aura été notre assurance, notre certitude complète, que les Chinois ne s'intéressaient pas plus aux affaires de l'Europe que nous à celles des pingouins. Aujourd'hui, les fondements même de notre politique étrangère sont ébranlés.

3

L'*Allegiance* était un mastodonte ballotté par la houle : long d'un peu plus de quatre cents pieds, il était étonnamment étroit en proportion, exception faite de l'immense pont d'envol déployé à l'avant, au-dessus du mât de misaine. Vu d'en haut, il avait une allure très étrange, similaire à un éventail ; mais sous la plate-forme épaisse du pont d'envol, sa coque se resserrait rapidement. Sa quille était en acier et non en orme, recouverte d'une épaisse couche de peinture blanche anticorrosion : la longue bande blanche qui courait le long de son étrave lui donnait presque une ligne élancée.

Afin de lui conférer la stabilité requise pour affronter les tempêtes, on l'avait bâti avec plus de vingt pieds de tirant d'eau, beaucoup trop pour venir s'ancrer dans le port proprement dit ; il était donc amarré à d'énormes piliers fichés dans les eaux profondes, où d'autres navires plus petits se succédaient pour le ravitailler, telle une nuée de courtisans auprès d'une grande dame. Ce n'était pas le premier navire de ce type à bord duquel voyageraient Laurence et Téméraire, mais ce serait leur premier transport de haute mer ; un vaisseau ordinaire élargi de quelques planches pour embarquer trois dragons de Gibraltar à Plymouth n'offrait aucune comparaison.

— C'est parfait ; je suis encore mieux ici que dans ma clairière, approuva Téméraire. (De là où il se trouvait, dans un splendide isolement, il pouvait suivre toute l'activité du vaisseau sans gêner en rien l'équipage, et grâce à la cuisine du vaisseau qui se trouvait juste en dessous, le pont d'envol était chauffé en permanence par les fours.) Tu n'as pas froid, Laurence ? s'enquit-il pour la troisième fois au moins, en se dévissant le cou pour l'examiner de plus près.

— Non, pas le moins du monde, répondit sèchement Laurence, que cette constante sollicitude commençait à lasser.

Bien que ses vertiges et ses maux de tête eussent diminué en même temps que la bosse sur son crâne, sa jambe blessée demeurait capricieuse, prompte à se dérober au pire moment et sujette à des élancements quasi permanents. On avait dû le hisser à bord dans une chaise de bosco, à sa grande humiliation, avant de le déposer dans un fauteuil et de le transporter sur le pont d'envol, submergé de couvertures, comme un invalide. Et voilà que Téméraire s'était lové avec le plus grand soin afin de le protéger du vent !

Deux escaliers descendaient du pont d'envol de part et d'autre du mât de misaine, et la coutume attribuait aux aviateurs la partie du gaillard d'avant allant des marches jusqu'à mi-chemin du grand mât, tandis que la partie restante demeurait le territoire des matelots. L'équipage de Téméraire avait déjà pris possession de son domaine légitime, en repoussant avec soin plusieurs rouleaux de cordage de l'autre côté de la ligne de démarcation invisible ; à leur place, on avait entassé des sangles de harnais et des seaux remplis de boucles et de mousquetons, afin de signifier aux hommes de la Navy que les aviateurs ne s'en laisseraient pas conter. Les hommes qui n'étaient pas en train de ranger leur matériel flânaient le long de la ligne avec une nonchalance affectée, feignant de s'occuper ; la jeune Roland et les deux autres cadets, Morgan et Dyer, s'étaient vu ordonner de jouer là par les enseignes, qui accomplissaient leur devoir en défendant les droits des Corps. Grâce à leur petite taille, ils pouvaient se tenir sur la main courante sans difficulté et la parcouraient d'un bout à l'autre avec une belle témérité.

Laurence les observa, d'humeur maussade ; la présence de la petite Roland le laissait encore dubitatif.

— Pourquoi refuseriez-vous de l'emmener ? Se serait-elle mal conduite ? fut la seule réaction de Jane lorsqu'il l'avait consultée sur ce sujet.

Il avait trouvé trop gênant de lui expliquer ses réticences bien en face. Et naturellement, prendre Emily avec lui se justifiait, en dépit de son jeune âge : elle devrait affronter les mêmes difficultés qu'un officier masculin lorsqu'elle deviendrait capitaine d'Excidium à la suite de sa mère ; ce ne serait pas lui rendre service que de la couver jusqu'à ce jour.

Malgré tout, maintenant qu'il se trouvait à bord, il regrettait cette décision. Ils n'étaient pas sur une base, et il avait déjà pu constater que, comme dans n'importe quel équipage naval, celui de l'*Allegiance* comportait son lot de fieffés gredins : ivrognes, mauvais coucheurs, gibiers de potence. Il ressentait lourdement la responsabilité de surveiller une jeune fille parmi de tels individus ; sans parler du fait que l'existence de femmes dans les rangs des Corps constituait un secret qu'il ne souhaitait pas voir s'ébruiter ici.

Il n'avait pas l'intention d'ordonner à Roland de mentir, surtout pas, et bien sûr il devait continuer à lui confier les mêmes tâches qu'à l'ordinaire ; mais, au fond de lui, il espérait intensément que la vérité resterait cachée. Roland n'avait que onze ans, et au premier coup d'œil personne ne remarquerait qu'elle était une fille, avec ses pantalons et son gilet ; lui-même l'avait d'abord prise pour un garçon. Mais il tenait aussi à ce que les aviateurs et les marins s'entendent, ou du moins ne se témoignent pas d'hostilité, et une fréquentation quotidienne finirait tôt ou tard par faire apparaître son véritable sexe.

Dans l'immédiat, ses espoirs semblaient avoir plus de chance de se concrétiser dans le cas de Roland que dans le cas général. Les matelots du gaillard d'avant, affairés à charger le navire, parlaient un peu trop fort de ceux qui n'avaient rien de mieux à faire que s'asseoir dans le chemin et jouer les passagers ; deux hommes émirent des commentaires à voix haute sur la manière dont les cordages déplacés étaient tout emmêlés, avant de les enrouler de nouveau, sans nécessité. Laurence secoua la tête et garda le silence. Ses propres hommes avaient été dans leur droit, et il ne pouvait reprendre ceux de Riley ; cela n'arrangerait rien.

Téméraire aussi avait remarqué leur manège ; il renifla, et sa collerette se dressa un peu.

— Ce cordage m'a l'air parfaitement en ordre, dit-il. Mon équipage a fait très attention en le déplaçant.

— Ce n'est rien, mon cher ; il n'est jamais inutile de reprendre les cordages, s'empressa de dire Laurence.

Il n'était pas surprenant que Téméraire commençât à étendre ses instincts de propriété et de protection au reste de son équipage ; celui-ci l'accompagnait depuis plusieurs mois maintenant. Mais le moment semblait mal choisi ; la présence d'un dragon rendait déjà les marins suffisamment nerveux, et si Téméraire prenait part à une quelconque dispute, cela ne ferait qu'aggraver les tensions à bord.

— Ne fais pas attention à eux, je t'en prie, ajouta Laurence en flattant le flanc de Téméraire pour détourner son attention. Le début d'un voyage est toujours un moment important ; nous souhaitons devenir bons camarades, et non encourager une sorte de rivalité entre les hommes.

— Hmm, je suppose, admit Téméraire en se calmant. Mais nous n'avons rien fait de mal ; il est désagréable de les entendre se plaindre ainsi.

— Nous serons bientôt partis, dit Laurence en manière de diversion. La marée a tourné, et je crois que ce sont les derniers bagages de l'ambassade qu'on embarque là.

L'*Allegiance* pouvait accueillir sans difficulté une dizaine de dragons de poids moyen ; Téméraire seul l'alourdissait à peine, et il restait à bord une place véritablement ahurissante. Néanmoins, l'invraisemblable quantité de bagages de l'ambassade menaçait d'excéder la capacité du vaisseau : choquant pour Laurence, habitué à n'emporter en voyage qu'un simple coffre de marin, et totalement hors de proportion avec le volume de la suite princière, déjà énorme en soi.

Elle comptait une quinzaine de soldats, et pas moins de trois médecins : un pour le prince lui-même, un pour les deux autres émissaires, et le dernier pour le reste de l'ambassade, chacun avec ses aides. En plus d'eux et du traducteur venaient deux cuisiniers et leurs aides, une douzaine de domestiques, ainsi qu'un nombre égal d'autres personnes sans attributions définies, dont une qu'on avait présentée comme un poète, quoique Laurence ne pût croire qu'il s'agît là d'une traduction correcte : l'homme était plus vraisemblablement une sorte de clerc quelconque.

La garde-robe du prince occupait à elle seule une vingtaine de coffres, tous sculptés avec art, ornementés de serrures et de charnières en or : le fouet du bosco claqua à plusieurs reprises sur les matelots les plus audacieux qui cherchaient à les ouvrir. D'innombrables sacs de nourriture avaient également été hissés à bord, commençant à montrer des signes d'usure car ils avaient déjà fait le voyage depuis la Chine ; un sac de riz de quatre-vingts livres se déchira au beau milieu du pont, pour la plus grande joie des mouettes qui planaient alentour, et par la suite les marins durent chasser régulièrement les nuées d'oiseaux frénétiques qui les gênaient dans leur travail.

L'embarquement avait déjà occasionné un sacré remue-ménage un peu plus tôt. Les suivants de Yongxing avaient d'abord réclamé une passerelle qui *descendît* vers le vaisseau – chose tout à fait impossible, quand bien même on aurait pu amener l'*Allegiance* à quai, en raison de la hauteur de ses ponts. Le pauvre Hammond avait consacré près d'une heure à tenter de les persuader qu'il n'y avait ni déshonneur ni le moindre danger à se faire hisser jusqu'au pont, désignant régulièrement le vaisseau comme un argument muet.

En désespoir de cause, Hammond avait fini par lui demander :

— Capitaine, diriez-vous qu'il s'agit d'une mer particulièrement forte ?

Question absurde, avec moins de cinq pieds de houle, quoique le vent vif eût tendu plusieurs fois les amarres du canot, mais même la réponse négative d'un Laurence surpris n'avait pu satisfaire les suivants. On crut un moment qu'ils n'embarqueraient jamais. En fin de compte, Yongxing en personne se lassa d'attendre et mit un terme à la discussion en émergeant de sa chaise à porteurs aux lourdes draperies pour descendre dans le canot, ignorant aussi bien l'émoi de ses suivants que les mains hâtivement offertes de l'équipage.

Les passagers chinois qui avaient dû attendre le deuxième canot étaient en train d'embarquer maintenant, par le tribord, où ils recevaient l'accueil raide et protocolaire d'une douzaine de fusiliers et des marins les plus présentables, tous alignés le long du bord intérieur de la passerelle, très beaux dans leurs vestes rouge vif, leurs pantalons blancs et leurs gilets bleus.

Sun Kai, le plus jeune des envoyés, descendit agilement de la chaise de bosco et resta un moment sur le pont à regarder autour de lui d'un air songeur. Laurence crut un moment qu'il n'appréciait pas le bruit et le désordre qu'il découvrait, mais non, apparemment il s'efforçait seulement de trouver son équilibre : il esquissa quelques pas prudents, puis se mit à marcher de long en large avec plus d'assurance, les mains dans le dos, étudiant les cordages en fronçant les sourcils. De toute évidence, il essayait de démêler le labyrinthe de cordes de leur source jusqu'à leur conclusion.

Cela à la grande satisfaction des hommes de quart, qui pouvaient en retour l'observer à loisir. Le prince Yongxing les avait déçus en disparaissant presque aussitôt dans les quartiers privés qu'on lui avait réservés à l'arrière ; avec sa longue natte noire et son crâne à demi rasé, dans sa splendide robe bleue brodée de rouge et d'orange, Sun Kai, grand et impassible, offrait un spectacle presque aussi intéressant. Et lui, au moins, ne montrait aucune velléité de s'enfermer dans ses quartiers.

Au bout d'un moment, le spectacle s'anima davantage ; des cris et des éclats de voix montèrent d'en bas, et Sun Kai bondit jusqu'à la main courante pour se pencher par-dessus. En se redressant sur son fauteuil, Laurence vit Hammond se précipiter à son tour, pâle comme la mort : on avait entendu un bruit d'éclaboussures. Quelques instants plus tard, le doyen des envoyés parvenait enfin sur le pont, le bas de sa robe trempé et ruisselant d'eau. Malgré sa mésaventure, l'homme à la barbe grise escalada la main courante en riant de bon cœur à ses propres dépens, écartant d'un revers de main ce qui ressemblait à des excuses bredouillées hâtivement par Hammond ; il tapota son ample bedaine avec une expression désabusée, puis s'éloigna en compagnie de Sun Kai.

— Il a eu de la chance, fit observer Laurence en se renfonçant dans son fauteuil. Cette robe l'aurait entraîné par le fond en un clin d'œil s'il était tombé pour de bon.

— J'aurais voulu qu'ils tombent tous, marmonna Téméraire avec autant de discrétion qu'on pouvait en attendre d'un dragon de vingt tonnes – c'est-à-dire fort peu.

Quelques ricanements se firent entendre sur le pont ; Hammond jeta autour de lui un regard inquiet.

Les autres membres de la suite furent hissés à bord sans autre incident, et conduits en bas aussi prestement que leurs bagages. Hammond, visiblement soulagé que l'opération fût enfin terminée, s'essuya le front d'un revers de main ; en nage malgré la brise fraîche et coupante, il s'affala lourdement sur un caisson dans l'axe de la passerelle, à la grande contrariété de l'équipage. On ne pouvait remonter le canot à bord tant qu'il resterait là, mais il était lui-même un passager et un ambassadeur, un personnage trop important pour qu'on lui demandât brutalement de dégager le passage.

Prenant les matelots en pitié, Laurence chercha ses messagers du regard : Roland, Morgan et Dyer avaient reçu l'instruction de se tenir tranquilles sur le pont d'envol et de ne gêner personne, de sorte qu'ils s'étaient assis en rang tout au bord, en balançant les pieds dans le vide.

— Morgan ! appela Laurence, et le gamin aux cheveux bruns se leva d'un bond et courut jusqu'à lui. Allez donc inviter M. Hammond à venir s'asseoir près de moi si le cœur lui en dit.

Hammond s'éclaircit à cette invitation et se rendit aussitôt sur le pont d'envol ; il ne s'aperçut même pas que derrière lui, l'équipage commençait déjà à gréer le dispositif de levage afin de hisser le canot à bord.

— Merci, monsieur – merci, c'est fort aimable à vous, dit-il en s'asseyant sur un caisson que Morgan et Roland lui avaient avancé, avant d'accepter avec plus de gratitude encore l'offre d'un verre de brandy. Que serais-je devenu si Liu Bao s'était noyé ? Je me le demande.

— Est-ce ainsi que s'appelle ce monsieur ? dit Laurence – tout ce dont il se souvenait de l'envoyé lors de l'entrevue à l'Amirauté était son ronflement sifflant. Cela aurait placé le voyage sous des auspices malheureux, certainement, mais Yongxing n'aurait pas pu vous blâmer pour sa glissade.

— Non, en cela vous faites erreur, dit Hammond. C'est un prince ; il peut blâmer qui bon lui semble.

Laurence aurait pris cette déclaration pour une plaisanterie si Hammond n'avait paru aussi mortellement sérieux à ce sujet ; et après avoir bu presque tout son brandy dans un silence que Laurence trouva tout à fait inhabituel, bien qu'ils ne se connussent pas depuis longtemps, Hammond ajouta brusquement :

— Pardonnez-moi, mais je dois vous dire aussi à quel point de telles remarques pourraient nous être préjudiciables – je veux parler des conséquences d'une offense commise dans un moment d'égarement…

Laurence mit un moment à réaliser que Hammond faisait référence au grommellement hargneux lâché tantôt par Téméraire ; l'intéressé fut plus rapide et répondit pour lui-même :

— Je me moque bien qu'ils ne m'aiment pas, dit-il. Peut-être me laisseront-ils en paix, ainsi, et je n'aurai pas à rester en Chine. (L'idée le frappa visiblement, et il leva la tête avec un enthousiasme soudain.) Si je les offensais gravement, croyez-vous qu'ils renonceraient ? s'enquit-il. Laurence, sais-tu ce qui serait particulièrement insultant ?

Hammond ressemblait à Pandore, la boîte ouverte entre les mains, regardant les horreurs se répandre sur le monde ; Laurence faillit éclater de rire, mais se contint par sympathie. Hammond était jeune pour une telle mission, et sans doute conscient de son manque d'expérience en dépit de tous ses talents ; cela devait le rendre excessivement circonspect.

— Non, mon cher, cela ne marcherait pas, dit Laurence. Il est à craindre qu'ils nous reprocheraient simplement de t'avoir enseigné de mauvaises manières, et insisteraient d'autant plus pour te garder.

— Oh ! (Téméraire laissa retomber sa tête sur ses pattes avant d'un air boudeur.) Ma foi, l'idée de partir ne m'ennuie pas tant que cela, dans le fond, si ce n'est que les autres continueront à se battre sans moi, lâcha-t-il avec résignation. Ce voyage risque d'être intéressant, et j'imagine que je serai content de découvrir la Chine ; mais ils vont encore essayer de m'éloigner de Laurence, j'en suis certain, et il n'est pas question que je les laisse faire.

Hammond évita prudemment de s'engager sur ce terrain. À la place, il s'empressa de faire remarquer :

— Cet embarquement a pris une éternité. Cela doit être tout à fait exceptionnel, n'est-ce pas ? J'étais convaincu que nous serions au beau milieu de la Manche avant midi ; et pourtant, nous n'avons même pas encore hissé les voiles.

— Je crois qu'ils ont presque fini, dit Laurence.

On hissait justement, à l'aide d'un palan, le dernier coffre que réceptionnèrent les matelots. Les hommes paraissaient las, maussades, et à juste titre, car ils auraient pu charger dix dragons dans le temps qu'ils avaient mis à embarquer un homme et ses effets personnels ; et le déjeuner avait déjà pris une demi-heure de retard.

Tandis que le coffre disparaissait en bas, le capitaine Riley gravit les marches du pont d'envol pour venir les rejoindre, ôtant son chapeau le temps de s'essuyer le front.

— Je me demande bien par quel moyen ils sont

arrivés en Angleterre avec tout ce fourbi. J'imagine qu'ils ne sont pas venus à bord d'un navire de transport ?

— Non, sinon nous emprunterions probablement leur vaisseau, dit Laurence. (Il n'avait pas réfléchi à la question jusque-là et réalisait maintenant seulement qu'il n'avait pas la moindre idée de la manière dont l'ambassade chinoise avait fait le voyage aller.) Peut-être sont-ils venus par voie de terre.

Hammond demeura silencieux, sourcils froncés, se posant visiblement la même question.

— C'est sûrement une expédition des plus intéressantes, avec tant de lieux à visiter, fit observer Téméraire. Non que cela m'ennuie de voyager par mer ; pas le moins du monde, s'empressa-t-il d'ajouter en glissant un regard nerveux vers Riley, afin de s'assurer qu'il ne l'avait pas offensé. Croyez-vous que ce sera beaucoup plus rapide ainsi ?

— Oh ! non, répondit Laurence. J'ai entendu parler d'un courrier qui avait mis deux mois à rallier Bombay depuis Londres, et nous aurons de la chance si nous atteignons Canton en sept mois. Mais il n'existe pas de route sûre par la terre ; la France se trouve sur le chemin, malheureusement, et le brigandage est fréquent, sans oublier les montagnes ou le désert de Takla-Makan à traverser.

— Je ne miserais pas sur moins de huit mois, personnellement, dit Riley. D'après le journal de bord, ce sera beau si nous faisons six nœuds autrement que par vent arrière. (Une grande activité se déployait présentement sous eux et au-dessus de leurs têtes, tandis que les matelots se préparaient à larguer les amarres et à mettre à la voile ; la marée descendante clapotait doucement contre le côté au vent.) Ma foi, nous allons nous mettre en route. Laurence, je dois rester sur le pont ce soir, pour prendre la mesure du vaisseau ; mais j'espère vous avoir à ma table demain soir. Ainsi que vous, monsieur Hammond, naturellement.

— Capitaine, intervint Hammond, je ne suis guère familiarisé avec les pratiques ordinaires de la vie d'un vaisseau – j'en appelle à votre indulgence. Serait-il convenable d'inviter les membres de l'ambassade ?

— Eh bien… commença Riley, stupéfait.

Laurence ne le blâmait pas ; c'était un peu fort d'inviter des gens à la table d'un autre. Mais Riley se reprit et répondit poliment :

— Sûrement, monsieur, appartient-il au prince Yongxing de lancer une telle invitation le premier.

— Nous serons à Canton avant que cela se produise, vu l'état actuel de nos relations, dit Hammond. Non ; nous devons nous arranger pour faire le premier pas.

Riley offrit encore une certaine résistance ; mais Hammond avait pris le mors aux dents et réussit, grâce à une habile combinaison de cajoleries et de refus de comprendre, à faire valoir son point de vue. Riley aurait pu s'arc-bouter plus longtemps, mais les hommes attendaient avec impatience l'ordre de lever l'ancre, la marée descendait de minute en minute, et Hammond finit par déclarer :

— Merci mille fois pour votre indulgence ; et

maintenant, messieurs, je vous prie de bien vouloir m'excuser. J'ai une assez jolie écriture à terre, mais j'imagine qu'il va me falloir un certain temps pour rédiger une invitation convenable à bord d'un vaisseau.

Sur quoi il se leva et s'esquiva avant que Riley puisse retirer la capitulation qu'il n'avait pas tout à fait concédée.

— Ma foi, grommela Riley d'un ton maussade, avant qu'il ne rédige son acte, je vais nous emmener au large aussi loin que possible. Si mon culot doit les offenser, au moins, avec ce vent, pourrai-je répondre en toute honnêteté que nous sommes trop éloignés pour que nous retournions au port et qu'ils n'y débarquent à coups de pied. Le temps que nous atteignions Madère, ils auront peut-être oublié.

Il sauta sur le gaillard d'avant et donna ses ordres ; un instant plus tard, les hommes au grand cabestan sur quatre niveaux se mirent à hisser ; leurs braillements et grognements montaient des ponts inférieurs tandis que le câble se relevait sur les bossoirs en fer : la moindre ancre à jet de l'*Allegiance* était aussi grosse que la maîtresse ancre d'un vaisseau ordinaire, avec des pattes plus larges qu'une hauteur d'homme.

Au grand soulagement de l'équipage, Riley n'ordonna pas de déhaler au cabestan ; une poignée d'hommes repoussa le vaisseau loin des poteaux d'amarrage au moyen de gaffes en fer, et même cela fut à peine nécessaire : le vent soufflait du nord-ouest, par le travers tribord ; la marée aidant, il n'en fallut pas davantage pour se dégager du port. Le vaisseau ne manœuvrait qu'aux seuls huniers, mais dès qu'ils eurent quitté le mouillage, Riley fit déployer les perroquets et les basses voiles. Et, en dépit de ses propos pessimistes, ils filèrent bientôt à une allure respectable : le vaisseau dérivait fort peu, grâce à son énorme quille, et fendait les eaux de la Manche avec noblesse.

Téméraire avait tourné la tête vers l'avant pour profiter du vent de leur course : on eût dit la figure de proue d'un vieux bateau viking. Laurence sourit à cette idée. En voyant son expression, Téméraire le poussa affectueusement du bout du nez.

— Voudrais-tu me faire la lecture ? s'enquit-il avec espoir. Il ne reste guère que deux heures de jour.

— Avec plaisir, dit Laurence, qui se redressa pour chercher ses messagers du regard. Morgan, appela-t-il, voulez-vous avoir la bonté de descendre me chercher le livre qui se trouve au sommet de mon coffre, celui de Gibbon ? Nous en sommes au volume deux.

La grande cabine de l'amiral en poupe avait été hâtivement reconvertie en appartements pour le prince Yongxing, et la cabine du capitaine sous la dunette divisée entre les deux autres envoyés, tandis que les quartiers attenants étaient cédés à la foule des gardes et des suivants. Cela avait eu pour conséquence de déplacer non seulement Riley lui-même, mais également le premier lieutenant (lord Purbeck), le chirurgien, le maître et plusieurs autres des officiers. Fort heureusement, les quartiers à l'avant du vaisseau, généralement attribués aux aviateurs, se trouvaient pratiquement inoccupés puisque Téméraire était le seul dragon à bord : la place ne manquait donc pas. Et, pour l'occasion, les charpentiers du vaisseau avaient abattu les cloisons des cabines individuelles afin de dégager une grande salle à manger commune – trop grande, dans un premier temps. Hammond avait objecté :

— Il ne faudrait pas donner l'impression que nous disposons de plus de place que le prince, avait-il expliqué.

On avait donc rapproché les cloisons de six bons pieds : les tables qu'on avait disposées à l'intérieur parurent subitement étriquées.

Riley avait bénéficié presque autant que Laurence de la somme faramineuse attribuée pour la prise de l'œuf de Téméraire ; il avait donc les moyens de tenir une bonne table, aux nombreux convives. De fait, l'occasion réclamait toutes les chaises qu'on pût trouver à bord : à l'instant où il s'était remis du choc de voir son invitation acceptée, fût-ce partiellement, Riley avait invité également tous les officiers du carré, les propres lieutenants de Laurence, ainsi que tout homme susceptible de soutenir une conversation civilisée.

— Mais le prince Yongxing ne viendra pas, leur apprit Hammond, et le reste d'entre eux maîtrisent moins d'une douzaine de mots d'anglais à eux tous. À l'exception du traducteur, et il est le seul.

— Dans ce cas, nous n'aurons qu'à faire suffisamment de bruit entre nous pour ne pas nous contempler en silence durant tout le repas, dit Riley.

Mais cet espoir fut déçu : dès l'instant où les invités apparurent, une chape de plomb s'abattit, sans donner le moindre signe de vouloir se lever avant la fin du repas. Malgré la présence du traducteur, aucun des Chinois ne dit d'abord le moindre mot. Le doyen des envoyés, Liu Bao, n'était pas venu non plus, ce qui faisait de Sun Kai le membre le plus important de la délégation ; même lui ne prononça qu'un bref salut formel à son arrivée, conservant par la suite une dignité calme et silencieuse. Il semblait fasciné par le mât de misaine, de l'épaisseur d'un tonneau et peint de bandes jaunes, qui descendait du plafond pour s'enfoncer directement au milieu de la table ; il alla même jusqu'à regarder sous la nappe, pour le voir continuer vers le pont inférieur à travers le plancher.

Riley avait laissé tout le côté droit de la table aux invités chinois, et leur avait fait signe de s'installer, mais aucun d'eux n'esquissa le moindre geste lorsque lui-même et ses officiers firent mine de s'asseoir, à la grande confusion des Britanniques, certains à moitié assis déjà et s'efforçant de rester suspendus à mi-course. Décontenancé, Riley encouragea ses hôtes à prendre place ; mais il dut insister à plusieurs reprises avant qu'ils ne finissent par comprendre. C'était un bien mauvais départ, qui n'encourageait guère la conversation.

Les officiers commencèrent par se réfugier derrière leur assiette, mais cette apparence de bonnes manières ne dura pas. Les Chinois ne mangeaient pas avec un couteau et une fourchette, mais au moyen de baguettes laquées qu'ils avaient apportées. Ils les manipulaient d'une seule main pour porter la nourriture à leur bouche, et bientôt la moitié britannique de la tablée ne put s'empêcher de les dévisager avec la pire grossièreté. Chaque nouveau plat offrait une occasion supplémentaire d'admirer leur technique. Les invités furent brièvement embarrassés devant le rôti de mouton, découpé en grosses tranches, mais après un moment l'un des jeunes suivants entreprit de rouler une tranche, toujours en se servant exclusivement de ses baguettes, puis la souleva tout entière pour la dévorer en trois bouchées ; les autres l'imitèrent aussitôt.

Tripp, le plus jeune des aspirants de Riley, un garçon de douze ans rondouillard et sans grâce qui ne devait sa place à bord qu'aux trois votes de sa famille au Parlement, et que l'on avait invité pour faire son éducation plutôt que jouir de sa compagnie, tentait subrepticement d'imiter le style des Chinois, en se servant de son couteau et de sa fourchette tenus à l'envers en guise de baguettes ; sans grand résultat, sinon de salir ses pantalons jusqu'ici impeccables. Il se trouvait placé trop loin en bout de table pour être ramené à l'ordre par un regard sévère, et les hommes assis à côté de lui étaient trop captivés eux-mêmes pour prendre conscience de son manège.

Sun Kai occupait la place d'honneur, à la droite de Riley, et dans l'espoir de détourner son attention des bouffonneries du garçon, Riley leva timidement son verre dans sa direction, quêtant l'approbation de Hammond du coin de l'œil, et dit :

— À votre santé, monsieur.

Hammond se hâta de murmurer une traduction par-dessus la table, et Sun Kai, hochant la tête, leva son verre à son tour et but poliment, quoique avec retenue :

il s'agissait d'un madère renforcé de brandy, sélectionné pour survivre à n'importe quelle mer. Pendant un moment, on crut que cela pourrait sauver le dîner : le reste des officiers, tardivement rappelés à leurs devoirs d'hôtes, se mirent à saluer les invités ; la pantomime des verres levés était parfaitement compréhensible sans traduction, et conduisit tout naturellement à un dégel des relations. On échangea des sourires et des hochements de tête de part et d'autre de la table, et Laurence entendit Hammond, assis près de lui, lâcher un soupir de soulagement presque inaudible, avant de prendre enfin quelque nourriture.

Laurence avait conscience de ne pas remplir son rôle ; mais il avait le genou coincé contre un tréteau, ce qui l'empêchait d'étendre sa jambe douloureuse, et bien qu'il eût bu aussi peu que la politesse le lui permettait, il avait déjà la tête lourde et embrumée. À ce stade, il espérait simplement s'éviter le ridicule et s'était résigné à présenter ses excuses à Riley après le dîner pour avoir été un convive aussi terne.

Le troisième lieutenant de Riley, un individu dénommé Franks, avait passé les trois premiers toasts dans un silence grossier, assis tout raide en levant son verre avec un sourire muet, mais le vin finit par lui délier la langue. Il avait servi à bord d'un navire de la Compagnie des Indes orientales dans son enfance, durant la paix, et en avait visiblement retenu quelques vagues notions de chinois ; il essaya les moins obscènes sur le personnage assis en face de lui : un jeune homme rasé de près du nom de Ye Bing, mal à l'aise sous le camouflage de sa belle robe, qui s'éclaira aussitôt et entreprit de lui répondre avec ses propres notions d'anglais.

— Une très… une belle… commença-t-il avant de renoncer, incapable de trouver le reste du compliment qu'il souhaitait adresser et secouant la tête tandis que Franks lui proposait alternativement les options les plus naturelles qui lui venaient à l'esprit : « brise », « nuit », « réception » ?

En dernier ressort, Ye Bing fit signe au traducteur, qui déclara en son nom :

— Compliments pour votre vaisseau : il est très habilement conçu.

Une telle louange était sûre de porter droit au cœur d'un marin ; Riley, qui l'entendit, interrompit la conversation bilingue qu'il s'efforçait tant bien que mal de tenir avec Hammond et Sun Kai au sujet de leur trajet probable vers le sud, pour appeler le traducteur à son tour :

— Veuillez remercier ce gentilhomme pour ses paroles aimables, s'il vous plaît, monsieur ; et dites-lui que j'espère que vous êtes tous confortablement installés.

Ye Bing inclina la tête et répondit, par l'intermédiaire du traducteur :

— Merci, monsieur, nous sommes déjà beaucoup plus à l'aise que lors du voyage jusqu'ici. Il avait fallu quatre vaisseaux pour nous emporter tous, et l'un d'eux s'est révélé insupportablement lent.

— Capitaine Riley, je crois comprendre que vous avez déjà doublé le cap de Bonne-Espérance par le passé ? intervint Hammond en les interrompant grossièrement, ce qui lui valut un regard surpris de Laurence.

Riley s'étonna lui aussi, mais il se retournait poliment pour lui répondre, quand Franks, qui avait passé les deux derniers jours en bas dans la cale puante à superviser le rangement des bagages, et qui était légèrement gris, s'exclama irrespectueusement :

— Quatre navires seulement ? Je suis surpris qu'il n'en ait pas fallu six ; vous deviez être serrés comme des sardines.

Ye Bing acquiesça et reconnut :

— Ces bateaux étaient petits pour un si long voyage, mais au service de l'empereur tout inconfort devient une joie. De toute façon, vous n'en aviez pas de plus gros à Canton à ce moment-là.

— Oh ! Vous avez donc embarqué à bord de navires de la Compagnie des Indes orientales ? demanda Macready, le lieutenant des fusiliers, petit homme sec et noueux dont les lunettes paraissaient incongrues sur le visage couturé de cicatrices.

Il n'y avait aucune malice, mais, incontestablement, une légère trace de supériorité dans sa question, ainsi que dans les sourires échangés par les marins. Que les Français bâtissent d'excellents vaisseaux mais ne sachent pas les manœuvrer, que les Espagnols se montrent turbulents et indisciplinés, que les Chinois n'aient pas de flotte à proprement parler, voilà quelques-unes des plaisanteries qui circulaient dans le service, et les entendre confirmer ainsi était toujours agréable, toujours réconfortant.

— Quatre navires dans le port de Canton, et vous

remplissez leurs cales de bagages au lieu de soie et de porcelaine ? Cela vous a sûrement coûté les yeux de la tête, ajouta Franks.

— Comme c'est curieux que vous disiez cela, dit Ye Bing. Bien que nous voyagions sous le sceau impérial, il est vrai que l'un des capitaines a tenté de réclamer un paiement, et même essayé de mettre à la voile sans permission. Un esprit malfaisant avait dû s'emparer de lui pour le faire agir d'une manière aussi insensée. Mais je crois que les dirigeants de votre compagnie ont réussi à trouver un médecin capable de le soigner, et on lui a permis de présenter ses excuses.

Franks le dévisagea avec de grands yeux.

— Dans ce cas, pourquoi diable vous ont-ils emmenés, si vous ne les avez pas payés ?

Ce fut le tour de Ye Bing de paraître surpris.

— Les navires ont été confisqués par décret impérial. Qu'auraient-ils pu faire d'autre ?

Il haussa les épaules, comme pour laisser tomber le sujet, et reporta son attention sur son assiette ; il semblait accorder moins d'importance à cet échange de propos qu'aux petites tartelettes à la confiture que le cuisinier de Riley avait servies avec le dernier plat.

Laurence reposa brusquement son couteau et sa fourchette ; il n'avait déjà pas très faim, mais tout appétit venait de le quitter. Qu'on pût parler avec autant de désinvolture de l'appropriation de navires et de biens britanniques – de l'assujettissement forcé de marins britanniques à un trône étranger – l'indisposait au plus haut point. Pendant un moment, il se persuada presque qu'il avait mal entendu : tous les journaux du pays auraient certainement hurlé en apprenant pareil incident ; le gouvernement aurait émis une protestation officielle. Puis il jeta un coup d'œil vers Hammond : le diplomate était pâle, inquiet, mais son visage ne trahissait aucune surprise ; ses derniers doutes s'évanouirent quand Laurence se remémora l'attitude déplorable de Barham, si proche de la servilité, ainsi que les tentatives de Hammond pour détourner la conversation.

La compréhension fut un peu plus lente à éclairer les esprits du reste des Britanniques ; elle parcourut la table d'un bout à l'autre, portée par les murmures des officiers. Riley, au beau milieu de sa réponse à Hammond, ralentit et finit par s'interrompre. Hammond eut beau l'encourager à poursuivre, en lui demandant avec insistance : « Le passage a-t-il été rude ? J'espère que nous n'aurons pas à craindre de gros temps durant la traversée », son intervention fut trop tardive ; un silence de plomb s'abattit sur l'assemblée, à peine troublé par les bruits de mastication du jeune Tripp.

Garnett, le maître, décocha un coup de coude au garçon, et même ce geste ne fit aucun bruit. Sun Kai reposa son verre de vin et considéra la tablée en fronçant les sourcils ; il avait perçu le changement d'atmosphère : l'orage couvait. On avait déjà beaucoup bu, bien qu'on en fût à peine au milieu du repas, et bon nombre des officiers étaient jeunes, rouges de mortification et de colère. Il arrivait souvent aux hommes de la Navy, rejetés sur le rivage par une paix fragile ou par manque de relations, de s'embarquer à bord des navires de la Compagnie des Indes orientales ; les liens entre la Navy et la marine marchande de Grande-Bretagne étaient forts, et l'insulte âprement ressentie.

Le traducteur se recula des chaises avec une expression inquiète, mais la plupart des convives chinois ne s'étaient encore aperçus de rien. L'un d'eux s'esclaffa à une remarque de son voisin ; son rire retentit curieusement à travers la cabine.

— Par Dieu, s'exclama soudainement Franks, j'ai bien envie de…

Ses compagnons l'empoignèrent vivement par les bras, le maintinrent sur sa chaise et l'implorèrent de se taire, en glissant des regards nerveux vers les officiers supérieurs ; mais d'autres murmures se firent entendre.

— … assis à notre table ! éclata quelqu'un, entre les bribes d'une violente approbation.

Une explosion pouvait se produire à tout moment, certainement désastreuse. Hammond essayait de dire quelque chose, mais personne ne l'écoutait.

— Capitaine Riley, lança Laurence d'une voix ferme et forte pour faire taire les chuchotements furieux, voudriez-vous avoir la bonté de nous exposer le plan de notre voyage ? Je crois que M. Granby s'interrogeait sur la route que nous allions emprunter.

Granby, assis quelques places plus loin, livide sous ses coups de soleil, dressa le cou ; puis, après un moment, il comprit :

— Oui, en effet ; je vous en serais très reconnaissant, monsieur, dit-il en hochant la tête vers Riley.

— Bien sûr, concéda Riley, non sans raideur. (Il se pencha sur le caisson derrière lui, où se trouvaient ses cartes ; il en étala une sur la table et indiqua le chemin, en parlant d'une voix plus forte que d'ordinaire.) Une fois sortis de la Manche, nous devrons faire un léger détour afin de contourner la France et l'Espagne ; ensuite, nous viendrons plus près et suivrons la côte de l'Afrique du mieux que nous le pourrons. Nous attendrons le début de la mousson estivale au Cap, entre une et trois semaines selon notre vitesse, après quoi nous n'aurons qu'à suivre le vent jusqu'à la mer de Chine méridionale.

Le silence maussade était rompu, et bientôt un semblant de conversation reprit lentement. Mais personne n'adressait plus la parole aux invités chinois, sinon Hammond, qui tenta à plusieurs reprises de relancer la discussion avec Sun Kai ; mais, sous le poids des regards désapprobateurs, même lui finit par se taire. Riley dut se résoudre à demander le pudding et le dîner s'achemina vers une conclusion désastreuse, beaucoup plus tôt que d'habitude.

Des fusiliers et des marins s'étaient tenus pendant tout le repas derrière les chaises des officiers pour faire le service, et ils chuchotaient déjà entre eux ; le temps que Laurence regagne le pont, en se hissant à la force des bras plus qu'en grimpant à l'échelle, ils étaient déjà sortis, et la nouvelle s'était répandue d'un bout à l'autre du pont. Les aviateurs en discutaient même avec les marins par-dessus la ligne de démarcation.

Quand Hammond émergea sur le pont, il vit les hommes en train de murmurer par petits groupes dans une atmosphère de tension perceptible et il se mordit la lèvre jusqu'au sang ; l'anxiété le vieillissait, lui tirait les traits. Laurence n'éprouva aucune compassion pour lui, seulement de l'indignation : il semblait clair que Hammond avait délibérément cherché à dissimuler cette piteuse affaire.

Riley se dressa derrière lui, sans boire le café qu'il tenait à la main : bouilli, voire brûlé, à en juger par l'odeur.

— Monsieur Hammond, l'interpella-t-il doucement, mais avec plus d'autorité que Laurence, qui l'avait pratiquement toujours connu sous ses ordres, ne l'avait jamais entendu employer – une autorité qui noyait toute trace de son affabilité ordinaire. Faites comprendre aux Chinois qu'il est impératif pour eux de rester en bas, s'il vous plaît ; je me moque de savoir quel prétexte vous invoquerez, mais je ne donne pas cher de leur peau s'ils sortent sur le pont maintenant. Capitaine, ajouta-t-il en se tournant vers Laurence, je vous supplie d'envoyer vos hommes se coucher sur-le-champ ; je n'aime pas cette ambiance.

— Entendu, dit Laurence.

Il le comprenait parfaitement : des hommes échauffés à ce point pouvaient devenir violents, et de là il n'y avait qu'un pas jusqu'à la mutinerie ; la cause originale de leur colère n'importerait plus guère, à ce stade. Il fit signe à Granby d'approcher :

— John, emmenez les hommes en bas et touchez un mot aux officiers afin qu'ils les fassent se tenir tranquilles ; nous ne voulons pas d'éclats.

Granby acquiesça.

— Par Dieu, pourtant… commença-t-il, le regard dur, mais il s'interrompit en voyant Laurence secouer la tête et s'en fut exécuter ses ordres.

Les aviateurs se dispersèrent et descendirent sans protester ; leur exemple fut peut-être salutaire, car les marins ne se rebellèrent pas davantage quand on leur ordonna de faire de même. Bien sûr, ils savaient parfaitement que, dans cette affaire, leurs officiers n'étaient pas leurs ennemis : la même colère couvait dans toutes les poitrines, unissant les hommes dans un ressentiment commun, et seuls quelques murmures s'élevèrent çà et là quand lord Purbeck, le premier lieutenant, passa entre les rangs pour ordonner avec cet accent traînant qu'il affectait :

— Descendez maintenant, Jenkins ; vous aussi, Harvey.

Téméraire attendait sur le pont d'envol, le cou tendu bien haut, les yeux brillants ; il en avait appris suffisamment pour être dévoré par la curiosité. Informé du reste de l'histoire, il renifla et dit :

— Si leurs propres navires ne pouvaient pas les prendre, ils auraient mieux fait de rester chez eux.

Il y avait moins d'indignation que de dédain dans cette remarque, cependant, et Téméraire ne montra pas un grand ressentiment ; comme la plupart des dragons, il avait une vision plutôt large de la propriété, sauf bien sûr en ce qui concernait l'or et les bijoux lui appartenant. À l'instant même où il parlait, il était en train de polir le grand pendentif orné de saphirs que Laurence lui avait offert, et qu'il n'ôtait jamais qu'à cette fin.

— Il s'agit d'une insulte à la Couronne, dit Laurence, en se massant la jambe avec brutalité. (Sa blessure le mettait en rage ; il aurait voulu faire les cent pas. Hammond se tenait à la rambarde de la plage arrière, fumant un cigare dont le bout rougeoyait chaque fois qu'il tirait une bouffée, illuminant ses traits pâles et baignés de sueur. Laurence lui jeta un regard amer par-dessus le pont presque désert.) Je m'interroge sur lui ; sur lui et sur Barham, pour avoir ravalé un tel affront sans protester : c'est inouï.

Téméraire cligna des paupières.

— Mais je croyais que nous devions à tout prix éviter une guerre contre la Chine, s'étonna-t-il fort pertinemment – car il s'était fait chapitrer sans relâche sur la question pendant des semaines, y compris par Laurence lui-même.

— À choisir, je préférerais encore m'arranger avec Bonaparte, dit Laurence, trop furieux pour envisager la question de manière rationnelle. Au moins, lui a eu la décence de nous déclarer la guerre avant de s'attaquer à nos citoyens ; cela me paraît préférable à ces camouflets qu'ils nous lancent, comme s'ils ne s'attendaient pas à nous voir réagir. Nos gouvernants ne leur donnent pas tort, d'ailleurs : on croirait voir des foutus chiots qui se roulent sur le dos pour exposer leur ventre. Et quand je pense, fulmina-t-il, que ce coquin voulait me convaincre de me prosterner, sachant que cela viendrait après *ça*…

Surpris par une telle véhémence, Téméraire le poussa doucement du bout du nez.

— Ne sois pas aussi en colère, je t'en prie ; tu vas te faire du mal.

Laurence secoua la tête, par principe, et s'adossa en silence contre Téméraire. Il ne servait à rien de lâcher la bride à sa frustration, alors que les quelques hommes qui restaient sur le pont risquaient de l'entendre et d'y trouver une incitation à commettre un acte irréfléchi ; par ailleurs, il ne souhaitait pas inquiéter Téméraire. Mais un point lui apparut clairement : après avoir dû ravaler une telle insulte, il était évident que le gouvernement ne tenait pas à batailler pour un simple dragon ; au contraire, il avait tout intérêt à se débarrasser de tout ce qui pouvait lui rappeler un incident aussi déplaisant, et à classer définitivement l'affaire.

Il caressa le flanc de Téméraire en quête de réconfort.

— Veux-tu me tenir compagnie sur le pont un moment ? proposa Téméraire d'une voix douce. Tu ferais mieux de t'asseoir et de te reposer, au lieu de t'agiter comme tu le fais.

De fait, Laurence n'avait pas envie de le quitter ; il ne manquait jamais de recouvrer son calme comme par miracle dès qu'il sentait ce grand pouls régulier sous ses doigts. Le vent ne soufflait pas trop fort pour l'instant, et l'on ne pouvait envoyer en bas le quart de nuit au complet ; un officier de plus sur le pont ne serait pas de trop.

— Oui, je vais rester ; de toute manière, je ne veux pas abandonner Riley tout seul avec cette atmosphère qui flotte sur le vaisseau, répondit-il avant d'aller chercher ses couvertures en clopinant.

4

Le vent soufflait du nord-est, fraîchissant ; Laurence s'extirpa de son demi-sommeil et leva les yeux vers les étoiles : quelques heures à peine avaient passé. Il se pelotonna dans ses couvertures contre le flanc de Téméraire et s'efforça d'oublier la douleur permanente dans sa jambe. Le pont semblait étrangement calme ; sous l'œil sombre et vigilant de Riley, les discussions s'étaient éteintes au sein de l'équipage de quart, bien que Laurence pût entendre par instants quelques murmures dans le gréement, des propos échangés à voix basse. Il n'y avait pas de lune ; seules quelques lanternes éclairaient le pont.

— Tu as froid, dit inopinément Téméraire, et en se retournant Laurence découvrit les immenses yeux bleus qui l'observaient. Retourne à l'intérieur, Laurence ; tu as besoin de te rétablir, et je ne laisserai personne faire du mal à Riley. Ni aux Chinois, d'ailleurs, si tu n'y tiens pas, ajouta-t-il sans conviction.

Laurence acquiesça avec lassitude et se leva pesamment ; le sentiment de menace était passé, se dit-il, pour l'instant tout du moins, et il n'avait pas de vraie raison de rester en haut.

— As-tu suffisamment chaud ?

— Oui, grâce à la chaleur qui vient d'en bas, je suis tout à fait bien, dit Téméraire.

De fait, Laurence pouvait sentir la tiédeur du pont d'envol à travers la semelle de ses bottes.

Il se sentit tout de suite beaucoup mieux à l'abri du vent ; sa jambe l'élança douloureusement à deux reprises lorsqu'il descendit sur le pont supérieur, mais il lui suffit de lever les bras pour se soutenir en attendant que le spasme se dissipât ; il parvint à gagner sa cabine sans tomber.

Laurence disposait de plusieurs petits hublots agréables, bien hermétiques, et sa cabine, proche de la cuisine du bord, était encore chaude malgré le vent ; l'un des cadets lui avait allumé sa lanterne et le livre de Gibbon était ouvert sur les caissons. Il s'endormit presque immédiatement, malgré la douleur ; le lent balancement de sa bannette lui était plus familier que n'importe quel lit, et le susurrement des vagues contre la coque, un réconfort muet de chaque instant.

Il se réveilla en sursaut, le souffle court avant même d'avoir ouvert les yeux : il avait ressenti plus qu'entendu un bruit. Le pont s'enfonça brusquement et il tendit une main pour éviter de se cogner au plafond ; un rat glissa à travers le plancher, se cogna contre les caissons avant puis détala dans le noir avec des couinements indignés.

Le vaisseau se redressa presque aussitôt : le vent soufflait normalement et la houle n'était pas forte ;

Laurence comprit tout de suite que Téméraire s'était envolé. Il jeta son manteau sur ses épaules et se rua dehors pieds nus, en chemise de nuit ; le tambour appelait aux postes de combat, faisant résonner son staccato nerveux entre les murs de bois, et en émergeant de sa cabine, Laurence croisa le charpentier et ses acolytes qui accouraient pour abattre les cloisons. Un autre craquement : des bombes, reconnut-il, puis Granby apparut subitement à ses côtés, moins débraillé que lui car il avait dormi en pantalons. Laurence accepta son bras sans hésitation et, grâce à son aide, réussit à se frayer un chemin dans la foule pour atteindre le pont d'envol à travers la cohue. Les marins couraient aux pompes avec une hâte frénétique, jetant des seaux par-dessus bord afin d'inonder les ponts et de mouiller les voiles. Une flamme jaune-orange essayait de prendre sur le hunier de misaine, ferlé ; l'un des aspirants, un garçon de treize ans couvert d'acné que Laurence avait vu faire des farces le matin même, s'avança bravement sur la vergue, sa chemise trempée à la main, pour l'éteindre.

Il n'y avait pas d'autre lumière, rien qui pût montrer ce qui se passait dans les airs, et trop de cris et de vacarme pour entendre quoi que ce fût de la bataille qui se déroulait au-dessus de leurs têtes : Téméraire aurait aussi bien pu être en train de rugir à pleins poumons, pour ce qu'ils en savaient.

— Il nous faut une fusée éclairante, tout de suite, ordonna Laurence, prenant ses bottes des mains de Roland ; elle avait couru les lui apporter, suivie de Morgan avec ses pantalons.

— Calloway, allez chercher une caisse de fusées, ainsi que la poudre éclairante, lança Granby. Il doit s'agir d'un Fleur-de-Nuit ; aucune autre espèce n'y verrait quoi que ce soit sans lune, Si seulement ils voulaient bien cesser ce raffut, ajouta-t-il en plissant vainement les yeux vers le ciel.

Un craquement sonore les avertit ; Laurence s'étala, plaqué au sol par Granby, mais seules quelques esquilles volèrent ; des hurlements montèrent d'en dessous : la bombe avait crevé le pont pour exploser dans la cuisine. Un jet de vapeur jaillit du trou, avec l'odeur du porc salé qui était déjà en train de mijoter pour le prochain dîner : on était jeudi demain, se souvint Laurence. La routine du bord était si profondément ancrée en lui que cette pensée découla instantanément de la première.

— Il faut vous emmener en bas, cria Granby en lui attrapant le bras de nouveau. Martin !

Laurence lui lança un regard abasourdi, horrifié ; Granby ne s'en aperçut même pas, et Martin, qui vint lui prendre le bras gauche, parut trouver la chose parfaitement naturelle.

— Pas question de me faire quitter le pont, riposta sèchement Laurence.

Le canonnier Calloway arriva en soufflant avec sa caisse ; quelques instants plus tard, le sifflement de la première fusée s'élevait au-dessus des voix, et un éclair blanc-jaune illumina le ciel. Un dragon rugit : une voix grave, pas celle de Téméraire, et pendant le trop court instant que dura la fusée, Laurence aperçut Téméraire qui volait en protection au-dessus du vaisseau. Le Fleur-de-Nuit lui avait échappé dans le noir et se trouvait un peu plus loin, tournant la tête loin de la lumière.

Téméraire poussa un rugissement et fila vers le dragon français, mais la fusée mourut et tomba, replongeant la nuit dans un noir de poix.

— Une autre, une autre, bon sang ! cria Laurence à Calloway, qui se contentait de scruter le ciel comme tous les autres. Il faut l'éclairer ; ne cessez pas de tirer !

D'autres hommes d'équipage se précipitèrent à son aide, trop nombreux : trois autres fusées partirent simultanément, et Granby bondit afin de prévenir tout gaspillage supplémentaire. Ils eurent bientôt trouvé la bonne cadence : les fusées se succédaient en ordre régulier, chacune explosant en un bouquet de lumière à l'instant où s'éteignait la précédente. La fumée qui enveloppait Téméraire dessina un panache dans la lumière jaunâtre tandis qu'il fondait sur le Fleur-de-Nuit en rugissant ; le dragon français plongea pour l'éviter et ses bombes s'éparpillèrent dans la mer, soulevant de grandes gerbes dont l'écho parvint jusqu'au vaisseau.

— Combien de fusées nous reste-t-il ? demanda Laurence à voix basse.

— Quatre douzaines environ, pas plus, répondit Granby sombrement. (Elles s'épuisaient très vite.) Y compris celles de l'*Allegiance* ; leur canonnier nous a donné tout ce qu'ils avaient.

Calloway ralentit la cadence de tir afin d'économiser ses fusées, de sorte que la nuit revint en force entre chaque explosion de lumière. Leurs yeux les piquaient, d'une part à cause de la fumée, d'autre part à force d'essayer d'y voir clair dans la lueur déclinante des fusées. Laurence n'osait s'imaginer ce que devait vivre Téméraire, seul, à moitié aveugle, contre un adversaire avec tout son équipage et préparé au combat.

— Monsieur ! Capitaine ! cria Roland en faisant de grands signes depuis la rambarde tribord.

Martin aida Laurence à traverser le pont, mais avant qu'ils eussent rejoint la jeune fille, l'une des dernières fusées éclata et, pendant un moment, l'océan fut brillamment illuminé autour de l'*Allegiance* : deux lourdes frégates françaises se présentaient sur son arrière, avec le vent en poupe, tandis qu'une douzaine de canots bourrés d'hommes se rapprochaient de part et d'autre.

La vigie les avait aperçus aussi :

— Voiles en vue ! Abordeurs ! rugit-elle d'en haut.

Et soudain, ce fut la cohue une fois de plus : les marins se ruèrent à travers le pont pour tendre les filets d'abordage, tandis que Riley courait à la barre avec deux matelots vigoureux pour aider le barreur à placer l'*Allegiance* par le travers afin de lui permettre de lâcher une bordée. Inutile d'essayer de distancer les Français ; avec un tel vent, les frégates pouvaient faire dix bons nœuds au moins, et l'*Allegiance* ne leur échapperait pas.

Des éclats de voix et des bruits de piétinements nombreux parvinrent de la batterie par la cheminée de la cuisine : les aspirants et lieutenants de Riley houspillaient les hommes aux canons, répétant leurs instructions encore et encore d'une voix criarde, tendue, tâchant de faire entrer dans leurs têtes confuses et ensommeillées ce qui aurait dû constituer l'objet de plusieurs mois d'entraînement.

— Calloway, épargnez les fusées ! ordonna Laurence.

Bien à contrecœur ; l'obscurité affaiblirait Téméraire face au Fleur-de-Nuit. Mais vu le peu de fusées qui restaient, mieux valait les économiser dans l'attente d'une meilleure occasion d'atteindre le dragon français.

— Paré à repousser l'abordage ! tonna le bosco.

L'*Allegiance* virait enfin au vent, et le silence se fit brièvement : on n'entendit plus que le clapotis régulier des avirons, une cadence en français qui leur parvenait par-dessus les eaux, puis Riley cria :

— Feu !

Les canons rugirent, crachant des flammes et de la fumée : impossible de dire avec quelle efficacité, mais des cris et des bruits de bois fracassé leur apprirent que plusieurs boulets, au moins, avaient touché leur cible. Le tir se poursuivit en feu roulant, tandis que l'*Allegiance* pivotait avec lourdeur ; mais lorsque tous les canons eurent tiré, le manque d'expérience de l'équipage commença à se faire sentir.

Il s'écoula quatre minutes au moins avant que le premier canon ne parlât de nouveau ; le deuxième ne tira pas du tout, pas plus que le troisième ; le quatrième et le cinquième partirent ensemble, occasionnant d'autres dégâts audibles, mais on entendit le boulet du sixième plonger dans l'eau ; même chose pour le septième, après quoi Purbeck cria :

— Trop long !

L'*Allegiance* avait pris trop d'angle ; il ne pourrait plus tirer avant d'avoir de nouveau viré de bord, et, pendant ce temps, le groupe d'abordage continuerait son approche, les rameurs redoublant d'efforts.

Les canons se turent ; d'épais nuages de fumée grise flottaient au-dessus des eaux. Le vaisseau se retrouva dans l'obscurité, à l'exception des petits halos de lumière vacillante autour des lanternes de pont.

— Il faut vous faire monter sur Téméraire, dit Granby. Nous sommes assez près de la côte pour qu'il puisse l'atteindre, et de toute manière il doit y avoir d'autres vaisseaux dans les parages : le transport de Halifax devrait se trouver dans ces eaux à cette heure.

— Pas question de m'enfuir et d'abandonner aux Français un transport de cent canons, s'insurgea violemment Laurence.

— Je suis certain que nous pouvons tenir, et même dans le cas contraire vous auriez une bonne chance de nous reprendre avant qu'ils puissent ramener l'*Allegiance* au port, si vous parvenez à prévenir la flotte, argumenta Granby.

Aucun officier naval n'aurait discuté ainsi face à son commandant, mais la discipline des aviateurs était beaucoup plus souple, et il ne voulait pas en démordre ; d'ailleurs, son devoir de premier lieutenant consistait à veiller à la sécurité de son capitaine.

— Ils peuvent aussi bien le conduire aux Antilles ou dans un port d'Espagne, loin des blocus, et le réarmer là-bas ; nous ne pouvons pas nous permettre de le perdre, dit Laurence.

— Ce serait néanmoins préférable de vous savoir en l'air, où ils ne risquent pas de mettre la main sur vous pour nous forcer à nous rendre, insista Granby. Nous devons trouver un moyen de dégager Téméraire.

— Je vous demande pardon, monsieur, intervint Calloway en levant la tête de sa caisse de fusées, mais si vous pouviez m'obtenir l'un de ces canons à poivre, nous pourrions remplir un boulet de poudre éclairante, et peut-être lui permettre de souffler un peu.

Il indiqua le ciel d'un coup de menton.

— Je vais voir avec Macready, dit Ferris, qui courut aussitôt chercher le lieutenant des fusiliers du bord.

Le canon à poivre fut apporté d'en bas, deux fusiliers soutenant chacun une moitié du long canon rayé tandis que Calloway ouvrait précautionneusement l'un des boulets à poivre. Après avoir renversé la moitié du poivre environ, le canonnier ouvrit le coffret de poudre éclairante, en sortit un simple tortillon de papier puis le referma avec soin. Il tint le tortillon à bout de bras, maintenu à la ceinture par deux de ses hommes pour assurer son équilibre pendant qu'il déchirait le papier et versait prudemment la poudre jaune dans le boulet. Il effectua l'opération d'un seul œil, gardant l'autre plissé et le visage à moitié tourné ; sa joue était striée de cicatrices noires, souvenirs d'incidents antérieurs avec la poudre qui n'avait pas besoin de mèche et pouvait exploser au moindre impact, en brûlant beaucoup plus vivement que la poudre à canon, si elle était versée trop vite.

Il referma le boulet et plongea le reste du tortillon dans un seau d'eau que ses hommes vidèrent par-dessus bord. Il encolla la ligne de séparation du boulet avec un peu de goudron, puis enroba le tout avec de la graisse avant de charger le canon ; après quoi, la seconde moitié du canon fut vissée en place.

— Là ; je ne garantis pas l'explosion, mais j'ai fait de mon mieux, dit Calloway en s'essuyant les mains avec un soulagement non dissimulé.

— Très bien, dit Laurence. Tenez-vous prêt et conservez les trois dernières fusées pour nous éclairer au moment du tir ; Macready, avez-vous un homme pour servir le canon ? Le meilleur, s'il vous plaît ; il doit toucher la tête si nous voulons réussir.

— Harris, à vous ! ordonna Macready en indiquant le canon à l'un de ses hommes, un grand dégingandé qui pouvait avoir dix-huit ans, avant d'ajouter à l'adresse de Laurence : « De jeunes yeux pour un tir de loin, monsieur ; ne craignez rien, il mettra au but. »

Des chuchotements furieux attirèrent leur attention vers le bas, sur le pont principal : Sun Kai venait de paraître, suivi de deux serviteurs qui portaient l'un des énormes coffres de leurs bagages. Les marins et le gros de l'équipage de Téméraire se trouvaient massés de part et d'autre le long de la rambarde, parés à repousser les abordeurs, sabres et pistolets en main ; mais malgré les Français qui gagnaient du terrain, un gaillard armé d'une pique esquissa un pas en direction de l'envoyé chinois, avant que le bosco ne le cinglât avec le bout noueux de sa corde en rugissant :

— Maintenez la ligne, les gars ; maintenez la ligne.

Dans la confusion, Laurence avait presque oublié le dîner désastreux : l'incident lui semblait remonter à des semaines, mais Sun Kai portait toujours la même robe brodée, les mains calmement enfoncées dans ses manches, et les hommes, nerveux et en colère, n'avaient pas besoin d'une telle provocation.

— Oh ! que le diable l'emporte. Il faut le faire redescendre. En bas, monsieur ; en bas, tout de suite ! cria-t-il en indiquant la passerelle.

Mais Sun Kai se contenta de faire signe à ses hommes et grimpa sur le pont d'envol. Ils le suivaient, plus lentement, en soulevant le grand coffre derrière lui.

— Où est ce foutu traducteur ? dit Laurence. Dyer, allez donc me le chercher…

Les serviteurs avaient hissé le coffre sur le pont ; ils l'ouvrirent, repoussèrent le couvercle, et aucune traduction ne fut plus nécessaire : on ne pouvait se tromper sur les fusées à la décoration baroque soigneusement alignées sur leur couche de paille. Rouges, bleues et vertes, peintes de tourbillons d'or et d'argent, elles ressemblaient à des jouets sortis d'une nursery.

Calloway en saisit une aussitôt, bleue avec des bandes blanches et jaunes, tandis que l'un des serviteurs lui expliquait par gestes anxieux comment il convenait d'allumer la mèche.

— Oui, oui, dit-il impatiemment, en approchant la mèche lente.

La fusée s'alluma tout de suite et jaillit dans le ciel en sifflant, très au-dessus de la hauteur atteinte par les fusées éclairantes.

Vint d'abord un grand éclair blanc, puis un craquement de tonnerre, qui roula au-dessus de l'eau, suivi d'un cercle d'étoiles jaunes scintillantes qui se déployèrent avant de s'enfoncer doucement dans les airs. Le Fleur-de-Nuit poussa un couinement dépourvu de dignité à l'éclatement du feu d'artifice : il apparut clairement, à moins d'une centaine de yards au-dessus d'eux. C'était une femelle. Téméraire s'éleva immédiatement vers elle, les crocs dénudés, en sifflant furieusement.

Surprise, la Fleur-de-Nuit plongea ; elle passa sous les griffes de Téméraire, mais la manœuvre l'amena à leur portée.

— Harris, tirez, tirez ! hurla Macready.

Le jeune fusilier colla son œil au viseur. Le boulet de poivre fila droit vers la cible, quoiqu'un peu haut ; par chance, la Fleur-de-Nuit avait de minces cornes incurvées sur le front, juste au-dessus des yeux ; le projectile se brisa dessus et répandit sa poudre éclairante chauffée à blanc. La dragonne glapit de nouveau, de douleur cette fois, et s'enfuit vivement loin des vaisseaux, dans les ténèbres ; elle frôla l'*Allegiance* de si près que les voiles faseyèrent bruyamment sur son passage.

Harris se redressa près du canon et se retourna avec un grand sourire édenté, avant de s'écrouler, l'air surpris ; son bras et son épaule avaient disparu. Il renversa Macready dans sa chute. Laurence arracha de son bras une esquille de la taille d'un couteau et essuya le sang qu'il avait reçu au visage. Le canon à poivre n'était plus qu'un amas de ferraille tordue : l'équipage du Fleur-de-Nuit avait jeté une dernière bombe lors du passage de la dragonne, et atteint la cible en plein.

Deux marins traînèrent le corps de Harris jusqu'à la rambarde et le firent basculer par-dessus bord ; c'était la seule victime. Tous les sons semblaient curieusement étouffés ; Calloway avait tiré deux autres fusées d'artifice, semant une traînée de filaments orange sur la moitié du ciel, mais Laurence n'entendit l'explosion que dans son oreille gauche.

La Fleur-de-Nuit étant momentanément détournée, Téméraire se laissa redescendre sur le pont ; le vaisseau ne s'enfonça que légèrement.

— Vite, vite, dit-il en glissant la tête sous les sangles que les hommes de harnais se hâtaient de lui enfiler. Elle est très rapide, et je ne crois pas que la lumière lui ait fait autant de mal qu'au dernier, celui que nous avons affronté cet automne ; ses yeux ont quelque chose de différent.

Il haletait, et ses ailes tremblaient un peu : il avait beaucoup volé sur place, et ce n'était pas une manœuvre qu'il était habitué à tenir longtemps.

Sun Kai, demeuré sur le pont, assista au harnachement sans piper mot ; peut-être, songea Laurence avec amertume, les Chinois n'y voyaient-ils pas d'objections lorsque leur propre vie était en jeu. Puis il remarqua des gouttes d'un sang épais, noirâtre, sur le pont.

— Où es-tu blessé ?

— Ce n'est rien ; elle ne m'a touché que deux fois, dit Téméraire en tournant la tête pour se lécher le flanc droit.

On voyait une entaille peu profonde à cet endroit, ainsi qu'une autre griffure en travers de son dos. Mais deux fois, c'était déjà beaucoup trop pour Laurence ; il se tourna vers Keynes, qu'on avait envoyé avec eux et qui était déjà en train de bander les plaies en toute hâte, et lui jeta d'un ton sec :

— Ne devriez-vous pas recoudre ?

— Balivernes, répondit Keynes. Cela ira très bien ainsi ; ce sont à peine des égratignures. Cessez de vous faire du mauvais sang.

Macready s'était relevé en s'essuyant le front d'un revers de la main ; cette réponse lui fit regarder le chirurgien d'un air dubitatif, avant de glisser un coup d'œil vers Laurence, tandis que Keynes continuait son travail en pestant contre les capitaines trop inquiets et les mères poules.

Laurence lui-même se sentait trop heureux pour se formaliser ; il était grandement soulagé.

— Êtes-vous parés, messieurs ? s'enquit-il en vérifiant ses pistolets et son épée.

Il tenait cette fois son bon vieux sabre d'abordage, en bel acier espagnol et avec une garde solide ; il était bien content d'en sentir le poids au creux de sa main.

— Paré pour vous, monsieur, annonça Fellowes en resserrant la dernière sangle. (Téméraire tendit une patte et hissa Laurence sur son épaule.) Tirez un peu dessus ; cela tient-il ? demanda-t-il une fois Laurence installé et sanglé.

— Suffisamment, lui répondit Laurence, après avoir pesé de tout son poids sur le harnais. Merci, Fellowes ; joli travail. Granby, envoyez nos fusiliers dans la mâture avec les tireurs de Riley, et le reste de nos hommes à repousser l'abordage.

— Entendu ; et, Laurence… commença Granby, voulant clairement lui recommander encore une fois de conduire Téméraire loin de la bataille.

Laurence lui coupa l'herbe sous le pied en encourageant Téméraire d'une brève pression du genou. L'*Allegiance* s'enfonça de nouveau sous son impulsion, et ils se retrouvèrent enfin en plein ciel.

L'air au-dessus de l'*Allegiance* était alourdi par la fumée épaisse et sulfureuse des feux d'artifice, dégageant comme une odeur de fusil à silex qui collait sur la langue et à la peau en dépit de la brise fraîche.

— Elle est là, dit Téméraire, en prenant de la hauteur. (Laurence suivit son regard et aperçut la Fleur-de-Nuit qui s'approchait au-dessus d'eux ; elle s'était promptement remise de son éblouissement, à en juger par sa précédente expérience avec cette race, et il se demanda si ce n'était pas le fait de quelque hybridation.) Veux-tu la poursuivre ?

Laurence hésita. Pour éviter de voir Téméraire tomber entre des mains françaises, il était éminemment urgent de mettre la Fleur-de-Nuit hors d'état de nuire. Car si l'*Allegiance* devait se rendre et que Téméraire n'eût plus qu'à tenter de regagner la côte, elle pourrait les harceler dans la nuit sur tout le trajet. Par ailleurs, les frégates représentaient une bien plus grande menace pour le vaisseau : un tir de mitraille ferait un véritable carnage dans les rangs. Si l'*Allegiance* était pris, ce serait un coup terrible aussi bien pour la Navy que pour les Corps ; ils manquaient cruellement de transports de grande capacité.

— Non, trancha-t-il enfin. Notre premier devoir consiste à protéger l'*Allegiance* – nous devons faire quelque chose contre ces frégates.

Il cherchait plus à se convaincre lui-même qu'à persuader Téméraire en disant cela ; il sentait qu'il prenait la bonne décision, mais un grave doute subsistait ; ce qui pouvait passer pour du courage chez un homme ordinaire devenait souvent témérité chez un aviateur, qui avait entre les mains la responsabilité d'un dragon aussi rare que précieux. Si Granby lui enjoignait de redoubler de prudence parce que tel était son rôle, il n'en avait pas forcément tort pour autant. Laurence n'avait pas grandi dans les Corps et savait que sa nature s'accommodait mal des contraintes qui pesaient sur un capitaine de dragon ; il ne pouvait s'empêcher de se demander s'il n'écoutait pas un peu trop sa fierté personnelle.

Téméraire se montrait toujours enthousiaste à l'idée de se battre ; il ne discuta pas, mais se contenta de baisser les yeux sur les frégates.

— Ces bateaux m'ont l'air plus petits que l'*Allegiance*, fit-il observer d'un ton dubitatif. Notre vaisseau court-il véritablement un danger ?

— Un très grand danger ; ils ont l'intention de le mitrailler.

Comme Laurence prononçait ces mots, une autre fusée d'artifice éclata. La détonation lui parut effroyablement proche, maintenant qu'il se trouvait en l'air sur le dos de Téméraire ; il fut contraint de se protéger les yeux du plat de la main pour ne pas être ébloui. Quand les points lumineux cessèrent de danser derrière ses paupières, il vit avec angoisse que l'une des frégates avait pivoté brusquement, en jetant une ancre sous le vent puis en tranchant son câble aussitôt après avoir viré de bord : manœuvre audacieuse, et dont lui-même n'aurait pas pris le risque pour un simple avantage de position, quoique en toute honnêteté on ne pût nier qu'elle avait été brillamment exécutée. Désormais, la poupe vulnérable de l'*Allegiance* se trouvait exposée directement à la bordée bâbord du vaisseau français.

— Bon Dieu ; là ! s'écria-t-il en tendant le doigt, bien que Téméraire ne pût voir son geste.

— Vu, dit Téméraire.

Il plongeait déjà.

Il gonfla la poitrine en prenant le souffle nécessaire au vent divin ; sa peau noire et luisante se tendit comme un tambour. Laurence sentit un grondement sourd, palpable, enfler sous les écailles, annonciateur de la puissance dévastatrice à venir.

La Fleur-de-Nuit avait compris ses intentions : elle s'était placée dans leur dos. Laurence percevait ses battements d'ailes, mais Téméraire était le plus rapide – son poids supérieur ne le gênait pas en piqué. Des coups de feu claquèrent, mais les fusiliers français n'y voyaient goutte et tiraient au hasard ; Laurence se coucha sur l'encolure de Téméraire et l'encouragea silencieusement à presser l'allure.

Sous eux, les canons de la frégate vomirent un gigantesque nuage de flammes et de fumée ; hélas, les langues de feu qui jaillirent des sabords jetèrent des reflets écarlates sur la poitrine de Téméraire. Une nouvelle fusillade crépita sur les ponts de la frégate, et le dragon tressauta, sèchement, comme s'il avait été touché. Laurence l'appela avec angoisse, mais Téméraire n'avait pas ralenti son plongeon : il se redressa pour souffler la frégate, et le cri de Laurence fut noyé dans le fracas terrible du vent divin.

Téméraire ne s'était encore jamais servi du vent divin contre un vaisseau. À la bataille de Douvres, Laurence avait vu l'effet de la résonance mortelle sur les porteurs de troupes de Napoléon, dont elle avait pulvérisé le bois léger. Il s'était attendu à quelque chose de similaire ici : un enfoncement des ponts, des dégâts dans les vergues, peut-être même des mâts rompus. Mais la frégate française était solidement bâtie, en madriers de chêne de deux pieds d'épaisseur, et ses mâts et ses vergues étaient préparés pour la bataille, avec des chaînes en fer pour renforcer les cordages.

Les voiles tinrent bon et reçurent toute la puissance du rugissement de Téméraire : elles faseyèrent un moment, puis se gonflèrent et se tendirent, à craquer. Une vingtaine de bras se brisèrent comme des cordes de violon, et les mâts s'inclinèrent ; ils résistèrent cependant, dans un gémissement de bois et de voile, et pendant un instant Laurence sentit son cœur se serrer : l'ennemi s'en sortait à bon compte, semblait-il.

Mais si rien ne veut rompre, tout doit nécessairement plier : alors même que Téméraire cessait de rugir et le dépassait en un éclair, le vaisseau tourna, repoussé par le vent, et se mit lentement sur le flanc. La force gigantesque le coucha pratiquement sur les vergues ; des hommes restèrent suspendus au gréement, aux mains courantes, battant des pieds dans le vide ; certains tombèrent dans l'océan.

Laurence se retourna pour jeter un coup d'œil au vaisseau, tandis que Téméraire s'éloignait au ras de l'eau. Le nom *Valérie* s'étalait à l'arrière en splendides lettres d'or, illuminées par les lanternes des fenêtres de poupe qui se balançaient follement, à demi renversées. Le capitaine français connaissait son affaire : les ordres qu'il criait parvinrent jusqu'à Laurence au-dessus des eaux, et déjà des hommes rampaient sur le flanc du vaisseau en tenant des ancres flottantes improvisées, aussières en main, parés à tenter de le redresser.

Ils n'en eurent pas le temps. Dans le sillage de Téméraire, sous la puissance du vent divin, une vague formidable était en train de se former. Elle s'éleva lentement, presque délibérément ; pendant un moment, la scène parut se figer, le vaisseau suspendu dans le noir, sous l'immense muraille d'eau qui occultait la nuit ; et puis, en retombant, la vague le fit basculer comme un jouet d'enfant, et l'océan noya le feu de ses canons.

La *Valérie* ne se releva pas. Une écume pâle la recouvrit, et quelques vagues plus petites chassèrent la grande en se brisant sur l'arrondi de la coque, qui demeurait en surface. Un moment seulement ; après quoi elle s'enfonça sous les eaux, tandis que la gerbe d'une fusée d'artifice dorée illuminait le ciel. La Fleur-de-Nuit vint cercler au-dessus des eaux bouillonnantes, poussant un long gémissement solitaire, comme si elle ne parvenait pas à comprendre la disparition subite du vaisseau.

Aucune clameur ne s'éleva de l'*Allegiance*, d'où l'on avait pourtant dû voir la scène. Laurence lui-même demeura silencieux, effaré : trois cents hommes, peut-être plus, et l'océan lisse comme du verre, sans un débris. Un vaisseau pouvait s'abîmer dans la tempête, par grand vent et sous des vagues de quarante pieds ; il pouvait être coulé au combat, brûler ou exploser à l'issue d'une longue bataille, s'échouer sur des rochers. Mais la *Valérie* était intacte, sur une mer dégagée, par une houle de dix pieds et une brise de quatorze nœuds ; et elle avait sombré corps et biens.

Téméraire toussa grassement, en geignant de douleur ; Laurence lui cria d'une voix rauque :

— Au vaisseau, tout de suite !

Mais déjà la Fleur-de-Nuit battait furieusement des ailes dans leur direction : la lueur de la fusée suivante lui permit de distinguer les silhouettes des abordeurs, parés à bondir, lames et pistolets scintillants à la main. Téméraire ne volait plus qu'à grand-peine, pesamment ; en voyant la Fleur-de-Nuit s'approcher, il fit un effort désespéré pour prendre du champ, mais il avait cessé d'être le plus rapide et n'était plus capable de contourner l'autre dragon pour regagner la sécurité de l'*Allegiance*.

Laurence aurait presque laissé venir les abordeurs, pour avoir le temps de soigner la blessure de

Téméraire ; il sentait frémir les ailes du dragon, et son esprit se reportait sans cesse à cet instant écarlate, à l'impact terrible de la balle : chaque minute supplémentaire passée en l'air risquait d'aggraver la blessure. Mais il entendait les cris de l'équipage de la dragonne française, emplis d'un chagrin et d'une horreur qui se passaient de traduction ; ils n'accepteraient sûrement pas une reddition.

— J'entends bruisser des ailes, hoqueta Téméraire d'une voix aiguë et crispée par la douleur.

Ce qui voulait dire un autre dragon – Laurence fouilla vainement la nuit impénétrable : britannique ou français ? La Fleur-de-Nuit fondit brusquement vers eux ; Téméraire rassembla toutes ses forces pour donner un ultime coup de collier, puis, sifflant et crachant, Nitidus fut là, cinglant la tête de la dragonne française à grands coups d'ailes argentées : le capitaine Warren se dressa sur son dos et agita son chapeau à l'adresse de Laurence, en criant :

— Allez-y, retournez au vaisseau !

Dulcia avait surgi de l'autre côté, harcelant le flanc de la Fleur-de-Nuit afin de l'obliger à lui faire face ; les deux dragons légers étaient les plus rapides de leur formation, et, bien que leur poids ne pût se mesurer à celui de la grande Fleur-de-Nuit, ils étaient en mesure de l'occuper un moment. Téméraire avait déjà amorcé un lent virage, à grands battements d'ailes frémissants. En approchant du vaisseau, Laurence vit l'équipage qui se hâtait de nettoyer le pont d'envol pour leur permettre de se poser : il était jonché d'esquilles, de bouts de cordages et de métal tordu ; l'*Allegiance* avait souffert sous la mitraille, et la deuxième frégate continuait son pilonnage régulier contre ses ponts inférieurs.

Téméraire se posa moins qu'il ne s'écroula sur le pont, en ébranlant le vaisseau tout entier ; Laurence détachait déjà ses sangles avant même qu'il soit totalement immobilisé. Il se laissa glisser le long de son épaule sans même une main sur le harnais ; sa jambe se déroba sous lui quand il atterrit lourdement sur le pont, mais il se releva aussitôt et se traîna clopin-clopant jusqu'à la tête de Téméraire.

Keynes était déjà à l'œuvre, dans le sang noir jusqu'aux coudes ; pour lui faciliter l'accès, Téméraire se penchait doucement sur le flanc sous la direction de nombreux matelots, tandis que les hommes de harnais tenaient la lampe au chirurgien. Laurence s'agenouilla près de la tête de Téméraire et colla sa joue contre le museau tiède ; du sang chaud trempait ses pantalons et ses yeux le brûlaient, brouillant sa vision. Il ignorait ce qu'il disait, ou même si ses propos avaient le moindre sens, mais Téméraire lui soufflait de l'air chaud en réponse, sans même essayer de parler.

— Là, je l'ai ; les pinces, maintenant. Allen, cessez immédiatement vos stupidités, ou bien tournez la tête de l'autre côté, dit Keynes par-dessus son épaule. Bien. Le fer est-il chaud ? Allons, maintenant ; Laurence, il doit éviter de bouger.

— Tiens bon, cher cœur, dit Laurence en caressant le nez de Téméraire. Serre les dents comme jamais tu ne l'as fait ; ne bouge pas.

Téméraire répondit par un sifflement léger, et son

souffle sortit en chuintant par ses narines rouges et palpitantes ; un battement de cœur, deux, puis il émit un hoquet de douleur, et la balle barbelée extraite par Keynes résonna dans la bassine qu'on lui tendait. Téméraire poussa un dernier petit cri quand le fer chaud fut appliqué contre la blessure. Laurence vomit presque en sentant l'odeur de viande grillée.

— Là ; c'est fini. Une blessure propre : la balle a ricoché contre le sternum, dit Keynes.

Le vent balaya la fumée, et soudain Laurence put entendre de nouveau le grondement et l'écho des longs canons, ainsi que tous les bruits du vaisseau ; le monde reprenait sens et forme.

Il se dressa sur ses jambes flageolantes.

— Roland, dit-il, Morgan et vous, allez donc ramasser tous les lambeaux de voile et de bourre qu'on voudra bien vous donner ; nous devons essayer de l'installer plus confortablement.

— Morgan est mort, monsieur, lui apprit Roland, et à la lueur de la lanterne il remarqua soudain que son visage était baigné de larmes, non de sueur – de pâles coulures striaient la suie. J'irai avec Dyer.

Les deux cadets n'attendirent pas son hochement de tête mais filèrent aussitôt, silhouettes d'une petitesse choquante au milieu des formes trapues des marins ; il les suivit du regard un moment avant de se retourner, le visage dur.

La plage arrière était inondée d'une telle épaisseur de sang que certaines portions brillaient comme si elles venaient d'être repeintes à neuf. À en juger par le carnage et le peu de dégâts dans le gréement, Laurence estima que les Français avaient dû se servir d'obus ; de fait, il aperçut de nombreux éclats dispersés sur le pont. Les Français avaient embarqué dans les canots tous les hommes qui n'étaient pas indispensables à la manœuvre, et ils étaient nombreux : deux cents abordeurs désespérés tentaient de grimper à bord, enragés par la perte de leur vaisseau. Ils grimpaient à quatre ou cinq le long des grappins, ou bien s'accrochaient aux mains courantes, tandis que les marins britanniques tentaient de les repousser de part et d'autre du pont largement dégagé. Des coups de pistolet retentissaient, ainsi que le fracas des épées ; des marins armés de longues gaffes frappaient dans la masse des assaillants.

Laurence n'avait jamais assisté à un abordage depuis cette distance étrange, intermédiaire, à la fois proche et lointaine ; mal à l'aise, il tira ses propres pistolets pour se donner une contenance. Il aperçut peu de membres de son équipage : Granby restait invisible, ainsi qu'Evans, son second lieutenant. Sur le gaillard d'avant, en contrebas, les cheveux blonds de Martin brillèrent un moment à la lueur des lanternes quand il bondit pour couper un homme en deux ; puis il disparut sous le coup d'un grand marin français armé d'un gourdin.

— Laurence.

Entendant son nom ou quelque chose qui y ressemblait fort, curieusement découpé en trois syllabes – *Lao-ren-tse* –, il se retourna : Sun Kai pointait le doigt vers le nord, dans le sens du vent, mais la dernière fusée d'artifice était déjà en train de s'éteindre et il ne vit pas ce qu'on lui montrait.

Au-dessus, la Fleur-de-Nuit rugit soudain ; elle se dégagea brutalement de Nitidus et de Dulcia, qui continuaient à la harceler sur ses flancs, et partit plein est à tire-d'aile ; elle disparut très vite dans l'obscurité. Pratiquement sur ses talons retentirent le grondement de tonnerre d'un Regal Copper et les cris, plus aigus, de Yellow Reapers : le souffle de leur passage fit faseyer les voiles tandis qu'ils rasaient l'*Allegiance* en tirant des fusées éclairantes dans toutes les directions.

La frégate française moucha toutes ses lumières, dans l'espoir de s'échapper dans la nuit, mais Lily la dépassa à la tête de sa formation, assez bas pour faire trembler ses mâts ; après deux passages, et à la lueur déclinante d'un embrasement écarlate, Laurence vit amener les couleurs françaises tandis que, à bord de l'*Allegiance*, les assaillants lâchaient leurs armes et se laissaient tomber lourdement sur le pont.

5

… Et la conduite de votre fils fut en tout point héroïque et noble. Sa perte attriste chacun de ceux qui partagèrent le privilège de faire sa connaissance, et plus encore ceux qui eurent l'honneur de servir à ses côtés pour voir déjà formées en lui les qualités de caractère d'un officier responsable et valeureux, ainsi que d'un loyal serviteur de son pays et de son roi. Je prie pour que vous puissiez trouver du réconfort dans l'idée qu'il est mort comme il aurait vécu, vaillant, ne craignant rien hors Dieu tout-puissant, et assuré de trouver une place d'honneur auprès de ceux qui ont accompli le sacrifice suprême pour leur nation.

Votre dévoué, etc.,
William Laurence

Il reposa sa plume et plia la lettre ; elle lui semblait pitoyablement maladroite, insuffisante, et cependant il avait fait de son mieux. Il avait perdu suffisamment d'amis de son âge ou presque lorsqu'il était aspirant, puis lieutenant, et même un garçon de treize ans, lors de son premier commandement ; pourtant, jamais encore il n'avait eu à rédiger ce genre de lettre pour un garçon de dix ans qui, de bon droit, aurait dû être à l'école ou en train de jouer avec des soldats de plomb.

C'était la dernière de ses lettres de condoléances, et la plus mince : il n'avait pas eu grand-chose à raconter en matière d'actes de bravoure antérieurs. Laurence la mit de côté et rédigea quelques lignes, d'une nature plus personnelle, à sa propre mère : on publierait certainement des nouvelles de la bataille dans la *Gazette*, et il savait qu'elle s'inquiéterait. Il trouva difficile de lui écrire après la tâche qu'il venait de remplir ; il se contenta de lui assurer que Téméraire et lui se portaient bien, en minimisant la gravité de leurs blessures respectives. Il venait de rédiger une longue description déchirante de la bataille dans son rapport à l'Amirauté ; il n'avait pas le cœur d'en brosser un tableau plus léger à l'intention de sa mère.

Quand il en eut enfin terminé, il referma sa petite écritoire et rassembla ses lettres, scellées et enveloppées dans de la toile cirée pour les protéger de la pluie ou de l'eau de mer. Il ne se leva pas immédiatement, mais contempla l'océan en silence par les fenêtres ouvertes.

Monter sur le pont d'envol fut une affaire laborieuse, qui s'effectua par étapes. Ayant atteint le gaillard d'avant, il s'appuya un moment sur la rambarde bâbord afin de se reposer, feignant d'observer leur prise, la *Chanteuse*. Ses voiles claquaient et se gonflaient au vent ; des hommes grimpaient dans sa mâture, remettant de l'ordre dans le gréement, évoquant autant de fourmis industrieuses à cette distance.

La scène avait bien changé sur le pont d'envol, avec la formation presque au complet à bord. Téméraire s'était vu attribuer toute la section tribord afin de laisser reposer sa blessure, mais le reste des dragons s'entassaient en un amas multicolore de membres enchevêtrés, qui remuaient rarement. À lui seul, Maximus, qui se trouvait dessous, occupait virtuellement tout l'espace disponible ; même Lily, qui refusait ordinairement de s'allonger contre ses congénères, avait dû se résoudre à draper sa queue et une aile au-dessus de lui, tandis que Messoria et Immortalis, plus petits et plus âgés, ne se donnaient même pas la peine de faire semblant et s'étaient simplement couchés en travers de son large dos, laissant pendouiller un membre ici ou là.

Tous les dragons somnolaient et semblaient parfaitement heureux de la situation ; Nitidus seul, trop excité pour tenir en place bien longtemps, était en l'air, cerclant avec curiosité au-dessus de la frégate : un peu trop bas au goût des marins, à en juger par les regards nerveux qu'on lui jetait fréquemment depuis la *Chanteuse*. Dulcia n'était visible nulle part ; peut-être étaitelle déjà repartie porter la nouvelle de la bataille en Angleterre.

Franchir le pont était devenu une sorte d'aventure, en particulier avec sa jambe raide et peu coopérative ; Laurence évita de justesse de trébucher sur la queue de Messoria lorsque celle-ci s'agita dans son sommeil. Téméraire dormait profondément lui aussi ; quand

Laurence s'approcha, il entrouvrit un œil, fixa sur lui sa prunelle bleu foncé, puis referma les paupières. Laurence n'essaya pas de le réveiller, trop heureux de le voir aussi paisible ; Téméraire avait bien mangé ce matin, deux vaches et un gros thon, et Keynes s'était déclaré satisfait de l'état actuel de sa blessure.

— Une arme redoutable, avait-il commenté, en prenant un plaisir macabre à montrer la balle à Laurence (en examinant à contrecœur ses nombreuses pointes épaisses, Laurence s'était félicité qu'on l'eût nettoyée avant qu'il fût obligé de la regarder). Je n'avais encore jamais rien vu de pareil, même si j'ai entendu dire que les Russes avaient recours à ce genre de projectiles ; j'aurais eu bien du mal à l'extraire si elle s'était enfoncée plus profondément, je peux vous le dire.

Mais, fort heureusement, la balle s'était arrêtée contre le sternum et logée à moins d'un demi-pied sous la peau ; même ainsi, la balle elle-même ainsi que son extraction avaient cruellement déchiré les muscles du dragon, et Keynes avait interdit Téméraire de vol pendant au moins deux semaines, voire un mois. Laurence lui posa la main sur l'épaule, large et tiède ; il s'estimait heureux de ne pas avoir un prix plus élevé à payer.

Les autres capitaines étaient assis à une petite table pliante coincée contre la cheminée de la cuisine, le seul endroit disponible sur le pont d'envol, en train de jouer aux cartes ; Laurence se joignit à eux et tendit son paquet de lettres à Harcourt.

— Merci d'avoir accepté de les prendre, dit-il en s'asseyant pesamment pour reprendre son souffle.

Ils interrompirent le jeu, le temps de contempler l'épaisseur du paquet.

— Je suis terriblement désolée, Laurence. (Harcourt glissa le tout dans sa sacoche.) Vous n'avez vraiment pas été épargnés.

— Une bien lâche affaire, dit Berkley en secouant la tête. Plus de l'espionnage que du combat, cette manière de vous tomber dessus sans crier gare en pleine nuit.

Laurence demeura silencieux ; il leur était reconnaissant de leur sympathie, mais dans l'immédiat il se sentait beaucoup trop accablé pour soutenir une conversation. Les funérailles avaient constitué une véritable épreuve ; il avait dû rester debout pendant une heure malgré les protestations de sa jambe, à regarder passer les corps par-dessus bord l'un après l'autre, leur hamac cousu autour d'eux, avec aux pieds un boulet pour les marins et un obus pour les aviateurs, tandis que Riley lisait lentement tout au long du service.

Il avait passé le restant de la matinée enfermé avec le lieutenant Ferris, qui faisait désormais office de second, à examiner la facture du boucher ; une triste énumération. Granby avait reçu une balle de mousquet dans la poitrine ; par chance, elle lui avait seulement cassé une côte avant de ressortir dans le dos, mais il avait perdu beaucoup de sang et était déjà fiévreux. Evans, son second lieutenant, souffrait d'une vilaine fracture à la jambe et serait rapatrié en Angleterre ;

Martin se remettrait, mais il avait la mâchoire tellement enflée qu'il ne pouvait plus s'exprimer que par grognements, et il ne voyait toujours rien de l'œil gauche.

Deux autres hommes d'échine avaient été touchés, moins sérieusement ; l'un des fusiliers, Dunne, blessé, et un autre, Donnell, tué ; Miggsy, un homme de ventre, tué également ; et les plus gravement atteints, les hommes de harnais : quatre d'entre eux étaient morts, fauchés par un boulet dans l'entrepont alors qu'ils sortaient le deuxième harnais. Morgan se trouvait avec eux, portant la caisse de boucles de rechange : un effroyable gâchis.

Berkley déchiffra correctement le désarroi qui se lisait sur son visage.

— Je peux au moins vous laisser Portis et Macdonaugh, dit-il en référence à deux hommes d'échine de Laurence, transférés sur Maximus dans la confusion qui avait suivi la venue de l'ambassade.

— Je vous croyais vous-même à court ? dit Laurence. Je ne voudrais pas priver Maximus ; d'autres missions vous attendent.

— Le transport de Halifax, le *William of Orange*, amène une douzaine de gars pour Maximus, dit Berkley. Il n'y a pas de raison que vous ne puissiez pas récupérer vos hommes.

— Je ne devrais pas discuter avec vous ; Dieu sait que je manque désespérément de bras, dit Laurence. Mais le transport risque de ne pas arriver avant un mois, si la traversée prend du temps.

— Oh ! vous étiez en bas tout à l'heure, vous

n'avez pas entendu la nouvelle que nous avons donnée au capitaine Riley, intervint Warren. Le *William* a été aperçu il y a quelques jours, non loin d'ici. Nous avons envoyé Chenery et Dulcia le chercher, afin qu'il nous ramène à la maison, ainsi que les blessés. Il me semble également que Riley avait besoin de quelque chose pour son bateau ; était-ce de poutres, Berkley ?

— D'espars, corrigea Laurence, en levant la tête vers le gréement (à la lumière du jour, on pouvait voir en effet à quel point les vergues avaient souffert ; beaucoup étaient fendues, ou grêlées d'impacts de balles). Ce sera certainement un soulagement s'ils peuvent nous céder quelques fournitures. Mais vous devez savoir, Warren, qu'il s'agit d'un vaisseau, non d'un bateau.

— Y a-t-il une différence ? (L'ignorance de Warren scandalisa Laurence.) Je croyais que les deux mots désignaient la même chose ; ou bien est-ce une affaire de taille ? Celui-ci est un mastodonte, aucun doute, même si Maximus me semble sur le point de glisser du pont d'un instant à l'autre.

— Pas du tout, protesta Maximus.

Mais il ouvrit les yeux pour jeter un regard à son arrière-train, et ne se rendormit qu'après s'être assuré qu'il n'était pas en danger immédiat de tomber à l'eau.

Laurence ouvrit la bouche et la referma avant de s'embarquer dans une longue explication ; c'eût été peine perdue.

— Vous allez donc nous accompagner quelques jours, si je comprends bien ?

— Jusqu'à demain matin, répondit Harcourt. Si

cela devait durer davantage, nous rentrerons par voie des airs ; je ne souhaite pas fatiguer les dragons sans nécessité, mais j'aime encore moins laisser Lenton tout seul à Douvres. Il doit d'ailleurs se demander ce que nous fichons : nous étions simplement sortis effectuer quelques manœuvres de nuit avec la flotte de Brest, quand nous avons aperçu votre feu d'artifice ; on se serait crus à la fête de Guy Fawkes.

Riley les avait tous invités à dîner, naturellement ; ainsi que les officiers français prisonniers. Harcourt fut obligée de prétexter le mal de mer afin d'éviter les quartiers confinés où son sexe aurait trop facilement été percé à jour. Berkley était un gaillard taciturne, peu enclin à faire des phrases de plus de cinq mots. Warren, en revanche, avait un discours délié et plein d'allant, surtout après un ou deux verres de vin, et Sutton, qui était dans le service depuis près de trente ans, disposait d'un remarquable réservoir d'anecdotes ; à eux deux, ils assurèrent une conversation enjouée, quoiqu'un peu décousue.

Mais les Français restaient silencieux, sous le choc, et les marins britanniques ne valaient guère mieux ; leur abattement devint de plus en plus manifeste tout au long du dîner. Lord Purbeck se montra raide, guindé, Macready maussade ; même Riley demeura discret, sujet à de longues périodes de silence qui ne lui ressemblaient guère, visiblement mal à son aise.

De retour sur le pont d'envol, au moment du café, Warren dit :

— Laurence, je ne voudrais pas insulter votre

ancien service ni vos compagnons de bord, mais, Seigneur, ils font une bien pénible compagnie. Ce soir, on aurait cru que nous les avions offensés mortellement, au lieu de leur épargner une rude bataille et qui sait combien de tonneaux de sang.

— Pour ça, ils doivent considérer que nous sommes arrivés un peu tard. (Sutton s'adossa amicalement contre sa dragonne Messoria et s'alluma un cigare.) En revanche, nous les avons privés de la gloire d'une victoire complète, sans parler du fait que nous avons droit à une part de prise, savez-vous, étant intervenus avant que le vaisseau français n'abatte ses couleurs. Une bouffée, ma chère ? proposa-t-il à Messoria en lui présentant son cigare de manière qu'elle pût respirer la fumée.

— Non, vous vous méprenez totalement, je vous l'assure, dit Laurence. Sans votre aide, jamais nous n'aurions capturé la frégate ; elle n'était pas si mal en point, et aurait pu s'enfuir quand elle le voulait ; tout le monde à bord était très content de vous voir.

Il rechignait à s'étendre sur le sujet, mais, ne voulant pas les laisser sur une impression aussi détestable, il ajouta :

— C'est l'autre frégate, la *Valérie*, que nous avons coulée avant votre arrivée ; il y a eu des pertes effroyables.

Ils sentirent son propre désarroi et n'insistèrent pas davantage ; quand Warren parut sur le point de l'interroger, Sutton le fit taire d'un coup de coude et demanda un jeu de cartes à l'un de ses cadets. Ils entamèrent une partie amicale, rejoints par Harcourt maintenant qu'ils avaient pris congé des officiers navals. Laurence acheva sa tasse et s'éloigna discrètement.

Téméraire était en train de s'asseoir face à la mer déserte ; il avait sommeillé toute la journée et venait juste de se réveiller pour avaler un nouveau repas copieux. Il se déplaça de manière à permettre à Laurence de s'installer sur sa patte avant, puis s'enroula autour de lui avec un petit soupir.

— Ne prends pas cette affaire à cœur. (Laurence avait conscience de prodiguer un conseil que lui-même était incapable de suivre ; mais il craignait que, à trop se ronger les sangs à propos du naufrage, Téméraire ne sombrât dans la mélancolie.) Avec la deuxième frégate sur bâbord, nous aurions vraisemblablement été pris sous le vent, et s'ils avaient mouché toutes nos lumières et interrompu notre feu d'artifice, Lily et les autres n'auraient jamais pu nous retrouver dans le noir. Tu as sauvé de nombreuses vies, ainsi que l'*Allegiance* lui-même.

— Je n'éprouve pas de culpabilité, le rassura Téméraire. Je n'ai pas voulu couler cette frégate, mais je ne regrette rien ; elle avait l'intention de tuer une grande partie de mon équipage, et il est bien évident que je ne pouvais pas la laisser faire. Non : ce sont les marins ; ils me dévisagent étrangement, maintenant, et je vois bien qu'ils rechignent à m'approcher.

Laurence ne pouvait nier la justesse de cette observation ni le rassurer fallacieusement sur ce point. Les marins préféraient considérer les dragons comme des machines de guerre, des sortes de vaisseaux aptes à respirer et à voler : de simples instruments de la volonté humaine. Ils acceptaient sans difficulté leur puissance, leur force brute, comme une conséquence naturelle de leur taille ; la crainte que les dragons pouvaient leur inspirer n'était pas différente de celle qu'ils auraient éprouvée face à quelque colosse redoutable. Le vent divin, toutefois, avait quelque chose de surnaturel, et le destin de la *Valérie* avait été trop implacable pour être humain : il réveillait toutes les anciennes légendes de destruction et autres feux du ciel.

La bataille ressemblait de plus en plus à un cauchemar dans son propre souvenir : le tir inlassable des fusées d'artifice, la lueur rouge de la canonnade, les yeux cendreux de la Fleur-de-Nuit dans l'obscurité, le goût âcre de la fumée sur sa langue et, par-dessus tout cela, le lent abattement de la vague, tel un rideau tombant sur une scène de théâtre. Il caressa en silence la patte de Téméraire, et ils fixèrent ensemble le sillage écumant laissé par le vaisseau.

Un cri de « Voile en vue ! » retentit aux premières lueurs de l'aube : le *William of Orange* se détachait clairement à l'horizon, à deux points par tribord avant. Riley colla l'œil à sa longue-vue.

— Nous battrons le petit déjeuner des matelots en avance ; il sera à portée de voix avant neuf heures.

La *Chanteuse* naviguait à mi-chemin des deux transports et saluait déjà le *William* : elle retournerait avec lui en Angleterre pour y être jugée comme prise, avec les prisonniers. La journée était splendide, très froide, avec ce ciel d'un bleu intense caractéristique de l'hiver, et la *Chanteuse* avait un air pimpant avec ses perroquets et ses cacatois établis. Il était rare qu'un navire de transport fasse une prise, et l'humeur aurait dû être à la célébration ; ce joli vaisseau de quarante-quatre canons, fin voilier, serait certainement racheté dans le service, et il y aurait également une prime pour les prisonniers. Mais la morosité ambiante ne s'était pas dissipée au cours de la nuit, et les hommes travaillaient en silence pour la plupart. Laurence lui-même avait mal dormi. Il se tenait maintenant sur le gaillard d'avant, regardant approcher le *William of Orange* à regret ; bientôt, ils se retrouveraient de nouveau seuls.

— Le bonjour, capitaine, dit Hammond en venant le rejoindre à la rambarde.

Cette intrusion était malvenue et Laurence n'en fit pas mystère, mais Hammond ne s'aperçut de rien, trop occupé qu'il était à contempler la *Chanteuse* avec une satisfaction indécente.

— Nous n'aurions pu rêver meilleur début à notre voyage, ajouta-t-il.

Le charpentier et ses aides s'affairaient non loin de là sur le pont défoncé ; l'un d'entre eux, un joyeux drille aux épaules étroites du nom de Leddowes, embarqué à Spithead et qui avait déjà acquis la réputation de bouffon du bord, se dressa sur ses ergots à cette remarque ; il fixa Hammond avec une franche désapprobation jusqu'à ce que le charpentier Eklof, un grand Suédois silencieux, lui décochât un coup de poing dans l'épaule afin de le rappeler à son travail.

— Je suis surpris que vous pensiez cela, dit

Laurence. N'auriez-vous pas préféré un première classe ?

— Non, non, dit Hammond, insensible au sarcasme. On ne pourrait souhaiter mieux ; saviez-vous que l'un des boulets a pratiquement traversé la cabine du prince ? L'un de ses gardes est mort et un autre, grièvement blessé, est décédé durant la nuit. J'ai cru comprendre que le prince écumait de rage. La marine française nous a fait plus de bien en une nuit qu'en ont fait des mois de diplomatie. Nous pourrions lui présenter le capitaine du vaisseau capturé, qu'en pensez-vous ? Je lui ai raconté, bien entendu, que nos agresseurs étaient français, mais ce serait aussi bien de lui en apporter la preuve irréfutable.

— Il ne saurait être question de faire parader un officier vaincu comme un vulgaire trophée dans un triomphe romain, répondit froidement Laurence.

Lui-même avait été prisonnier autrefois et, bien qu'il n'eût été qu'un jeune garçon à l'époque, il se rappelait encore la parfaite courtoisie du capitaine français, lui demandant sa parole le plus sérieusement du monde.

— Bien sûr, je vois – cela ferait mauvais effet, je suppose, concéda Hammond à regret. Toutefois, ajouta-t-il, ce serait dommage de…

— Est-ce tout ? l'interrompit Laurence qui ne souhaitait pas en entendre davantage.

— Oh ! Je vous demande pardon ; je ne voulais pas, s'excusa Hammond, gêné, en découvrant enfin le visage de Laurence. Je venais seulement vous informer que le prince a exprimé le désir de vous voir.

— Merci, monsieur, lui dit Laurence sur un ton définitif.

Hammond parut vouloir rajouter quelque chose, peut-être suggérer à Laurence de ne pas faire attendre le prince, ou lui glisser quelques conseils concernant l'entrevue ; mais en fin de compte il n'osa pas et, après une brève courbette, s'éloigna rapidement.

Laurence n'avait aucune envie de parler à Yongxing, encore moins de se laisser importuner, et le désagrément physique de devoir se rendre en boitant jusqu'aux quartiers du prince, à la poupe, ne fit rien pour améliorer son humeur. Lorsque les suivants prétendirent le faire patienter dans l'antichambre, il leur jeta sèchement : « Qu'il me fasse prévenir lorsqu'il sera décidé », et tourna les talons. Après un bref conciliabule nerveux – l'un des hommes allant jusqu'à lui barrer la sortie –, Laurence fut introduit directement dans la grande cabine.

Les deux trous béants dans les cloisons, opposés l'un à l'autre, avait été colmatés par des tampons de soie bleue afin d'éviter les courants d'air ; malgré tout, il rentrait suffisamment de vent pour faire frissonner de temps à autre les longues bannières de parchemin accrochées aux cloisons. Yongxing se tenait assis avec raideur dans un fauteuil drapé de rouge, devant une petite écritoire de bois laqué ; malgré le balancement du vaisseau, son pinceau passait régulièrement de l'encrier à la feuille, sans lâcher la moindre goutte, traçant de belles rangées d'idéogrammes éclatants.

— Vous vouliez me voir, monsieur, lui dit Laurence.

Yongxing acheva une dernière ligne et reposa son pinceau sans répondre ; il prit un sceau de pierre, le trempa dans une petite soucoupe d'encre rouge puis le pressa au bas de la page ; après quoi il replia cette dernière et la posa sur une autre feuille similaire, qu'il enveloppa avec elle dans un morceau de toile cirée.

— Feng Li, appela-t-il.

Laurence sursauta ; il n'avait pas remarqué le suivant debout dans un coin, vêtu d'une robe quelconque de coton bleu foncé, avant qu'il ne s'avance. Feng était un individu de haute taille, mais si voûté que tout ce que Laurence vit de lui fut la ligne parfaite qui lui traversait le crâne, en avant de laquelle ses cheveux noirs étaient soigneusement rasés. Il jeta un bref coup d'œil par en dessous à Laurence, plein de curiosité, puis souleva carrément l'écritoire et l'emporta sur le côté sans renverser une seule goutte d'encre.

Il revint aussitôt avec un repose-pieds pour son maître, avant de regagner le coin de la cabine : à l'évidence, Yongxing n'avait pas l'intention de le renvoyer pour l'entrevue. Le prince se tint assis bien droit, les bras posés sur les accoudoirs, sans offrir un siège à Laurence, bien que deux autres fauteuils se trouvassent contre la cloison opposée. Cela donna le ton tout de suite ; Laurence sentit ses épaules se raidir avant même que Yongxing ne commençât.

— Bien que nous ne vous ayons emmené que par nécessité, dit froidement Yongxing, vous persistez à vous considérer comme le compagnon de Lung Tien Xiang et à le traiter comme s'il vous appartenait. Et voilà que la pire des choses est arrivée : par la faute de votre comportement indigne et imprudent, il a reçu une grave blessure.

Laurence pinça les lèvres ; il ne se sentait pas capable de donner une réponse civilisée à cette accusation. Lui-même s'était interrogé sur sa décision, aussi bien avant de mener Téméraire à la bataille que tout au long de la nuit qui avait suivi, en se rappelant le son épouvantable de l'impact et le souffle haché, douloureux, de Téméraire ; mais s'entendre mettre en cause par Yongxing était une tout autre affaire.

— Est-ce tout ? s'enquit-il.

Yongxing s'attendait peut-être à le voir se prosterner, ou implorer son pardon ; cette réaction laconique le mit encore plus en rage.

— Êtes-vous donc à ce point dépourvu de principes ? explosa-t-il. Vous n'avez aucun remords ; vous mèneriez Lung Tien Xiang à la mort aussi facilement que vous crèveriez un cheval sous vous. Je vous interdis de reprendre l'air avec lui, et vos serviteurs de basse extraction ne doivent plus l'approcher. Je vais placer mes propres gardes autour de lui…

— Monsieur, déclara Laurence à brûle-pourpoint, vous pouvez aller au diable.

Yongxing se tut, plus stupéfait qu'offensé par cette interruption, et Laurence ajouta :

— Quant à vos gardes, si l'un d'eux pose le pied sur mon pont d'envol, je le ferai jeter par-dessus bord par Téméraire. Bonne journée.

Il s'inclina sèchement et, sans attendre la réponse de Yongxing, tourna les talons et sortit de la cabine. Les suivants le regardèrent passer avec stupeur, sans essayer cette fois de lui barrer la route ; il obligea sa jambe à lui obéir en avançant à grandes foulées. Cette bravade se paya ; le temps qu'il atteigne sa propre cabine, tout au bout de l'interminable vaisseau, sa cuisse s'était mise à trembler et à tressauter sous lui à chaque pas ; il fut soulagé de regagner enfin la sécurité de son fauteuil, et de pouvoir se calmer avec un bon verre de vin. Peut-être s'était-il emporté imprudemment, mais il ne le regrettait pas ; Yongxing devait apprendre que tous les officiers britanniques n'étaient pas disposés à s'incliner sans mot dire devant ses moindres caprices.

Si gratifiante que fût cette résolution, cependant, Laurence ne pouvait s'empêcher de penser que son attitude de défi était largement renforcée par la certitude que Yongxing ne céderait jamais sur le point, essentiel, de sa séparation d'avec Téméraire. Le ministère, en la personne de Hammond, avait peut-être quelque chose à gagner à toutes ces courbettes ; Laurence, pour sa part, n'avait plus rien à perdre. Cette idée avait quelque chose de déprimant ; il reposa son verre et demeura assis dans un silence maussade, en massant sa jambe douloureuse appuyée sur un coffre. Six coups sonnèrent en haut et il entendit vaguement le sifflet, puis la bousculade des matelots qui descendaient prendre le petit déjeuner dans l'entrepont ; une forte odeur de thé lui parvint de la cuisine.

Ayant fini son verre et suffisamment reposé sa jambe, Laurence se releva enfin et gagna la cabine de Riley pour frapper à sa porte. Il souhaitait lui demander de poster des fusiliers afin de dissuader les gardes du prince de s'approcher du pont, et il fut aussi surpris que mécontent de trouver Hammond à l'intérieur, assis devant le bureau de Riley, avec une trace d'anxiété et de culpabilité dans son expression.

— Laurence, dit Riley en lui offrant un fauteuil, je discutais des passagers avec M. Hammond. (Laurence remarqua que Riley lui-même paraissait las et anxieux.) Il a porté à mon attention qu'ils étaient enfermés en bas depuis cette affaire des navires de la Compagnie des Indes. Cela ne saurait durer sept mois : il faudra bien les laisser prendre l'air. Je suis sûr que vous n'y verrez pas d'objection – je crois que nous devons leur permettre de sortir sur le pont d'envol ; mieux vaut éviter qu'ils approchent des matelots.

Cette proposition n'aurait pas pu tomber plus mal ; Laurence dévisagea Hammond avec un mélange d'irritation et de quelque chose qui confinait au désespoir ; l'homme semblait doué d'un véritable génie diabolique pour le désastre, selon Laurence tout au moins, et la perspective de passer tout le voyage à subir une machination diplomatique après l'autre devenait de plus en plus sombre.

— Je suis navré pour le désagrément, dit Riley, voyant que Laurence ne répondait pas immédiatement. Seulement, je ne vois pas quoi faire d'autre. Je ne pense pas que vous manquiez de place ?

Ce point était indiscutable ; avec si peu d'aviateurs à bord et l'équipage du vaisseau pratiquement au complet, il eût été injuste de demander aux marins de céder la moindre portion de leur espace ; cela n'aurait fait qu'aggraver les tensions, déjà suffisamment sérieuses. D'un point de vue pratique, Riley avait parfaitement raison, et c'était son droit de capitaine de décider où les passagers pouvaient se promener ; toutefois, la menace de Yongxing en avait fait une question de principe. Laurence aurait aimé s'en ouvrir franchement à Riley, et si Hammond n'avait pas été là, il l'aurait fait ; mais vu les circonstances…

— Peut-être, se hâta d'intervenir Hammond, le capitaine Laurence redoute-t-il qu'ils n'aillent énerver le dragon. Puis-je suggérer de leur réserver une portion du pont clairement délimitée ? Peut-être pourrait-on tendre un cordon, ou tracer une démarcation à la peinture.

— Cela conviendrait parfaitement, si vous voulez bien prendre la peine de leur expliquer les limites, M. Hammond, dit Riley.

Laurence ne pouvait protester ouvertement sans s'expliquer, et il n'avait pas l'intention de s'étendre sur ses actes devant Hammond ni de susciter ses commentaires ; d'autant qu'il n'avait vraisemblablement rien à y gagner. Riley compatirait – du moins Laurence l'espérait-il, quoique subitement il n'en fût plus aussi sûr ; mais, compassion ou non, la difficulté subsistait, et Laurence ne voyait guère d'autre solution.

Il n'était pas résigné ; pas le moins du monde, mais il n'allait certainement pas se plaindre et mettre Riley dans une situation plus délicate encore.

— Vous veillerez également à bien leur faire comprendre, M. Hammond, dit Laurence, qu'aucun d'eux ne doit porter une arme sur le pont, qu'il s'agisse d'un mousquet ou d'une épée, et qu'à la moindre alerte ils doivent redescendre immédiatement : je ne tolérerai aucune interférence avec mon équipage ni avec Téméraire.

— Mais, monsieur, il y a des soldats parmi eux, protesta Hammond. Ils voudront sûrement s'exercer de temps à autre…

— Ils attendront que nous ayons rallié la Chine, dit Laurence.

Hammond le suivit hors de la cabine et le rattrapa sur le seuil de ses propres quartiers ; à l'intérieur, deux hommes de l'équipe au sol venaient d'apporter d'autres chaises et Roland et Dyer s'affairaient à disposer les assiettes sur la nappe : les autres capitaines des Corps se joindraient à Laurence pour un dernier petit déjeuner avant de prendre congé.

— Monsieur, dit Hammond, accordez-moi un instant, je vous prie. Je tiens à vous demander pardon de vous avoir envoyé ainsi devant le prince Yongxing, sachant dans quelle humeur il était. Je vous assure que je me tiens pour seul responsable des conséquences et de votre querelle ; néanmoins, il me faut en appeler à votre indulgence…

Laurence, qui l'avait écouté sourcils froncés avec une incrédulité croissante, s'exclama :

— Seriez-vous en train de me dire que vous saviez déjà… ? Que vous avez glissé cette suggestion au capitaine Riley, sachant parfaitement que je leur avais interdit le pont ?

Il haussait le ton tout en parlant, et Hammond jeta un coup d'œil désespéré vers la porte ouverte de la cabine : Roland et Dyer les regardaient tous deux avec de grands yeux, sans plus s'occuper des assiettes en argent qu'ils avaient entre les mains.

— Vous devez comprendre que nous ne *pouvons* pas les placer dans une telle situation. Le prince Yongxing a donné un ordre ; le défier ouvertement reviendrait à l'humilier devant ses propres…

— Dans ce cas, il ferait mieux d'apprendre à ne plus me donner d'ordres, monsieur, dit rageusement Laurence, et vous seriez bien avisé de l'en informer, au lieu de lui permettre de parvenir à ses fins par vos petites manœuvres…

— Pour l'amour du ciel ! Vous imaginez-vous que j'aie le moindre désir de vous couper de Téméraire ? La seule monnaie d'échange que nous ayons est le refus du dragon d'être séparé de vous, dit Hammond en s'échauffant à son tour. Mais cela ne nous mènera pas très loin faute de bonne volonté, et si le prince Yongxing n'a pas les moyens d'imposer ses vues tant que nous sommes en mer, la situation sera complètement inversée une fois en Chine. Voudriez-vous nous voir sacrifier une alliance par respect envers votre amour-propre ? Sans parler, ajouta Hammond dans une tentative pathétique de l'amadouer, de tout espoir de conserver Téméraire.

— Je ne suis pas un diplomate, déclara Laurence, mais je vous affirme, monsieur, que si vous croyez obtenir une once de bonne volonté de la part de ce prince à force de ravaler votre fierté devant lui, vous êtes un foutu imbécile ; et je vous serais reconnaissant de cesser de croire que l'on peut m'acheter avec des châteaux en Espagne.

Laurence avait initialement souhaité prendre congé de Harcourt et des autres de façon honorable, mais ses invités durent entretenir la conversation entre eux, sans la moindre participation de sa part. Au moins profitèrent-ils de ses provisions de bouche qui avaient été acquises chez les meilleurs fournisseurs, et de la proximité de sa table avec la cuisine : le bacon, les œufs et le café arrivèrent encore fumants, au moment où ils prenaient place. On leur servit également une portion de thon – dont le reste avait été apporté à Téméraire – pané dans des miettes de biscuits, une assiette de cerises confites et une autre de marmelade. Laurence mangea très peu. Quand Warren lui demanda de leur décrire le déroulement du combat, il bondit sur l'occasion, repoussa son assiette à laquelle il n'avait pratiquement pas touché et entreprit de faire revivre les manœuvres des vaisseaux et de la Fleur-de-Nuit avec des morceaux de pain, la salière figurant l'*Allegiance*.

Quand Laurence et les autres capitaines remontèrent sur le pont d'envol, les dragons achevaient leur propre petit déjeuner – avec moins de manières. Laurence se félicita de trouver Téméraire debout et parfaitement réveillé ; il semblait aller beaucoup mieux, avec ses bandages d'un blanc immaculé, et tâchait de persuader Maximus de goûter un peu de thon.

— Il est délicieux, disait-il, il a été pris ce matin même.

Maximus examinait le poisson d'un œil soupçonneux : Téméraire en avait déjà englouti une moitié, mais il n'avait pas touché à la tête et cette dernière gisait, bouche ouverte, le regard vitreux fixé sur le pont. Il devait bien peser dans les quinze cents livres à l'origine, estima Laurence ; même à demi dévoré, il demeurait impressionnant.

Ce fut moins le cas, cependant, lorsque Maximus finit par allonger le cou et refermer sa gueule sur lui : il ne fit qu'une bouchée de la moitié de thon restante, et ce fut amusant de le voir mâcher avec une expression sceptique. Téméraire attendait le verdict ; Maximus déglutit, se lécha les babines et déclara :

— Ce ne serait pas mauvais, j'imagine, s'il n'y avait rien d'autre, mais je trouve cela trop visqueux.

La collerette de Téméraire s'aplatit de déception.

— Peut-être faut-il s'habituer au goût. On devrait pouvoir t'en pêcher un autre, si ça te dit.

Maximus renifla.

— Non ; je crois que je vais te laisser les poissons. Reste-t-il un peu de mouton ? s'enquit-il avec un coup d'œil intéressé vers le boucher du bord.

— Combien en as-tu déjà avalé ? demanda Berkley en grimpant les marches jusqu'à lui. Quatre ? Cela suffit ; si tu grossis encore, tu n'arriveras plus à décoller du sol.

Maximus ignora cette perfidie et piocha la dernière cuisse de mouton dans la bassine de viande ; les autres avaient terminé, eux aussi, et les aides-bouchers se mirent à pomper de l'eau sur le pont afin de nettoyer le sang : il y eut bientôt une myriade de requins frénétiques dans le sillage du vaisseau.

Le *William of Orange* était venu se ranger tout près et Riley s'était rendu à son bord pour discuter de fournitures avec son capitaine ; il réapparut sur le pont et regagna l'*Allegiance* en canot, tandis que ses hommes rassemblaient des espars et des voiles de rechange.

— Lord Purbeck, dit Riley en grimpant à bord, envoyons la chaloupe chercher ces fournitures, s'il vous plaît.

— Voulez-vous que nous nous en chargions ? proposa Harcourt. Nous allons devoir dégager Maximus et Lily du pont d'envol, de toute manière ; nous pouvons aussi bien vous rapporter vos fournitures que voler en cercles.

— Merci, monsieur ; vous m'obligeriez grandement, dit Riley en s'inclinant devant elle sans se douter de rien (les cheveux de Harcourt avaient été soigneusement ramenés en arrière, sa natte dissimulée sous son capuchon de vol, tandis que sa veste d'uniforme dissimulait l'essentiel de sa silhouette).

Maximus et Lily décollèrent sans leur équipage, libérant de la place sur le pont afin que les autres puissent se préparer ; les équipes déroulèrent harnais et cottes de mailles et entreprirent de sangler les petits dragons, pendant que les deux plus grands allaient prendre les fournitures sur le *William of Orange*. L'instant du départ approchait, et Laurence se rendit au côté de Téméraire en boitillant ; il éprouvait brusquement un pincement de regret auquel il ne s'attendait pas.

— Je ne connais pas ce dragon, lui dit Téméraire en regardant par-dessus les eaux jusqu'à l'autre transport.

Une bête de grande taille se trouvait allongée sur le pont, l'air maussade, la robe striée de brun et de vert, avec sur les ailes et le cou des taches rouges évoquant de la peinture : Laurence n'avait encore jamais vu une telle créature.

— C'est une race indienne, venant d'une tribu canadienne, les renseigna Sutton quand Laurence lui eut montré l'étrange dragon. Un Dakota, je crois, si je le prononce correctement ; j'ai cru comprendre que son pilote et lui – ils n'utilisent pas d'équipage là-bas, vous savez, rien qu'un homme par dragon, quelle que soit sa taille – avaient été capturés en plein raid contre une colonie frontalière. C'est un gros coup : une race entièrement nouvelle, et très guerrière à ce qu'on m'a dit. À l'origine, il devait servir sur la ferme de reproduction de Halifax, mais je crois qu'on l'a échangé contre Praecursoris ; il m'a tout l'air d'un animal remarquablement sanguinaire.

— Cela paraît cruel de l'envoyer si loin de chez lui, pour ne jamais revenir, dit Téméraire à voix basse en regardant l'autre dragon. Il semble bien malheureux.

— Il ne ferait que rester assis toute la journée à Halifax plutôt qu'ici, ça ne change pas grand-chose, dit Messoria en déployant ses ailes afin de faciliter le travail de ses hommes de harnais en train de l'équiper. Ces fermes se ressemblent toutes et ne présentent pas grand intérêt, à l'exception de la reproduction elle-même, ajouta-t-elle avec une franchise alarmante.

Âgée de plus de trente ans, elle était beaucoup plus vieille que Téméraire.

— Cela ne me paraît pas très intéressant non plus, dit Téméraire avant de se recoucher tristement. Crois-tu qu'on m'enverra dans une ferme de reproduction en Chine ?

— Je suis certain que non, lui dit Laurence. (Il était fermement résolu à ne pas abandonner Téméraire à un destin pareil, quelles que fussent les intentions de l'empereur de Chine ou qui que ce fût d'autre.) Ils n'auraient pas fait tant d'histoires si c'était tout ce qu'ils voulaient.

Messoria renifla avec indulgence.

— Tu ne trouverais peut-être pas cela si terrible, d'ailleurs, une fois que tu aurais essayé.

— Cesse de corrompre la jeunesse, lui dit le capitaine Sutton avec une bourrade affectueuse dans les côtes, avant d'éprouver la solidité du harnais. Là, je crois que nous sommes parés. Au revoir pour la deuxième fois, Laurence, dit-il en lui serrant la main. J'imagine que vous avez eu suffisamment d'émotions fortes pour tout le voyage ; espérons que la suite se déroulera plus calmement.

Les trois petits dragons s'envolèrent l'un après l'autre – Nitidus fit à peine s'enfoncer l'*Allegiance* – et passèrent sur le *William of Orange* ; puis Maximus et Lily redescendirent se faire équiper à leur tour, tandis que Berkley et Harcourt faisaient leurs adieux à Laurence. Enfin, la formation complète se retrouva à bord de l'autre transport, laissant Téméraire seul à bord de l'*Allegiance*, une fois de plus.

Riley donna l'ordre de mettre à la voile directement ; le vent soufflant sans grande vigueur de l'est-sud-est, on établit même les bonnettes, en un splendide déploiement de blancheur. Le *William of Orange* les salua au passage d'un coup de canon sous le vent, auquel il fut répondu un instant plus tard sur ordre de Riley, et des acclamations s'échangèrent au-dessus de l'eau tandis que les deux transports s'écartaient finalement, lents et majestueux.

Maximus et Lily avaient pris l'air pour se dégourdir les ailes, avec l'énergie de jeunes dragons fraîchement nourris ; on les vit un long moment se pourchasser à travers les nuages au-dessus du vaisseau, et Téméraire les suivit du regard jusqu'à ce que la distance les réduisît à la taille de deux oiseaux. Il poussa alors un petit soupir et reposa sa tête sur le pont, en se roulant en boule.

— Je suppose que nous ne les reverrons plus avant longtemps, dit-il.

Laurence lui posa la main sur le cou. Cette deuxième séparation avait eu quelque chose de plus définitif que la première : sans bruit ni cérémonie, sans ce sentiment d'une aventure nouvelle sur le point de s'ouvrir, avec simplement l'équipage qui vaquait à ses tâches en silence, sans rien à voir hormis les longs milles bleutés de l'océan vide, route incertaine vers une destination plus incertaine encore.

— Cela passera plus vite que tu ne le crois, dit-il. Allons, reprenons ce livre là où nous l'avions laissé.

Livre II

6

Le beau temps se maintint pour la première fois depuis le début de leur voyage, avec cette propreté particulière de l'hiver : des eaux très sombres, un ciel sans nuages, et la température qui se réchauffait progressivement à mesure qu'ils descendaient vers le sud. Le travail ne manquait pas : il fallait remplacer les vergues endommagées, retendre les voiles, et leur allure augmenta de jour en jour tandis que le vaisseau se trouvait remis à neuf. Ils n'aperçurent que quelques petits navires marchands à l'horizon, qui gardèrent leurs distances, et une fois, minuscule au-dessus d'eux, un dragon messager qui filait en vol rectiligne : sans doute un Greyling, un courrier longue distance, mais si loin que même Téméraire fut incapable de dire s'ils le connaissaient ou non.

Les gardes chinois avaient fait leur apparition dès l'aube, le premier jour de l'arrangement, derrière une large bande de peinture qui leur réservait une portion du pont d'envol à bâbord ; en dépit de l'absence d'armes visibles, ils se postèrent comme pour monter la garde, aussi raides et imperturbables que des fusiliers en défilé, par groupes de trois. Les marins avait eu vent de la querelle, qui s'était déroulée suffisamment près des fenêtres de poupe pour être entendue depuis le pont, et se sentaient naturellement enclins à prendre parti contre les gardes ; à plus forte raison contre les responsables de la délégation chinoise, auxquels ils lançaient des regards acerbes.

Laurence, pour sa part, commençait à discerner des différences individuelles entre les Chinois, du moins entre ceux qui choisissaient de sortir sur le pont. Parmi les plus jeunes, certains manifestaient un réel enthousiasme pour la mer ; ils se tenaient tout contre la rambarde bâbord pour mieux profiter des embruns chaque fois que l'*Allegiance* s'enfonçait dans une vague. L'un d'eux, du nom de Li Honglin, se montrait particulièrement audacieux, au point d'imiter les habitudes de certains aspirants en grimpant aux vergues malgré ses vêtements inappropriés : les pans de sa robe risquaient de se prendre dans les cordages, et les semelles de ses bottines noires paraissaient trop épaisses pour adhérer au bois, contrairement aux pieds nus ou aux minces chaussons des marins. Ses compatriotes s'alarmaient grandement de le voir faire, et lui criaient avec de grands gestes de redescendre sur le pont.

Les autres prenaient l'air de manière plus tranquille, en restant bien à l'intérieur des limites ; ils apportaient souvent des tabourets bas sur lesquels ils s'asseyaient, et discutaient entre eux dans leur langue étrangement mélodieuse que Laurence ne parvenait même pas à décomposer en phrases ; le chinois lui paraissait totalement impénétrable. Mais, malgré l'impossibilité de tout échange direct, il en vint rapidement à penser que la plupart des suivants n'éprouvaient pas de franche hostilité envers les Britanniques : ils se montraient uniformément courtois, du moins dans l'expression et le geste, et multipliaient les courbettes au gré de leurs déplacements.

Ils n'omettaient ce genre de politesses que lorsqu'ils se trouvaient en présence de Yongxing : dans ces cas-là, ils suivaient son exemple et cessaient de s'incliner ou d'esquisser le moindre geste à l'adresse des aviateurs britanniques, et se déplaçaient comme s'ils étaient seuls à bord. Mais le prince sortait rarement sur le pont ; sa cabine aux larges fenêtres était suffisamment spacieuse pour qu'il n'ait pas besoin de se dégourdir les jambes à l'extérieur. Son principal objectif semblait de froncer les sourcils en contemplant Téméraire, lequel ne se formalisait guère de ces inspections, car la plupart du temps il dormait : il n'était pas encore remis de sa blessure et somnolait quasiment toute la journée, couché là dans la plus profonde inertie, faisant parfois courir un petit grondement à travers le pont par un énorme bâillement, indifférent à la vie du vaisseau qui se déroulait autour de lui.

Liu Bao (le doyen des envoyés, qui avait failli tomber à l'eau lors de l'embarquement) n'effectuait même pas de brèves visites comme celles-ci, mais demeurait cloîtré dans ses appartements : en permanence, à ce qu'il semblait ; personne ne l'avait vu pointer le bout de son nez depuis le départ, bien qu'on l'eût installé dans la cabine sous la dunette et qu'il n'eût qu'à pousser sa porte pour sortir sur le pont. Il ne descendait même pas prendre ses repas ou s'entretenir avec Yongxing, et seuls quelques serviteurs faisaient la navette en trottinant entre ses quartiers et la cuisine, une ou deux fois par jour.

Sun Kai, au contraire, passait le plus clair de ses journées dehors ; il prenait l'air après chaque repas et demeurait sur le pont pendant de longues heures. Lorsque Yongxing venait les rejoindre, Sun Kai ne manquait jamais de s'incliner profondément devant le prince, avant de s'écarter discrètement, sans se mêler à la nuée des serviteurs ; les discussions étaient rares entre eux. Sun Kai s'intéressait beaucoup à la vie du vaisseau, ainsi qu'à sa construction ; il se montrait particulièrement fasciné par les exercices aux grandes pièces.

Exercices que Riley s'était vu contraint d'espacer plus qu'il ne l'aurait voulu, Hammond ayant fait valoir que l'on ne pouvait continuellement déranger le prince ; si bien que, le plus souvent, les hommes devaient s'entraîner à servir les canons sans tirer, et ne s'adonnaient qu'occasionnellement au fracas et à la fureur d'un exercice de tir réel. Dans les deux cas, Sun Kai apparaissait toujours à l'instant où le tambour commençait à gronder, s'il ne se trouvait pas déjà sur le pont, et suivait attentivement la manœuvre du début à la fin, sans ciller devant les énormes détonations et le recul. Il prenait bien garde à ne pas se mettre en travers du chemin tandis que l'équipage accourait sur le pont d'envol afin de servir les quelques pièces qui s'y trouvaient, et à partir de la deuxième ou de la troisième fois, les hommes cessèrent de lui prêter attention.

Lorsqu'il n'y avait pas d'exercice en cours, il examinait de près les canons les plus proches. Ceux qui se trouvaient sur le pont d'envol étaient des caronades à canon court, de gros quarante-deux livres, moins précis que les canons longs, mais avec beaucoup moins de recul, de sorte qu'ils nécessitaient moins de place. Sun Kai était captivé par l'affût fixe, en particulier, qui permettait au tube massif de coulisser d'avant en arrière pour absorber le recul. Il ne semblait pas juger grossier d'observer les hommes à la manœuvre, aviateurs ou marins, même s'il ne comprenait pas un mot de ce qu'ils disaient ; et il étudiait l'*Allegiance* avec le plus grand intérêt. Laurence le vit souvent se pencher par-dessus la rambarde pour observer la ligne blanche de la quille et dessiner des croquis sur le pont pour tenter d'analyser sa construction.

Néanmoins, en dépit de sa curiosité manifeste, il ne se départissait ni de sa réserve, qui n'était pas qu'une apparence, ni de sa mine austère ; son examen était plus intense qu'enthousiaste, tenait moins de la passion d'un érudit que d'une question d'industrie et de diligence, et son comportement n'avait rien d'avenant. Hammond, sans se décourager, avait hasardé quelques ouvertures, accueillies poliment, mais sans chaleur. À Laurence, témoin de ses tentatives, il semblait douloureusement évident que Sun Kai n'avait aucune envie d'engager la conversation : on ne voyait pas la moindre trace d'émotion sur son visage à l'approche ou au départ de Hammond, aucun sourire ni froncement de sourcils, rien qu'un masque de courtoisie et de retenue.

Même si la discussion avait été possible, Laurence ne pensait pas qu'il aurait essayé de lier connaissance, pas après l'exemple de Hammond ; Sun Kai aurait certainement tiré bénéfice de quelques conseils dans son examen du vaisseau, ce qui aurait pu offrir un sujet de conversation idéal. Mais le tact l'interdisait autant que la barrière du langage, si bien que, pour le moment, Laurence se contentait d'observer.

À Madère, ils firent de l'eau et reconstituèrent leur bétail largement mis à mal par la visite de la formation, mais ne s'attardèrent pas au port.

— Tous ces changements de voile n'ont pas été sans objet. Je commence à mieux cerner ce qui lui convient, dit Riley à Laurence. Cela ne vous ennuie pas de passer Noël en mer ? Je voudrais mettre le navire à l'épreuve et voir si je peux l'amener à sept nœuds.

Ils s'éloignèrent majestueusement des routes de Funchal, avec un grand étalage de voiles, et l'expression jubilatoire de Riley annonça que ses espoirs de vitesse n'avaient pas été déçus avant même qu'il annonçât :

— Huit nœuds, ou quasiment ; que dites-vous de cela ?

— Je vous félicite sincèrement, dit Laurence. Je ne l'aurais pas cru possible ; cela fonctionne remarquablement.

Leur pointe de vitesse lui fit éprouver une curieuse sensation de regret, totalement nouvelle pour lui. En tant que capitaine, il s'était rarement laissé aller à pousser son vaisseau jusqu'à la limite, estimant peu convenable de faire preuve d'imprudence avec la propriété du roi. Mais, comme n'importe quel marin, il aimait voir son vaisseau marcher le mieux possible. Normalement, il aurait dû partager le plaisir de Riley sans état d'âme, et sans même jeter un coup d'œil à la petite île en train de disparaître dans leur dos.

Riley avait invité Laurence et plusieurs officiers du bord à dîner, afin de célébrer le record de vitesse établi par le vaisseau. Comme pour le punir, un grain surgi de nulle part se leva pendant le repas tandis que le jeune lieutenant Beckett était de quart : le pauvre aurait pu faire le tour du monde six fois de suite et sans escale si les vaisseaux étaient régis exclusivement par des principes mathématiques, mais il donnait toujours les ordres les plus calamiteux par gros temps. Il y eut une folle ruée à l'extérieur dès que l'*Allegiance* s'enfonça sous eux, piquant du nez en protestant, et l'on entendit Téméraire pousser un grognement surpris ; même ainsi, le vent faillit emporter le perroquet de misaine avant que Riley et Purbeck pussent regagner le pont et redresser la situation.

L'orage se calma aussi brusquement qu'il avait éclaté. Les nuages noirs se dispersèrent, laissant derrière eux un ciel bleu nacré de rose ; la houle retomba à une hauteur confortable, quelques pieds, que l'*Allegiance* marqua à peine ; et tandis qu'il restait suffisamment de jour pour lire sur le pont d'envol, un groupe de Chinois sortit : plusieurs serviteurs, ayant fait franchir sa porte à Liu Bao, le portèrent à travers le pont jusqu'au gaillard d'avant et au pont d'envol. Le vieil émissaire avait beaucoup changé depuis sa dernière apparition. Il avait perdu au moins cinq ou six kilos, et son teint avait pris une coloration verdâtre sous sa barbe et ses joues flasques ; il paraissait si malheureux que Laurence ne put s'empêcher de se sentir désolé pour lui. Les serviteurs lui avaient apporté un fauteuil ; on l'installa dedans, le visage tourné face à la brise humide, mais il ne parut guère revigoré pour autant et lorsque l'un des suivants lui tendit une assiette de nourriture, il l'écarta d'un geste.

— Crois-tu qu'il va se laisser mourir de faim ? s'enquit Téméraire, plus par curiosité que sous l'impulsion d'une inquiétude réelle.

— J'espère que non ; bien qu'il soit un peu âgé pour prendre la mer pour la première fois, répondit Laurence d'un air absent. (Il se redressa sur son fauteuil et fit un signe.) Dyer, allez trouver M. Pollitt et demandez-lui s'il veut avoir la bonté de monter un moment.

Dyer revint peu de temps après, suivi du chirurgien qui soufflait derrière lui en se hissant maladroitement sur le pont. Pollitt avait servi sous les ordres de Laurence à deux reprises ; il ne s'embarrassa pas de cérémonie et se laissa tomber dans un fauteuil en demandant simplement :

— Eh bien, monsieur, est-ce encore votre jambe ?

— Non, merci, M. Pollitt ; je me rétablis joliment, mais je me fais du souci pour la santé de ce gentilhomme chinois. (Laurence lui indiqua Liu Bao et Pollitt, secouant la tête, émit l'opinion que s'il continuait à perdre du poids à ce rythme, il atteindrait tout juste l'équateur.) Je suppose que, n'étant pas habitués aux longs voyages, ils ne doivent pas connaître de remède contre un mal de mer de cette virulence. Pourriez-vous concocter quelque chose pour lui ?

— Ma foi, il n'est pas mon patient, et je ne voudrais pas être accusé d'ingérence ; je suppose que leurs médecins ne doivent pas considérer cela d'un meilleur œil que nous, s'excusa Pollitt. En tout état de cause, je crois que je lui prescrirais un régime à base de biscuits du bord. L'estomac le plus fragile s'accommode du biscuit, et qui sait le genre de cuisine étrangère qu'il s'est fourré dans l'estomac. Quelques biscuits et peut-être un vin léger devraient le remettre d'aplomb, j'en suis sûr.

Naturellement, Liu Bao était accoutumé depuis toujours à la cuisine étrangère en question, mais Laurence ne vit rien à reprocher à ce conseil et plus tard, dans la soirée, il fit envoyer un gros paquet de biscuits, soigneusement tapotés par des Roland et Dyer dégoûtés d'en faire sortir les charançons, ainsi que le vrai sacrifice, trois bouteilles d'un riesling particulièrement pétillant : très léger, presque vaporeux en fait, acheté au prix de six shillings et trois pence la pièce à un marchand de vin de Portsmouth.

Laurence éprouva une drôle de sensation en donnant ses ordres ; il voulait croire qu'il n'eût pas agi différemment dans d'autres circonstances, mais il entrait là-dedans plus de calcul que de sollicitude, et cela jetait sur son geste une ombre de malhonnêteté, de flatterie, qu'il ne pouvait pas tout à fait aimer ni approuver. Il concevait d'ailleurs quelques scrupules à tenter la moindre ouverture, après l'insulte que constituait la confiscation des navires de la Compagnie des Indes orientales, qu'il n'avait pas plus oubliée que les autres marins, lesquels continuaient à regarder les Chinois avec une sourde hostilité.

Mais il s'en excusa en aparté auprès de Téméraire ce soir-là, après avoir fait parvenir ses cadeaux à la cabine de Liu Bao.

— Après tout, ce n'est pas leur faute, pas plus que ce ne serait la mienne si le roi les traitait de façon similaire. Si notre propre gouvernement refuse de s'offusquer, on ne saurait les blâmer de prendre l'affaire avec tant de légèreté : *eux*, au moins, n'ont pas tenté de dissimuler l'incident ou de mentir sur la question.

Même en disant cela, il n'était pas entièrement convaincu. Il n'avait pourtant pas d'autre choix ; il n'avait pas l'intention de rester assis là, les bras croisés, ni de s'en remettre à Hammond : le diplomate avait beau être intelligent et habile, Laurence savait désormais qu'il ne ferait guère d'efforts pour tenter de garder Téméraire. À ses yeux, le dragon n'était qu'un argument de négociation. Il n'avait pas le moindre espoir de persuader Yongxing, mais s'il existait une chance de gagner les autres membres de l'ambassade à sa cause, de bonne foi, il entendait bien essayer ; et tant pis s'il devait sacrifier un peu de son amour-propre pour cela.

Le geste se révéla payant : Liu Bao avait l'air moins

misérable quand il émergea de sa cabine le lendemain, et le surlendemain il se sentait suffisamment bien pour envoyer le traducteur convier Laurence à le rejoindre de leur côté du pont. Il avait retrouvé quelques couleurs, et semblait grandement soulagé. Il était accompagné de l'un de leurs cuisiniers : les biscuits, semblait-il, avaient fait merveille, agrémentés d'une pointe de gingembre sur les recommandations de son propre médecin, et Liu Bao désirait ardemment en connaître la recette.

— Ma foi, ils se composent principalement de farine et d'eau, mais je ne pourrais vous en dire plus, je le crains, s'excusa Laurence. Nous ne les préparons pas à bord, voyez-vous ; mais je vous assure que nous en avons en quantité suffisante pour faire deux fois le tour du monde, monsieur.

— Une fois me suffit largement, rétorqua Liu Bao. Je suis trop vieux pour voyager si loin de chez moi et me faire ballotter ainsi par les vagues. Depuis que nous avons embarqué, je n'avais rien pu avaler en dehors de quelques crêpes, jusqu'à ces biscuits ! Mais, ce matin, j'ai réussi à prendre un peu de poisson, et je n'ai pas été malade. Je vous en suis très reconnaissant.

— Heureux d'avoir pu vous rendre service, monsieur ; il est certain que vous semblez vous porter beaucoup mieux.

— C'est très aimable à vous, même si ce n'est pas entièrement vrai, dit Liu Bao. (Il tendit le bras d'un air désabusé et l'agita, secouant la manche de sa robe.) J'aurais besoin d'engraisser quelque peu avant de redevenir l'homme que j'étais.

— Si vous n'y voyez pas d'inconvénient, monsieur, puis-je vous inviter à dîner ce soir ? proposa Laurence, voyant dans cette boutade un geste d'ouverture suffisant. Nous célébrons Noël, et tous mes officiers seront présents ; vous seriez le bienvenu, ainsi que ceux de vos compatriotes qui voudront se joindre à vous.

Ce dîner s'avéra beaucoup plus réussi que le précédent. Granby était toujours à l'infirmerie, avec interdiction d'avaler une nourriture riche, mais le lieutenant Ferris était bien résolu à saisir cette opportunité de faire bonne impression, et dans toutes les directions qui s'offraient. C'était un jeune officier plein d'énergie, tout récemment promu au rang de capitaine des hommes d'échine de Téméraire à la suite d'un bel abordage qu'il avait conduit à Trafalgar. D'ordinaire, il se serait écoulé au moins un an, et plus vraisemblablement deux ou trois, avant qu'il ne puisse espérer devenir second lieutenant de plein droit, mais le pauvre Evans ayant été renvoyé dans ses foyers, Ferris l'avait remplacé au pied levé, et espérait manifestement conserver cette position.

Au matin, Laurence l'avait surpris – non sans amusement – en train de sermonner les aspirants sur la nécessité de se comporter à table d'une manière civilisée, et de ne pas rester assis comme des lourdauds. Laurence le soupçonnait même de leur avoir fourni quelques anecdotes, car, à plusieurs reprises durant le repas, il jeta un regard lourd de signification à l'un ou l'autre des garçons, et chaque fois sa cible se hâtait de terminer son vin avant de se lancer dans une histoire fort peu crédible de la part d'un officier aussi jeune.

Sun Kai accompagna Liu Bao, mais, comme d'habitude, il se comporta plus en observateur qu'en invité. Liu Bao, cependant, ne manifesta aucune réserve de ce genre ; il était clairement venu dans l'intention de s'amuser. Il aurait d'ailleurs fallu un tempérament bien austère pour résister au cochon de lait, rôti à la broche depuis le matin et qui luisait sous son glacis de beurre et de crème. Aucun d'eux ne refusa un deuxième service, et Liu Bao se montra également plein d'éloges sur l'oie rissolée à point, magnifique spécimen acquis tout spécialement pour l'occasion à Madère, et qui était encore grasse et tendre au moment de son abattage, contrairement à la volaille qu'on mangeait habituellement en mer.

Les efforts des officiers pour animer la conversation portèrent leurs fruits, si hésitants et maladroits que fussent certains des jeunes messieurs ; Liu Bao avait un rire généreux, facilement provoqué, et il les régala de nombreuses anecdotes de son cru, principalement des mésaventures de chasse. Seul le pauvre traducteur était malheureux, car il ne cessait de trottiner d'un bout à l'autre de la table, passant alternativement de l'anglais au chinois et du chinois à l'anglais ; depuis le début ou presque, l'atmosphère fut radicalement différente, tout à fait affable.

Sun Kai demeura discret, écoutant plus qu'il ne parlait, et Laurence se demanda s'il s'amusait vraiment. Il continuait à se sustenter à sa manière frugale tout en buvant fort peu, même si Liu Bao, qui semblait pour sa part avoir une « solide descente », le gourmandait de temps à autre avec bonne humeur et lui remplissait son verre à ras bord. Mais lorsqu'on apporta cérémonieusement le grand pudding flambé de Noël surmonté de flammèches bleues, sous les applaudissements communs, et qu'on entreprit de le découper, de le servir et de le goûter, Liu Bao se tourna et lui dit :

— Vous êtes parfaitement ennuyeux, ce soir. Tenez, chantez-nous donc *Le Dur Chemin* : c'est le poème qui convient à ce voyage !

En dépit de sa réserve, Sun Kai s'exécuta sans faire de manières ; il s'éclaircit la gorge et récita :

Le vin pur coûte, à la coupe dorée, dix mille cuivres la bonbonne,

Et une assiette en jade de viande délicate un million de sous.

J'écarte pourtant ma coupe et ma viande, car je ne peux rien avaler ni boire...

Je lève mes griffes vers le ciel, je plisse les yeux aux quatre vents, vainement.

Je voudrais franchir le fleuve Jaune, mais j'ai les membres pris dans la glace ;

Je voudrais survoler les monts Tai-Hang, mais la neige aveugle le ciel.

Je voudrais m'asseoir paresseusement au bord de l'eau et contempler la carpe dorée...

Mais je rêve soudain de traverser les vagues, de naviguer dans le soleil...

Voyager est bien dur,

Voyager est bien dur.
Il y a de nombreuses voies…
Laquelle vais-je emprunter ?
Je prendrai un grand vent un beau jour et crèverai la voûte des nuages,
Et je battrai des ailes avec vigueur pour traverser la vaste mer.

Les rimes ou la cadence de ce poème, s'il y en avait, n'étaient malheureusement pas rendues par la traduction, mais les aviateurs approuvèrent et applaudirent son contenu comme un seul homme.

— Est-ce de vous, monsieur ? s'enquit Laurence avec intérêt. Je ne crois pas avoir jamais entendu un poème composé du point de vue d'un dragon.

— Non, non, répondit Sun Kai. C'est l'œuvre de l'honorable Lung Li Po, de la dynastie des Tang. Je ne suis qu'un piètre érudit, et mes vers ne sont pas dignes d'être partagés en compagnie.

Il se montra plus qu'heureux, en revanche, de leur réciter divers autres textes de poètes classiques, tous appris visiblement par cœur, avec une mémoire que Laurence jugea rien moins que prodigieuse.

Les invités finirent par se retirer dans les termes les plus harmonieux qui fussent, ayant soigneusement évité le sujet de la souveraineté britannique ou chinoise concernant les navires ou les dragons.

— J'ose dire que ce dîner a été un succès, déclara Laurence après coup, en savourant un café sur le pont d'envol tandis que Téméraire dévorait son mouton. Ce ne sont pas des convives aussi guindés que je le redoutais, en fin de compte, et je suis très satisfait de Liu Bao ; j'ai navigué à bord de nombreux vaisseaux où je ne dînais pas en aussi plaisante compagnie.

— Ma foi, je suis content que tu aies passé une bonne soirée, dit Téméraire en mâchonnant un tibia d'un air songeur. Voudrais-tu me redire ce poème encore une fois ?

Laurence dut solliciter tous ses officiers pour tenter de reconstituer le poème ; ils y travaillaient encore le lendemain matin, quand Yongxing sortit prendre l'air, et le prince les entendit massacrer la traduction ; après plusieurs tentatives supplémentaires de leur part, il fronça les sourcils, se tourna vers Téméraire et lui récita le poème.

Yongxing s'exprimait en chinois, sans traduction ; pourtant, après une seule audition, Téméraire fut capable de lui répéter les vers dans la même langue, apparemment sans la moindre difficulté. Ce n'était pas la première fois que Laurence était impressionné par les capacités linguistiques de Téméraire : comme tous les dragons, celui-ci avait appris à parler au cours de sa longue maturation dans sa coquille, mais contrairement à la plupart d'entre eux, il avait déjà été exposé à trois langues différentes, et de toute évidence il se rappelait même celle qui avait sans doute été sa première.

— Laurence ! dit Téméraire en tournant la tête vers lui, tout excité, après avoir échangé quelques mots de plus en chinois avec Yongxing. Il prétend que ce poème a été composé par un dragon, et non par un homme.

Laurence, encore abasourdi de voir que Téméraire maîtrisait le chinois, cligna des yeux en apprenant cette information.

— La poésie me paraît une drôle d'occupation pour un dragon, mais je suppose que si tous les dragons chinois apprécient la lecture autant que toi, il n'est guère étonnant que l'un d'entre eux se soit essayé à taquiner la muse.

— Je me demande comment il a fait pour l'écrire, dit pensivement Téméraire. J'aimerais bien essayer, mais je ne pense pas que je sois capable de tenir une plume.

Il leva la patte avant pour examiner d'un air dubitatif ses cinq doigts griffus.

— Je serais heureux d'écrire sous ta dictée, lui dit Laurence, amusé par l'idée. J'imagine que c'est ainsi qu'il a dû s'y prendre.

Il n'y repensa que deux jours plus tard, quand il remonta sur le pont la mine grave et inquiète après être resté un long moment à l'infirmerie : une fièvre tenace avait repris Granby et ce dernier gisait, pâle et à demi conscient, ses yeux bleus fixés sur un point du plafond, les lèvres entrouvertes et parcheminées. Il n'avalait qu'un peu d'eau et, lorsqu'il parlait, ses propos étaient vagues et confus. Pollitt avait refusé de se prononcer, se contentant de hocher la tête.

Ferris se tenait anxieusement au bas des marches du pont d'envol, à l'attendre ; en voyant son expression, Laurence pressa le pas en dépit de sa jambe récalcitrante.

— Monsieur, lui dit Ferris, je ne savais pas quoi

faire ; le prince parle avec Téméraire depuis le début de la matinée, et nous n'avons pas la moindre idée de ce qu'il lui raconte.

Laurence gravit l'escalier aussi vite qu'il put et découvrit Yongxing installé sur le pont dans un fauteuil, en train de converser en chinois avec Téméraire ; le prince s'exprimait d'une voix lente et forte, détachant bien les syllabes, en corrigeant la prononciation de Téméraire au fur et à mesure ; il avait apporté également plusieurs feuilles de papier, sur lesquelles il avait peint à grands traits quelques-uns de leurs caractères étranges. Téméraire paraissait fasciné ; tout entier absorbé par la discussion, il fouettait l'air avec sa queue, comme chaque fois qu'il était particulièrement excité.

— Laurence, regarde, voici comment ils écrivent « dragon », dit Téméraire quand il l'aperçut, en lui faisant signe d'approcher.

Laurence contempla docilement le dessin d'un regard froid ; à ses yeux, cela n'évoquait rien de plus que les traces laissées parfois sur une plage sablonneuse après la marée, même lorsque Téméraire lui eut pointé du doigt la partie du symbole qui représentait les ailes, puis le corps du dragon.

— Ont-ils donc une seule lettre pour le mot entier ? s'étonna Laurence, dubitatif. Comment cela se prononce-t-il ?

— Cela se dit *lung*, répondit Téméraire, comme dans mon nom chinois, Lung Tien Xiang. Et *tien* désigne les Célestes, ajouta-t-il fièrement en indiquant un autre symbole.

Yongxing les observait tous les deux, le visage impassible, mais Laurence crut discerner une lueur de triomphe dans ses yeux.

— Je me réjouis de te voir aussi agréablement occupé, dit Laurence à Téméraire. (Puis, se tournant vers Yongxing, il s'inclina délibérément avant de s'adresser à lui sans y avoir été invité.) Vous êtes trop bon, monsieur, de vous donner tant de mal.

Yongxing lui répondit avec raideur :

— Je le considère comme un devoir. L'étude des classiques est la voie qui mène à la compréhension.

Ses manières n'avaient rien d'engageant, mais, puisqu'il avait choisi d'ignorer la ligne de démarcation en s'adressant à Téméraire, Laurence pouvait considérer sa démarche comme une forme d'invite et se sentir autorisé à engager la conversation. Que Yongxing approuvât ou non la hardiesse de Laurence, celle-ci ne découragea aucunement ses visites : chaque matin le trouva désormais installé sur le pont, à donner à Téméraire sa leçon quotidienne de mandarin, et à lui présenter d'autres échantillons de littérature chinoise pour aiguiser son appétit.

Dans un premier temps, Laurence n'éprouva qu'un peu d'irritation devant cette entreprise manifeste de subornation ; Téméraire n'avait jamais paru si gai depuis sa séparation d'avec Lily et Maximus, et, bien que Laurence n'en appréciât pas tous les aspects collatéraux, il ne pouvait que se féliciter que son dragon eût trouvé une nouvelle occupation mentale, alors que sa blessure le clouait sur le pont. Quant à l'idée que sa loyauté pût s'acheter par de telles cajoleries orientales,

Yongxing pouvait se bercer d'illusions si cela lui chantait ; Laurence était tranquille sur ce point.

Il ne pouvait néanmoins se défendre d'une sensation d'abattement à mesure que les jours s'écoulaient sans que Téméraire donnât le moindre signe de lassitude ; leurs propres livres étaient souvent négligés en faveur d'une récitation de tel ou tel poème classique, que Téméraire aimait apprendre par cœur puisqu'il ne pouvait ni les coucher sur le papier, ni même les lire. Laurence avait bien conscience de ne pas être un érudit ; selon lui, un après-midi agréable consistait à s'adonner aux plaisirs de la conversation, voire à écrire quelques lettres ou à parcourir un journal, s'il pouvait en dénicher un qui ne remontât pas à trop longtemps. Sous l'influence de Téméraire, il avait certes fini par apprécier la littérature bien plus qu'il ne l'eût jamais cru possible. Cependant, il lui était difficile de partager son enthousiasme pour des œuvres écrites dans un idiome auquel il n'entendait rien.

Il ne tenait pas à offrir à Yongxing la satisfaction de sa déconfiture, mais la situation ressemblait tout de même à une victoire du prince à ses dépens, en particulier lorsque Téméraire apprenait un nouveau poème et se rengorgeait sous les louanges rares et durement méritées de Yongxing. Laurence s'inquiétait également de voir le prince s'étonner, et souvent se réjouir au plus haut point, des progrès de son élève ; lui-même avait toujours considéré Téméraire comme un dragon exceptionnel, naturellement, mais il ne tenait pas à voir cette opinion partagée par le prince : ce dernier n'avait nul besoin d'une raison supplémentaire de désirer s'approprier Téméraire.

À titre de consolation, Téméraire repassait constamment à l'anglais, afin que Laurence ne se sentît pas exclu ; Yongxing se voyait donc obligé d'avoir avec ce dernier une conversation polie, sous peine de reperdre le terrain conquis. Pourtant, s'il en retirait une sorte de satisfaction mesquine, on ne pouvait dire que Laurence *appréciait* ces discussions. Toute communauté de vue éventuelle eût été réduite à néant devant une opposition aussi brutale que la leur. De toute façon, Laurence et le prince, c'était clair, n'avaient aucune affinité l'un avec l'autre.

Un matin, Yongxing se présenta sur le pont de très bonne heure, alors que Téméraire dormait encore ; et tandis que ses suivants lui apportaient son fauteuil, lui installaient un dais et disposaient à portée de sa main les rouleaux de papier qu'il avait l'intention de lire à Téméraire ce jour-là, le prince vint s'appuyer sur la main courante pour contempler l'océan. Ils naviguaient au cœur d'une splendide mer azurée, sans la moindre côte en vue, sous un vent frais et vif, et Laurence lui-même se tenait debout à l'avant pour savourer le spectacle : l'eau sombre qui s'étendait à l'infini jusqu'à l'horizon, des petites vagues qui se croisaient çà et là dans un moutonnement d'écume, et le navire solitaire sous la voûte incurvée du ciel.

— Seul le désert offre une vision de désolation aussi dépourvue d'intérêt, déclara Yongxing à brûle-pourpoint.

Laurence, qui était sur le point d'émettre une

remarque polie sur la beauté de la scène, en demeura muet, pantois, à plus forte raison quand Yongxing ajouta :

— Vous autres Britanniques êtes constamment en train de naviguer vers un nouvel endroit ; êtes-vous donc si malheureux dans votre propre pays ?

Il n'attendit pas de réponse, mais secoua la tête et se détourna, confirmant Laurence dans son impression qu'il aurait du mal à dénicher quelqu'un qui fût plus radicalement opposé à lui que le prince, sur n'importe quel sujet.

Le régime de Téméraire aurait dû être composé principalement de poisson, qu'il aurait pêché lui-même ; Laurence et Granby avaient compté là-dessus en calculant les provisions, vaches et moutons n'étant là que pour diversifier son alimentation, ainsi qu'en cas de mauvais temps, si Téméraire se retrouvait confiné à bord. Mais, empêché de voler par sa blessure, Téméraire ne pouvait pêcher et consommait donc leurs réserves de nourriture à une allure beaucoup plus rapide que prévue.

— Nous aurions longé la côte saharienne, de toute façon, pour ne pas courir le risque d'être refoulés jusqu'à Rio par les alizés, dit Riley. Nous n'aurons qu'à faire escale à Cape Coast le temps de nous réapprovisionner.

Il disait cela pour le consoler ; Laurence se contenta d'acquiescer et s'éloigna.

Le père de Riley possédait des plantations dans les Antilles, où il faisait travailler plusieurs centaines d'esclaves, tandis que celui de Laurence, ardent partisan de Wilberforce et de Clarkson, avait prononcé à la Chambre des lords plusieurs discours cinglants contre la traite ; en une occasion, il avait même mentionné nommément le père de Riley parmi une liste de gentilshommes esclavagistes qui, selon ses propres termes, « déshonoraient le nom de chrétien et ternissaient la personnalité et la réputation de leur pays ».

À l'époque, l'incident avait jeté un froid sur leurs relations : Riley était profondément attaché à son père, homme beaucoup plus chaleureux sur le plan personnel que lord Allendale, et naturellement il s'était offusqué de cet affront public. Laurence, sans éprouver d'affection particulière pour son propre père et plutôt fâché de se voir placé dans une situation aussi inconfortable, n'avait cependant pas jugé bon de lui présenter des excuses. Il avait grandi dans une maison envahie par les pamphlets et les ouvrages publiés par le comité de Clarkson et, alors qu'il n'avait que neuf ans, on l'avait emmené visiter un ancien navire négrier sur le point d'être démantelé ; il en avait fait des cauchemars pendant plusieurs mois, et la visite avait laissé une impression durable dans son jeune cerveau. Riley et lui n'avaient jamais vraiment fait la paix concernant cette affaire ; ils étaient simplement parvenus à une sorte de trêve tacite. Aucun d'eux n'avait plus jamais abordé la question, et ils évitaient scrupuleusement toute discussion concernant leurs pères respectifs. Laurence ne pouvait donc lui expliquer franchement sa répugnance à faire relâche dans un port négrier, en dépit de la gêne qu'il éprouvait à cette idée.

Au lieu de quoi, il demanda discrètement à Keynes si Téméraire se rétablissait bien, et s'il lui serait possible de voler de nouveau brièvement pour aller pêcher.

— Mieux vaudrait l'éviter, répondit le chirurgien avec réticence. (Laurence planta son regard dans le sien et finit par lui faire avouer que la blessure n'évoluait pas aussi bien qu'il l'aurait souhaité.) Les muscles sont encore tièdes au toucher, et il me semble palper une certaine tension sous la peau, admit Keynes. Il est beaucoup trop tôt pour s'inquiéter ; toutefois, je préfère ne pas prendre de risque : pas de vol pendant au moins deux semaines.

Cette conversation ne fit donc qu'ajouter aux soucis de Laurence. Il en avait pourtant suffisamment, en plus de la diminution des provisions et de l'escale désormais inévitable à Cape Coast. La blessure de Téméraire et la ferme opposition de Yongxing interdisant tout exercice en vol, les aviateurs étaient pratiquement désœuvrés, alors que les marins avaient été surchargés de travail par la remise en état du vaisseau ; s'était ensuivie une foule de problèmes malheureusement prévisibles.

Croyant offrir un peu de distraction à Roland et à Dyer, Laurence les avait appelés tous les deux sur le pont d'envol, peu après leur arrivée à Madère, pour faire le point sur leur travail scolaire. Ils l'avaient regardé avec une expression si coupable qu'il ne fut pas surpris de constater qu'ils avaient totalement négligé leurs études depuis qu'ils faisaient partie de son équipage : fort peu d'arithmétique, pas de mathématiques complexes ni de français, et lorsqu'il leur tendit le livre de Gibbon, qu'il avait apporté sur le pont dans l'intention de faire la lecture à Téméraire un peu plus tard, Roland trébucha tellement sur les mots que Téméraire dressa sa collerette et entreprit de la corriger de mémoire. Dyer s'en tira un peu mieux : lorsque vint son tour d'être interrogé, il connaissait au moins ses tables de multiplication, ainsi que quelques notions de grammaire ; Roland butait sur tout ce qui dépassait huit et s'avoua surprise d'apprendre que le discours comportait plusieurs éléments. Laurence n'eut plus à se demander comment les occuper ; il se reprocha seulement d'avoir été aussi laxiste vis-à-vis de leur instruction, et s'attela résolument à sa nouvelle mission de maître d'école.

Les cadets avaient toujours été les mascottes de l'équipage ; depuis la mort de Morgan, Roland et Dyer étaient encore plus dorlotés. Au début, les aviateurs s'amusèrent beaucoup de leurs difficultés quotidiennes avec les participes et les divisions. Mais bientôt, les aspirants de l'*Allegiance* se mirent à les railler ; dès lors, les enseignes prirent sur eux de répondre aux insultes, et quelques bagarres éclatèrent dans les coins sombres du vaisseau.

Au début, Laurence et Riley se divertirent à comparer les mauvaises excuses qu'on leur donnait pour toute une collection d'yeux pochés et de lèvres fendues. Mais ces petits incidents prirent une tournure plus sérieuse lorsque des hommes plus âgés commencèrent à avancer des explications de même nature : un profond ressentiment de la part des marins, fondé en grande partie sur un partage inégal des tâches ainsi que sur leur crainte de Téméraire, trouvait son expression dans des escarmouches quasi quotidiennes, qui ne concernaient plus uniquement les études de Roland et Dyer. De leur côté, les aviateurs prenaient ombrage de ce qu'ils considéraient comme une absence totale de reconnaissance de la valeur de Téméraire.

La première explosion grave eut lieu alors qu'ils entamaient leur virage à l'est, au large du cap des Palmes, en direction de Cape Coast. Laurence somnolait sur le pont d'envol, abrité du soleil par l'ombre de Téméraire ; il ne vit pas lui-même ce qui s'était passé, mais, réveillé en sursaut par un choc sourd, des cris soudains et des éclats de voix, il bondit sur ses pieds et découvrit les hommes en cercle. Martin empoignait Blythe, l'aide-armurier, par le bras ; l'un des officiers de Riley, un aspirant plus âgé, gisait de tout son long sur le pont, et lord Purbeck criait depuis la dunette :

— Mettez-moi cet homme aux fers, Cornell, sur-le-champ.

Téméraire leva la tête aussitôt et rugit : sans soulever de vent divin, fort heureusement, mais avec un craquement de tonnerre qui fit reculer l'ensemble des hommes, dont beaucoup blêmirent.

— Aucun membre de mon équipage ne sera mis en prison, gronda-t-il rageusement, en fouettant l'air avec sa queue.

Il se dressa en déployant ses ailes, et tout le navire vibra : le vent soufflait de la côte saharienne, sur l'arrière du mât, et les ailes de Téméraire faisaient office de voile indépendante contraire.

— Téméraire ! Cesse immédiatement ; immédiatement, tu m'entends ? aboya Laurence. (Il ne lui avait jamais parlé sur ce ton, du moins pas depuis les premières semaines de son existence, et Téméraire se laissa retomber sur le pont, médusé, en repliant ses ailes d'instinct.) Purbeck, laissez-moi le soin de m'occuper de mes hommes, je vous prie. En arrière, capitaine d'armes, dit Laurence en donnant vivement ses ordres (il n'avait aucune intention de laisser la situation se dégrader davantage, ou se changer en confrontation ouverte entre les aviateurs et les marins). Monsieur Ferris, emmenez Blythe en bas et mettez-le aux arrêts.

— À vos ordres, monsieur, dit Ferris, qui fendit la foule en repoussant les aviateurs derrière lui, séparant les groupes d'hommes en colère avant même d'atteindre Blythe.

Le regardant faire d'un œil sévère, Laurence ajouta d'une voix forte :

— Monsieur Martin, dans ma cabine, tout de suite. Retournez au travail, vous autres ; monsieur Keynes, venez par ici.

Il demeura sur place un moment encore, puis se jugea satisfait ; tout danger immédiat était écarté. Il se détourna de la rambarde, se fiant à la discipline de l'équipage pour disperser le reste de la foule. Mais Téméraire, aplati au ras du pont, le regardait avec une expression de surprise maussade ; Laurence tendit la main vers lui et tressaillit en le voyant amorcer un mouvement de recul : sans le mettre hors de portée, l'impulsion avait été clairement marquée.

— Pardonne-moi, dit Laurence en laissant retomber sa main, la gorge nouée. Téméraire…, commença-t-il avant de s'interrompre. (Il ne savait que dire, sinon qu'il ne pouvait le laisser se comporter ainsi : Téméraire aurait pu occasionner de sérieux dégâts au navire, et s'il persistait dans cette attitude, l'équipage aurait trop peur de lui pour accomplir son travail.) Tu ne t'es pas fait mal ? demanda-t-il à la place, tandis que Keynes accourait vers eux.

— Non, répondit Téméraire très doucement. Je me sens parfaitement bien.

Il se soumit à l'examen en silence, puis Keynes déclara que son accès de colère ne lui avait pas porté préjudice.

— Je dois aller voir Martin, dit Laurence, toujours désemparé.

Téméraire ne répondit pas mais s'enroula sur lui-même en rabattant ses ailes au-dessus de sa tête ; après un long moment, Laurence quitta le pont et descendit.

La cabine était confinée, brûlante en dépit des fenêtres ouvertes, ce qui n'était pas pour améliorer l'humeur de Laurence. Martin y faisait nerveusement les cent pas ; il avait l'air négligé avec ses frusques de temps chaud, sa barbe de deux jours et ses joues rouges, ses cheveux trop longs qui lui tombaient sur les yeux. Ne percevant pas à quel point Laurence était en colère, il libéra un flot de paroles dès qu'il le vit entrer.

— Je suis affreusement désolé ; tout est ma faute. Je n'aurais rien dû dire, déclara-t-il tandis que Laurence clopinait jusqu'à son fauteuil et s'y asseyait lourdement. Blythe ne mérite pas d'être puni, Laurence.

Laurence était accoutumé à l'absence de formalisme entre les aviateurs, et, en temps normal, il n'aurait même pas relevé cette familiarité. Mais, en la circonstance, le laisser-aller de Martin semblait si incongru que Laurence se renversa en arrière et le fixa, visiblement offensé. Martin pâlit sous ses taches de rousseur, déglutit et s'empressa de rectifier :

— C'est-à-dire, capitaine, monsieur.

— Je ferai ce que je dois pour maintenir l'ordre parmi cet équipage, monsieur Martin, ce qui dépassera, semble-t-il, ce que j'avais cru nécessaire, dit Laurence en évitant, au prix d'un gros effort, de hausser la voix (il fulminait). Racontez-moi ce qui s'est passé.

— Je ne voulais pas, dit Martin, dompté. Ce gars, Reynolds, avait lâché des remarques toute la semaine, et Ferris nous avait dit de ne pas lui prêter attention, mais je marchais devant lui, et il a dit…

— Je ne vous demande pas de moucharder, le coupa Laurence. Je veux savoir ce que vous avez fait.

— Oh ! fit Martin en rougissant. Je lui ai seulement dit – enfin, je lui ai répondu quelque chose, que je préfère ne pas répéter ici ; et puis, il a…

Martin s'interrompit, se demandant visiblement comment continuer son récit sans paraître accuser Reynolds une nouvelle fois, puis il acheva faiblement :

— Quoi qu'il en soit, monsieur, il était sur le point

de me défier, et c'est alors que Blythe l'a assommé, parce qu'il savait que je ne pouvais pas me battre et qu'il ne voulait pas me voir refuser en présence des marins ; vraiment, monsieur, c'est ma faute, et non la sienne.

— Nous sommes au moins d'accord sur ce point, déclara brutalement Laurence. (Dans sa colère, il se réjouit de voir Martin rentrer les épaules, comme s'il avait reçu un coup.) Et quand je ferai fouetter Blythe dimanche pour avoir frappé un officier, j'espère que vous aurez à l'esprit que c'est votre manque de sang-froid qu'il sera en train de payer. Rompez ; vous êtes confiné sous le pont et dans vos quartiers pour une semaine, sauf en cas d'appel des consignés.

Les lèvres de Martin remuèrent et un « À vos ordres, monsieur » en sortit faiblement. Il quitta la cabine en titubant presque. Laurence resta assis sans bouger, le souffle court, haletant dans l'air épais ; sa colère l'abandonna lentement malgré tous ses efforts, cédant la place à un sentiment d'oppression amère, pesante. Blythe n'avait pas simplement sauvé la réputation de Martin, mais celle de tous les aviateurs ; si Martin avait ouvertement refusé un défi devant tout l'équipage, leur bravoure à tous s'en serait trouvée ternie ; et peu importait que le duel leur fût interdit par le règlement des Corps.

Pourtant, l'affaire ne lui laissait aucune marge d'indulgence. Blythe avait frappé un officier devant témoins ; Laurence allait devoir le condamner à une peine assez lourde pour satisfaire les marins et donner à réfléchir à tous ceux qui pourraient être tentés de l'imiter à l'avenir. Et la punition serait infligée par l'aide-bosco : un marin, qui saisirait vraisemblablement l'occasion de se montrer sévère avec un aviateur, surtout pour un tel délit.

Il allait devoir parler à Blythe ; mais, avant même qu'il puisse se lever, on frappa à sa porte et Riley entra, sans sourire, en habit et le chapeau sous le bras, le foulard impeccablement noué.

7

Ils approchèrent de Cape Coast une semaine plus tard dans une atmosphère générale de mauvaise volonté tenace, aussi palpable que la chaleur. Blythe était tombé malade à la suite de son châtiment brutal ; il gisait toujours sans connaissance à l'infirmerie, tandis que ses compagnons se relayaient à son chevet pour éventer ses plaies sanglantes et lui faire boire un peu d'eau. Ayant pris la mesure de l'humeur de Laurence, les aviateurs n'exprimaient pas leur ressentiment vis-à-vis des marins par des paroles ou des actes, mais en leur lançant des regards noirs, maussades, en murmurant entre eux et en se taisant abruptement dès qu'un matelot s'approchait suffisamment pour pouvoir les entendre.

Laurence n'avait plus dîné dans la grande cabine depuis l'incident. Riley avait pris ombrage de voir Purbeck réprimandé sur le pont ; Laurence, de son côté, s'était agacé de son intransigeance lorsque Riley lui avait clairement exprimé que les douze coups de fouet auxquels il avait condamné Blythe ne le satisfaisaient pas. Dans la chaleur de la discussion, Laurence avait laissé échapper une allusion à ce qu'il pensait de leur escale dans un port négrier, Riley s'en était offusqué et leur entretien s'était achevé, non pas dans les cris, mais dans une formalité glaciale.

Pire encore, le moral de Téméraire était au plus bas. Il avait pardonné à Laurence d'avoir haussé le ton contre lui et compris la nécessité d'une sanction. Mais cela ne l'avait pas réconcilié pour autant avec le châtiment lui-même, et durant la flagellation, il avait poussé un grondement féroce quand Blythe avait crié, vers la fin. Il en était sorti quelque chose : l'aide-bosco, Hingley, qui maniait le chat avec une vigueur inhabituelle, s'en était alarmé, et ses deux derniers coups avaient été moins forts ; mais les dégâts étaient déjà faits.

Depuis, Téméraire demeurait sombre et silencieux, ne répondait que par monosyllabes et s'alimentait fort mal. Les marins, pour leur part, étaient aussi mécontents de la légèreté du châtiment que les aviateurs de sa brutalité ; le pauvre Martin, affecté au tannage des peaux avec le maître de harnais en guise de punition, était dévoré par la culpabilité et passait tout son temps libre au chevet de Blythe. La seule personne à se réjouir de cette situation était Yongxing, qui en profita pour tenir de longues conversations en chinois avec Téméraire, en aparté, car Téméraire ne faisait plus aucun effort pour inclure Laurence.

Yongxing parut moins satisfait, cependant, à la fin de l'une de ces discussions : Téméraire siffla, hérissa sa collerette et faillit renverser Laurence en s'enroulant jalousement autour de lui.

— Que t'a-t-il raconté ? voulut savoir Laurence,

s'efforçant futilement de jeter un coup d'œil par-dessus les grands anneaux noirs qui l'enveloppaient.

Il était déjà parvenu à un niveau d'irritation élevé devant l'ingérence continuelle de Yongxing, et se trouvait pratiquement à bout de patience.

— Il me parlait de la Chine, et de la manière dont les dragons sont traités là-bas, répondit Téméraire, d'une manière évasive qui fit soupçonner à Laurence que les arrangements décrits ne lui avaient pas déplu. Mais ensuite il m'a dit que j'aurais un autre compagnon plus digne de moi et qu'on te renverrait.

Le temps que Laurence persuade Téméraire de le libérer, Yongxing était parti, « l'air furibond », rapporta Ferris avec une joie inconvenante chez un officier supérieur.

Laurence ne pouvait se contenter de cela.

— Je ne vais pas tolérer qu'on fasse de la peine à Téméraire de cette manière, déclara-t-il rageusement à Hammond, en cherchant vainement à persuader le diplomate de transmettre au prince un message fort peu diplomatique.

— Vous observez tout cela par le petit bout de la lorgnette, lui répondit Hammond avec un calme exaspérant. Si au cours du voyage nous parvenons à convaincre le prince Yongxing que Téméraire refuse d'être séparé de vous, tant mieux : notre position en sera d'autant plus forte pour négocier lorsque nous arriverons en Chine.

Il marqua une pause puis demanda, avec une appréhension encore plus irritante :

— Vous êtes bien certain qu'il ne veut pas en entendre parler ?

Mis au courant ce soir-là, Granby dit :

— Pour moi, il faudrait attendre une nuit sans lune pour faire passer Hammond et Yongxing par-dessus bord, et bon débarras.

En quoi il exprimait le sentiment de Laurence avec plus de franchise que Laurence lui-même ne se le serait autorisé. Granby parlait au mépris des convenances, entre deux bouchées d'un copieux repas comprenant une soupe, du fromage grillé, des patates aux oignons frites dans la graisse de porc, un poulet rôti entier et une tarte fourrée au *mincemeat*[1] : il était enfin sorti de l'infirmerie, pâle et très amaigri, et Laurence l'avait invité à souper.

— Qu'est-ce que le prince a bien pu lui raconter d'autre ? reprit-il.

— Je n'en ai pas la moindre idée ; il n'a pas prononcé trois mots d'anglais au cours de la dernière semaine, répondit Laurence. Et je n'ai pas l'intention d'interroger Téméraire à ce sujet ; ce serait d'une indiscrétion abominable.

— Qu'aucun de ses amis ne serait jamais fouetté là-bas, j'imagine, poursuivit Granby, la mine sombre. Et qu'on lui offrirait une douzaine de nouveaux livres tous les jours, ainsi que des montagnes de joyaux. J'ai déjà entendu ce genre d'histoires, mais si quelqu'un a jamais tenté cela, je gage qu'on l'a chassé des Corps à

1. Compote de raisins secs, de pommes, de graisse de rognon, etc. *(N.d.T.)*

la vitesse de l'éclair ; à moins que son dragon ne l'ait réduit en côtelettes auparavant.

Laurence demeura silencieux un moment, faisant tourner son verre de vin entre ses doigts.

— Téméraire ne prête l'oreille à ces sornettes que parce qu'il est malheureux.

— Oh, diable ! (Granby se rejeta en arrière dans son fauteuil.) Je suis bougrement navré d'être resté invalide aussi longtemps ; Ferris est un brave garçon, mais c'est sa première traversée à bord d'un transport, il ne pouvait pas savoir comment se comporteraient les marins, ni enseigner convenablement aux hommes à ne pas leur prêter attention. Quant à Téméraire, je ne peux vous donner aucun conseil pour lui remonter le moral ; j'ai surtout servi sur Laetificat, et c'est une dragonne facile, même pour une Regal Copper : d'humeur toujours égale, avec un appétit que rien ne saurait entamer. Peut-être sa mélancolie est-elle simplement liée au fait qu'il ne peut pas voler.

Ils entrèrent au port le lendemain matin : vaste demi-cercle avec une plage dorée, bordée de jolis palmiers sous les murailles blanches de la citadelle. Une multitude de pirogues, dont la plupart portaient encore des branches de l'arbre dans lequel on les avait taillées, fendaient les eaux de la rade ; derrière elles, on apercevait un assortiment de bricks et de schooners et, à l'extrémité occidentale, un senau de taille médiocre dont les canots faisaient la navette jusqu'au rivage, chargés de Noirs que l'on poussait hors d'un tunnel débouchant directement sur la plage.

L'*Allegiance* était trop imposant pour s'avancer dans le port proprement dit, mais il avait jeté l'ancre suffisamment près ; la journée était calme, et les claquements de fouet s'entendaient nettement au-dessus des eaux, mêlés de cris et de pleurs ininterrompus. Laurence monta sur le pont en fronçant les sourcils et ordonna à Roland et Dyer, qui écarquillaient de grands yeux, de descendre nettoyer sa cabine. Il ne pouvait protéger Téméraire de la même façon, cependant, et le dragon observait la scène avec une certaine perplexité ; ses pupilles fendues s'ouvraient et se refermaient tandis qu'il regardait fixement.

— Laurence, ces hommes sont tous enchaînés ; que peut-on bien leur reprocher ? demanda-t-il, sortant de son apathie. Ce ne sont quand même pas tous des criminels ; regarde, celui-là n'est qu'un enfant, et là, en voici un autre.

— Non, dit Laurence. Il s'agit d'un négrier ; ne regarde pas, je t'en prie.

Redoutant cet instant, il avait vaguement essayé d'expliquer le principe de l'esclavage à Téméraire, avec un manque de succès qui tenait autant à ses propres réticences qu'à la difficulté du dragon à concevoir la notion de propriété. Téméraire ne l'écouta pas mais continua à observer, fouettant nerveusement l'air avec sa queue. Le chargement se poursuivit tout au long de la matinée ; le vent chaud qui soufflait du rivage brassait des relents de corps mal lavés, en sueur et malades de chagrin.

Enfin, l'embarquement prit fin. Le senau quitta le port avec sa triste cargaison et déploya ses voiles au vent. Il soulevait une belle vague d'étrave en passant devant eux, marchant déjà à vive allure, tandis que ses gabiers grimpaient dans les haubans ; mais la moitié de son équipage se composait de terriens armés, tranquillement assis sur le pont avec leurs mousquets, leurs pistolets et leurs chopes de grog. Ils dévisagèrent ouvertement Téméraire, curieux, sans sourire, souillés de crasse et de sueur après leurs efforts de la matinée ; l'un d'eux épaula même en direction de Téméraire, comme en manière de jeu.

— Présentez, armes ! aboya le lieutenant Riggs, avant même que Laurence pût réagir.

Les trois fusiliers présents sur le pont mirent aussitôt l'arme à l'épaule ; sur le navire d'en face, l'homme abaissa son mousquet et sourit, dévoilant des dents très jaunes, avant de se retourner vers ses compagnons en riant.

La collerette de Téméraire s'aplatit, non par crainte, car une balle de mousquet tirée à cette distance lui aurait fait moins de mal qu'une piqûre de moustique à un homme, mais sous l'effet d'une répugnance profonde. Il émit un grondement sourd et fit mine de prendre une grande inspiration. Laurence lui posa la main sur le flanc, en lui disant doucement :

— Non ; cela ne servirait à rien.

Il demeura ainsi près de lui jusqu'à ce que le senau rapetisse à l'horizon et finisse par disparaître à leur vue.

Même ensuite, Téméraire continua à balancer la queue de part et d'autre.

— Non, je n'ai pas faim, répondit-il quand Laurence lui suggéra d'avaler quelque chose.

Puis il retomba dans le mutisme, grattant de temps à autre le pont avec ses griffes, machinalement, en produisant un grincement affreux.

Riley se tenait à l'autre bout du vaisseau, sur la dunette, mais de nombreux marins se trouvaient à portée de voix, en train de mettre à l'eau la chaloupe et le canot des officiers afin d'aller chercher des provisions, sous la supervision de lord Purbeck ; de toute manière, on ne pouvait rien dire à voix haute sur le pont sans que ce fût aussitôt répété jusqu'à l'autre bout en moins de temps qu'il n'en fallait pour couvrir la distance à pied. Laurence avait conscience qu'il était de la dernière grossièreté de critiquer Riley sur le pont de son propre vaisseau, même sans la querelle qui continuait à flotter entre eux, mais il n'y tint plus.

— Ne te mets pas martel en tête, dit-il, tâchant de consoler Téméraire sans prendre position trop brutalement contre cette pratique. Il y a des raisons d'espérer que la traite soit interdite prochainement ; le sujet sera débattu devant le Parlement à la prochaine séance.

Téméraire s'éclaircit sensiblement à cette nouvelle, mais ne voulut pas se satisfaire d'une aussi maigre explication et souleva toutes sortes de questions sur les perspectives d'une abolition ; Laurence se vit donc obligé de s'étendre à profusion sur le Parlement, la distinction entre la Chambre des lords et la Chambre des communes, les différentes factions impliquées dans le débat, en tenant compte de ce que des oreilles indiscrètes l'écoutaient tout du long et en faisant de son mieux pour se montrer diplomate.

Même Sun Kai, qui était resté toute la matinée sur le pont, où il avait assisté au départ du senau et à ses conséquences sur l'humeur de Téméraire, les regarda d'un air songeur, devinant manifestement la teneur de leur conversation ; il s'était approché aussi près que possible sans franchir la ligne peinte, et, profitant d'un silence, il demanda à Téméraire de lui traduire ce qu'ils disaient. Téméraire le lui expliqua brièvement ; Sun Kai acquiesça, puis demanda à Laurence :

— Votre père est donc un homme important, et il juge cette pratique honteuse ?

Une telle question, formulée de manière aussi directe, ne pouvait s'éluder sans offense ; le silence aurait eu quelque chose de malhonnête.

— Oui, monsieur, c'est le cas, répondit Laurence.

Avant que Sun Kai ne puisse poursuivre, Keynes surgit sur le pont ; Laurence le salua et lui demanda si Téméraire pouvait voler jusqu'au rivage, ce qui lui permit d'abréger la conversation. Même écourté, néanmoins, l'échange ne fit rien pour alléger l'atmosphère à bord du vaisseau ; les marins, qui pour la plupart n'avaient pas d'opinion tranchée sur la question, adoptèrent naturellement le parti de leur capitaine, considérant qu'il était irrespectueux envers lui d'exprimer ouvertement de tels sentiments à son bord, alors que les intérêts de sa famille dans la traite étaient notoires.

La chaloupe rapporta le courrier à bord peu avant le dîner des matelots, et lord Purbeck désigna l'aspirant Reynolds, à l'origine de la récente querelle, pour apporter leurs lettres aux aviateurs : presque une provocation délibérée. Le garçon, d'ailleurs – l'œil encore noir du coup que lui avait asséné Blythe –, affichait un sourire si insolent que Laurence résolut aussitôt de lever la punition de Martin, près d'une semaine avant la date fixée, et dit délibérément :

— Regarde, Téméraire, une lettre du capitaine Roland ; nous aurons des nouvelles de Douvres, sans doute.

Téméraire se pencha docilement pour examiner la lettre ; l'ombre menaçante de sa collerette et ses crocs scintillants à proximité firent forte impression sur Reynolds : le sourire s'effaça de son visage, presque aussi vite qu'il battit en retraite loin du pont d'envol.

Laurence demeura sur le pont à lire son courrier en compagnie de Téméraire. La lettre de Jane, longue d'une page à peine, était partie quelques jours seulement après leur départ et ne contenait pas grand-chose de nouveau, seulement un compte rendu joyeux de la vie de la base ; elle fut très plaisante à lire, bien qu'elle arrachât un soupir de nostalgie à Téméraire et laissât Laurence dans une disposition assez semblable. Il fut désappointé, néanmoins, de ne rien recevoir de ses autres collègues ; puisqu'un courrier avait pu passer, il s'attendait au moins à un mot de Harcourt, qu'il savait être une bonne correspondante, et peut-être de l'un des autres capitaines.

Il avait toutefois une deuxième lettre, de sa mère, qu'on lui avait fait suivre depuis Douvres. Les aviateurs recevaient leur courrier plus vite que n'importe qui, car les dragons postaux effectuaient leur tournée de base en base, d'où le courrier était acheminé ensuite par malle, et de toute évidence elle l'avait écrite et envoyée avant d'avoir reçu celle de Laurence dans laquelle il l'informait de son départ.

Il l'ouvrit et la lut à voix haute pour en faire profiter Téméraire : elle lui parlait surtout de son frère aîné, George, à qui il venait de naître une fille après ses trois fils, et des travaux politiques de son père, puisque c'était l'un des rares sujets sur lesquels Laurence et lord Allendale pouvaient s'accorder ; sujet qui intéressait également Téméraire, désormais. À mi-chemin, cependant, Laurence s'interrompit abruptement, lisant dans sa tête les quelques lignes qu'elle avait jetées au passage et qui expliquaient le silence inattendu de ses collègues officiers :

Naturellement, tout le monde a été très choqué par l'épouvantable nouvelle du désastre autrichien, et l'on dit que M. Pitt en est tombé malade, ce qui chagrine beaucoup votre père, bien sûr ; car le Premier Ministre a toujours été un ami de la cause. On parle beaucoup en ville, je le crains, de la manière dont la Divine Providence favoriserait Bonaparte. Il paraît étrange qu'un seul homme puisse peser à ce point sur le cours de la guerre, lorsque les deux camps en présence sont de force égale. Mais il m'est particulièrement douloureux de constater avec quelle rapidité l'on oublie la grande victoire de lord Nelson à Trafalgar ; ainsi que votre vaillante défense de nos rivages, et d'entendre des hommes de moindre résolution parler déjà de paix avec le tyran.

En lui écrivant cela, bien sûr, elle le croyait encore à Douvres, où les nouvelles du continent parvenaient en premier et où il aurait su depuis longtemps tout ce qu'il y avait à savoir ; au lieu de quoi ce fut pour lui un choc particulièrement désagréable, d'autant plus qu'elle ne lui fournissait aucun détail. Il avait entendu parler à Madère de plusieurs batailles livrées en Autriche, qui ne lui avaient pas paru décisives. Il s'excusa aussitôt auprès de Téméraire et descendit en hâte jusqu'à la cabine de Riley dans l'espoir d'en apprendre davantage. De fait, il trouva Riley en train de parcourir une dépêche que Hammond venait de lui apporter, émanant du ministère.

— Il les a taillés en pièces devant Austerlitz, dit Hammond, et ils cherchèrent le nom sur les cartes de Riley : une petite ville en plein cœur de l'Autriche, au nord-est de Vienne. On ne m'en a pas dit grand-chose, le ministère ne s'étend pas sur les détails, mais il aurait éliminé, blessé ou capturé trente mille hommes au bas mot ; les Russes sont en fuite, et les Autrichiens ont déjà signé l'armistice.

Ces faits bruts étaient suffisamment graves par eux-mêmes, et ils se turent, fixant les quelques lignes de la dépêche. Mais ils eurent beau les relire cent fois, elles se refusèrent à leur fournir de plus amples précisions.

— Eh bien, déclara finalement Hammond, il ne nous reste plus qu'à l'affamer. Loué soit Dieu pour Nelson et Trafalgar ! Et il ne peut plus nous envahir par la voie des airs, pas avec les trois Longwings que nous avons désormais dans la Manche.

— Ne devrions-nous pas faire demi-tour ? hasarda Laurence, mal à son aise.

Une telle proposition semblait trop intéressée pour être honnête, et pourtant il imaginait mal que leur absence ne fût pas durement ressentie en Angleterre. Excidium, Mortiferus et Lily constituaient sans doute une force non négligeable avec leurs formations, mais trois dragons ne pouvaient être partout, et Napoléon avait déjà réussi à les attirer au loin par le passé.

— Je n'ai reçu aucun ordre en ce sens, répondit Riley, même si je dois admettre que cela fait une foutue impression de voguer vers la Chine après une nouvelle pareille, avec un vaisseau de cent cinquante pièces et un dragon de combat lourd.

— Messieurs, vous faites erreur, rétorqua vivement Hammond. Ce désastre rend notre mission d'autant plus urgente, au contraire. Si Napoléon doit être battu, si notre nation veut s'assurer une autre place que celle d'une île sans importance au large d'une Europe française, ce sera uniquement par le commerce. Les Autrichiens sont peut-être vaincus pour l'instant, ainsi que les Russes ; mais aussi longtemps que nous pourrons soutenir nos alliés continentaux grâce à des fonds et des ressources, soyez certains qu'ils résisteront à la tyrannie de Bonaparte. Nous *devons* poursuivre ; nous devons assurer au moins la neutralité de la Chine, sinon gagner quelque avantage, et protéger notre commerce oriental ; aucun objectif militaire ne saurait être plus important.

Il s'exprimait avec beaucoup d'autorité, et Riley acquiesça rapidement. Laurence se tint coi tandis qu'ils s'entretenaient des moyens d'accélérer le voyage, et s'excusa bientôt pour remonter sur le pont ; il ne pouvait discuter, n'étant pas impartial, et les arguments de Hammond avaient un poids certain ; pourtant, il n'était pas satisfait et leurs divergences de vue ne laissaient pas de le chagriner.

— Je ne parviens pas à comprendre comment Napoléon a pu les battre, dit Téméraire, la collerette hérissée, quand Laurence lui eut appris la mauvaise nouvelle, ainsi qu'à ses officiers. Il avait plus de vaisseaux et de dragons que nous, à Trafalgar comme à Douvres, et nous l'avons vaincu ; et, cette fois-ci, les Autrichiens et les Russes étaient plus nombreux que lui.

— Trafalgar était une bataille navale, dit Laurence. Bonaparte n'a jamais vraiment compris la marine ; c'est un homme d'artillerie de par sa formation. Et nous avons remporté la bataille de Douvres uniquement grâce à toi ; sans cela, j'ose dire que Bonaparte se serait fait couronner directement à Westminster. Rappelle-toi avec quelle habileté il nous avait convaincus d'envoyer le gros des forces de la Manche dans le Sud tout en cachant les déplacements de ses propres dragons, avant l'invasion ; s'il n'avait pas été pris au dépourvu par le vent divin, l'issue aurait pu être très différente.

— Il ne me semble pas que cette bataille ait été si bien menée malgré tout, insista Téméraire, l'air maussade. Je suis sûr que si nous avions été présents, avec nos amis, nous n'aurions pas été vaincus, et je ne vois pas pourquoi nous nous rendons en Chine alors qu'on est en train de se battre.

— En voilà une bonne question ! approuva Granby. C'est une absurdité depuis le départ, de nous défaire de l'un de nos meilleurs dragons au beau milieu d'une guerre, alors même que nous en manquons cruellement ; Laurence, ne devrions-nous pas retourner chez nous ?

Laurence secoua la tête ; il partageait cet avis, mais ne pouvait rien y faire. Téméraire et son vent divin *avaient* fait basculer le cours de la guerre à Douvres. Le ministère pouvait se refuser à l'admettre, refuser d'attribuer la victoire à une raison si mince, mais Laurence se souvenait trop bien de la lutte désespérément inégale qu'ils avaient soutenue ce jour-là, avant que Téméraire ne renversât la situation. Restituer humblement Téméraire et ses capacités extraordinaires semblait procéder d'un aveuglement volontaire aux yeux de Laurence, lequel ne pensait pas que les Chinois accéderaient à la moindre des requêtes de Hammond.

Mais il dit simplement :

— Nous avons nos ordres. (Quand bien même Riley et Hammond auraient partagé son avis, Laurence savait parfaitement que le ministère n'accepterait jamais une excuse aussi maigre pour avoir violé leurs ordres directs.) Je regrette, ajouta-t-il, voyant que Téméraire continuait à bouder. Mais regarde : voici M. Keynes, qui vient t'examiner afin de définir si tu es en condition pour aller faire un peu d'exercice sur la plage ; faisons place et laissons-le procéder.

— Vraiment, cela ne me fait plus mal du tout, assura anxieusement Téméraire en penchant la tête sur lui-même, tandis que Keynes redescendait enfin de sa poitrine. Je suis sûr d'être prêt à voler de nouveau, et je n'irai pas loin.

Keynes secoua négativement la tête.

— La semaine prochaine, peut-être. Non, inutile de me grogner dessus, prévint-il sévèrement, alors que Téméraire s'asseyait pour protester. La longueur du vol n'est pas en jeu ; c'est l'envol qui fait toute la difficulté, ajouta-t-il à contrecœur pour Laurence en guise d'explication. Les tensions mises en œuvre à ce moment-là seront critiques, et je ne suis pas certain que ses muscles soient prêts à les supporter.

— Mais je m'ennuie tellement à rester allongé sur le pont, geignit Téméraire, inconsolable. Je ne peux même pas me retourner convenablement.

— Il reste une semaine à attendre, peut-être moins, lui dit Laurence en s'efforçant de le rasséréner (il regrettait déjà d'avoir soulevé la question et fait naître des espoirs prématurés chez Téméraire). Je suis sincèrement désolé ; mais l'opinion de M. Keynes vaut mieux que la nôtre sur le sujet, et nous ferions bien de l'écouter.

Téméraire ne se laissa pas apaiser si facilement.

— Je ne vois pas pourquoi son opinion vaudrait plus que la mienne. Ce sont mes muscles, après tout.

Keynes croisa les bras et déclara froidement :

— Je ne vais pas discuter avec un patient. S'il tient à aggraver sa blessure et à passer les deux prochains mois allongés, libre à lui de sauter et de voler autant qu'il lui plaira.

Cette réplique arracha un reniflement de dédain à Téméraire, et Laurence, embarrassé, se hâta de remercier Keynes avant que le chirurgien ne pût aller plus loin dans la provocation. Il avait toute confiance dans sa compétence, mais l'homme manquait singulièrement de tact, et bien que Téméraire fût plutôt d'un naturel conciliant, cette déception était dure à avaler.

— J'ai tout de même une bonne nouvelle, annonça-t-il à Téméraire pour lui remonter le moral. M. Pollitt a eu la bonté de me rapporter plusieurs livres de sa visite à terre ; veux-tu que j'aille en chercher un maintenant ?

Téméraire ne répondit que par un grognement, la tête baissée par-dessus bord, fixant la plage qu'on lui refusait. Laurence descendit chercher son livre dans l'espoir que l'intérêt du texte lui changerait les idées, mais, alors qu'il se trouvait dans sa cabine, le vaisseau eut un brusque mouvement de roulis et des éclaboussures volèrent jusque sur son plancher par les hublots ouverts ; Laurence courut regarder par le sabord le plus proche, récupérant à la hâte ses lettres mouillées, et vit Téméraire en train de s'ébattre dans l'eau avec une expression coupable et satisfaite à la fois.

Il remonta au pas de charge sur le pont ; Granby et Ferris étaient penchés par-dessus bord, inquiets, et les petits bateaux qui s'agglutinaient autour du vaisseau, chargés de catins et de pêcheurs venus vendre leurs marchandises, s'éloignaient déjà précipitamment vers la sécurité du port, à grand renfort de cris et de coups d'aviron. Décontenancé, Téméraire les regardait avec consternation.

— Je ne voulais pas les effrayer, dit-il. Vous n'avez aucune raison de fuir ! leur lança-t-il, mais les bateaux ne ralentirent même pas.

Les marins, privés de distractions, jetaient des regards noirs ; Laurence se préoccupait surtout de la santé de Téméraire.

— Ma foi, je n'ai jamais rien vu d'aussi ridicule de toute ma vie, mais cela ne peut pas lui faire de mal. Les sacs d'air le maintiennent à flot, et l'eau salée n'a rien de contre-indiqué pour une blessure, commenta Keynes, qu'on avait rappelé d'urgence sur le pont. En revanche, je me demande bien comment vous ferez pour le remonter à bord.

Téméraire plongea sous la surface puis jaillit de l'eau comme un bouchon, propulsé par sa flottabilité.

— C'est vraiment agréable ! cria-t-il. Elle est très bonne Laurence ; tu me rejoins ?

Laurence n'était pas bon nageur, et l'idée de plonger en plein océan ne lui disait rien qui vaille : ils se trouvaient à un bon mille du rivage. Mais il emprunta l'un des petits canots du vaisseau et rejoignit Téméraire à la rame, afin de lui tenir compagnie et de s'assurer que le dragon ne se fatiguait pas trop après une si longue inactivité forcée sur le pont. Il fut quelque peu ballotté par les vagues résultant des ébats de Téméraire, et embarqua un peu de mer, mais il avait pris auparavant la précaution de revêtir une vieille paire de pantalons et une chemise usée jusqu'à la corde.

Lui-même avait le moral au plus bas ; la défaite d'Austerlitz n'était pas qu'une bataille perdue, elle signait la mort du plan soigneusement élaboré par le Premier ministre Pitt, ainsi que l'anéantissement de la coalition formée pour arrêter Napoléon : la Grande-Bretagne seule ne pouvait pas lever de troupes moitié aussi nombreuses que la Grande Armée, ni débarquer facilement sur le continent. Les Autrichiens et les Russes désormais mis hors jeu, la situation paraissait bien sombre. Malgré ses soucis, néanmoins, il ne put s'empêcher de sourire devant l'énergie et la joie simple de Téméraire. Bientôt, il finit par se rendre aux supplications du dragon et se baigna. Il nagea un peu, puis se hissa sur le dos de Téméraire, tandis que ce dernier pataugeait avec enthousiasme, poussant la barque du bout du nez comme une sorte de jouet.

Laurence aurait pu fermer les yeux et se croire de retour à Douvres, ou bien à Loch Laggan, où ses seules préoccupations étaient les tracas ordinaires de la guerre, où il comprenait ce qu'il avait à faire, avec l'assurance de l'amitié et d'une nation unie derrière eux ; même le désastre présent n'aurait rien d'insurmontable dans une telle situation : l'*Allegiance* ne serait qu'un vaisseau de plus au port, leur clairière familière se trouverait à quelques minutes de vol et aucun prince ou politicien ne viendrait les ennuyer. Il se coucha sur le dos, laissa pendre ses mains contre les flancs tièdes aux écailles noires chauffées par le soleil, et s'abandonna un moment à la rêverie.

— Crois-tu être en mesure de remonter à bord de l'*Allegiance* ? finit par demander Laurence, après avoir longuement retourné le problème dans sa tête.

Téméraire se dévissa le cou pour le regarder.

— Ne pourrions-nous attendre sur le rivage le temps que je guérisse, et retourner à bord ensuite ? suggéra-t-il. Ou bien (sa collerette frémit soudain d'excitation) survoler tout le continent, et retrouver nos amis de l'autre côté ? Il n'y a personne au milieu de l'Afrique, je l'ai vu sur tes cartes, de sorte que nous ne risquons pas de nous faire tirer dessus par des Français.

— Non, mais les rapports font état de nombreux dragons sauvages, sans parler de toutes sortes d'autres créatures dangereuses et des risques de maladie, dit Laurence. Nous ne pouvons nous hasarder ainsi en plein territoire inconnu, Téméraire ; le risque ne se justifierait pas, surtout en ce moment.

Téméraire soupira un peu à l'idée d'abandonner ce projet ambitieux, mais accepta de tenter de remonter sur le pont ; après avoir continué à jouer un moment, il nagea jusqu'au vaisseau et les marins furent médusés de le voir leur tendre la barque afin de leur éviter de la hisser à bord. Laurence, qui avait escaladé la coque depuis l'épaule de Téméraire, tint un rapide conciliabule avec Riley.

— Nous pourrions peut-être utiliser l'ancre de veille tribord comme contrepoids ? suggéra-t-il. Avec notre maîtresse ancre, cela devrait suffire à garantir la stabilité du vaisseau ; il est déjà lourdement chargé en poupe.

— Laurence, je ne veux même pas songer à la réaction de l'Amirauté si l'on apprend que j'ai réussi à couler un transport en pleine rade par une belle journée ensoleillée, dit Riley, que la perspective n'enchantait guère. On me pendrait, sans doute, et je ne l'aurais pas volé.

— S'il y a le moindre danger de verser, il pourra toujours lâcher prise aussitôt, dit Laurence. Sinon, nous risquons d'être bloqués ici au moins une semaine, jusqu'à ce que Keynes veuille bien l'autoriser à revoler.

— Je ne vais pas faire couler le vaisseau, s'indigna Téméraire en passant la tête par-dessus la main courante pour s'inviter dans la conversation à la stupéfaction de Riley. Je ferai très attention.

Malgré ses réticences, Riley finit par donner son accord. Téméraire se dressa tant bien que mal hors de l'eau et planta ses griffes sur le flanc du vaisseau ; l'*Allegiance* donna de la bande, mais sans excès, maintenu par ses deux ancres, et, en s'aidant de quelques battements d'ailes, Téméraire bondit plus qu'il ne se hissa à bord.

Il retomba maladroitement sur le pont, les pattes arrière cherchant leur appui en un geste qui manquait singulièrement d'élégance, mais enfin, il était à bord et c'est à peine si l'*Allegiance* s'enfonça mollement sous son poids. Il replia ses pattes sous lui et entreprit de s'ébrouer longuement pour se donner une contenance.

— Cela n'a pas été si difficile de remonter, dit-il à Laurence, ravi. Maintenant, je pourrai aller nager tous les jours jusqu'à ce que je puisse voler de nouveau.

Laurence eut beau se demander comment Riley et les marins accueilleraient la nouvelle, il ne parvenait pas à s'en préoccuper vraiment. Il aurait supporté bien plus que leurs regards hostiles pour voir Téméraire ainsi ragaillardi ; et lorsqu'il lui suggéra de manger quelque chose, Téméraire acquiesça avec entrain et dévora deux vaches et un mouton jusqu'aux sabots.

Lorsque Yongxing osa ressortir sur le pont le lendemain matin, il trouva Téméraire dans une excellente disposition : venant de se baigner, bien nourri, très content de lui. Il était remonté à bord beaucoup plus gracieusement, cette fois-ci, ce qui n'avait pas empêché lord Purbeck de maugréer devant les traces de griffes dans la peinture et les marins de pester en voyant une fois de plus les filles de joie battre en retraite. Yongxing lui-même bénéficia de la bonne humeur de Téméraire, car celle-ci l'inclinait à l'indulgence vis-à-vis de ce que Laurence considérait pourtant comme un grief majeur ; mais le prince ne parut pas satisfait pour autant. Il passa la matinée à broyer du noir en regardant Laurence lire à Téméraire les livres que M. Pollitt leur avait rapportés du rivage.

Yongxing partit bientôt ; peu après, son serviteur Feng Li vint demander à Laurence de descendre le rejoindre, en se faisant comprendre par gestes et mimiques, car Téméraire s'était assoupi sous le soleil de midi. Réticent, méfiant, Laurence insista pour faire un détour par sa cabine : il portait ses vieux habits, ayant accompagné Téméraire dans sa baignade, et ne tenait pas à affronter Yongxing dans ses quartiers austères et élégants autrement qu'avec sa plus belle veste, ses meilleurs pantalons et un foulard repassé de frais.

Son arrivée ne donna lieu à aucune cérémonie, cette fois-ci ; on le fit entrer aussitôt, et Yongxing renvoya même Feng Li, afin qu'ils puissent discuter en privé. Mais il ne parla pas immédiatement et resta d'abord debout en silence, les mains croisées derrière le dos, regardant par les fenêtres de poupe sous ses sourcils froncés : puis, au moment où Laurence ouvrait la bouche, il se retourna brusquement et dit :

— Vous éprouvez une affection sincère pour Lung Tien Xiang, et lui pour vous ; j'ai pu m'en rendre compte. Pourtant, dans votre pays, il est traité comme un animal, exposé à tous les dangers de la guerre. Est-ce vraiment le sort que vous désirez pour lui ?

Laurence, décontenancé par une approche aussi directe, ne put que supposer que Hammond avait vu juste : Yongxing avait fini par admettre l'inanité de ses tentatives de séduction auprès de Téméraire ; c'était la seule explication plausible à ce revirement. Mais, loin de se sentir soulagé de voir le prince renoncer à les diviser, Laurence n'en fut que plus mal à l'aise, au contraire : à l'évidence, ils ne trouveraient jamais un terrain d'entente, et il comprenait mal les motivations de Yongxing pour en rechercher un.

— Monsieur, dit-il après un moment, je dois réfuter vos accusations de mauvais traitements ; et les dangers de la guerre sont communs à tous ceux qui s'engagent au service de leur pays. Votre Altesse ne peut pas s'attendre qu'un tel choix, consenti librement, me paraisse contestable ; c'est celui que j'ai fait moi-même. Quant aux risques dont vous parlez, je considère comme un honneur de les affronter.

— Mais vous n'êtes qu'un homme ordinaire par la naissance, un soldat dont le grade n'a rien de particulièrement remarquable ; on doit trouver des milliers d'hommes tels que vous en Angleterre, dit Yongxing. Vous ne pouvez vous comparer à un Céleste. Ne pensez qu'à son bien et écoutez ce que j'ai à vous demander. Aidez-nous à lui rendre sa place légitime, puis quittez-le de bon cœur : qu'il sache que vous n'êtes pas chagriné de partir, afin qu'il puisse vous oublier plus facilement et trouver le bonheur auprès d'un compagnon digne de son rang. Votre devoir n'est certainement pas de le maintenir à votre niveau, mais plutôt de faire en sorte qu'il reçoive enfin tous les égards qui lui sont dus.

Yongxing ne parlait pas sur un ton insultant ; il se bornait à exposer des faits, le plus sérieusement du monde.

— Je ne crois pas à cette forme de bonté, monsieur, qui consiste à mentir à ceux que l'on aime et à les tromper prétendument dans leur intérêt, dit Laurence, ne sachant s'il devait s'offusquer ou seulement considérer cela comme un appel à ses bons sentiments.

Mais sa confusion fut brutalement dissipée l'instant suivant, quand Yongxing insista ;

— Je sais que je vous demande un gros sacrifice. Les espoirs de votre famille seront peut-être déçus ; sans doute vous a-t-on octroyé une importante récompense pour l'avoir remis à votre pays, qu'on risque désormais de vous confisquer. Nul ne vous demande d'affronter la ruine : faites ce que je vous demande et vous recevrez dix mille taëls d'argent, ainsi que la gratitude de l'empereur.

Laurence le dévisagea fixement, puis rougit, mortifié ; lorsqu'il eut suffisamment repris son sang-froid pour se risquer à parler, il déclara d'un ton cinglant :

— Une jolie somme en vérité, mais il n'y a pas assez d'argent dans toute la Chine, monsieur, pour m'acheter.

Il aurait tourné les talons sans plus attendre, mais Yongxing, dont ce refus brisa la façade de patience qu'il avait maintenue jusque-là, lâcha avec exaspération :

— Vous êtes stupide ; on ne *peut pas* vous permettre de demeurer le compagnon de Lung Tien Xiang, et, en fin de compte, on finira bien par vous renvoyer chez vous. Pourquoi ne pas accepter mon offre ?

— Que vous puissez nous séparer de force, une fois dans votre pays, je n'en doute pas, répondit Laurence. Mais ce sera de *votre* fait, et non du mien ; et il saura que je lui aurai été fidèle jusqu'au bout, comme lui.

Il voulut partir ; il ne pouvait ni défier Yongxing en duel ni le frapper, or cela seul aurait pu soulager son profond sentiment d'indignation ; mais une telle invitation à la querelle lui permettait au moins de donner libre cours à sa colère, et il ajouta, avec tout le dédain qu'il put rassembler :

— Épargnez-vous la peine de poursuivre vos

cajoleries ; vos petits cadeaux et vos machinations sournoises sont voués à l'échec, et je connais trop Téméraire pour imaginer un instant qu'il puisse préférer une nation où un discours comme celui-ci passe pour *civilisé*.

— Vous parlez avec ignorance de la plus grande nation du monde, dit Yongxing, qui s'emportait à son tour. Comme tous vos compatriotes, qui ne montrent aucun respect envers ce qui leur est supérieur et insultent nos coutumes.

— Ce pour quoi je vous devrais des excuses, monsieur, si vous n'aviez vous-même insulté si souvent ma personne et mon pays, ou si vous aviez montré le moindre respect pour d'autres coutumes que les vôtres, rétorqua Laurence.

— Nous ne voulons rien de ce qui vous appartient, pas plus que nous ne cherchons à vous imposer nos vues, dit Yongxing. Vous êtes venus chez nous depuis votre petite île, et par bonté nous vous avons permis d'acheter notre thé, notre soie et notre porcelaine que vous convoitez si ardemment. Mais cela ne vous suffit pas ; vous réclamez toujours plus, tandis que vos missionnaires cherchent à propager votre religion étrangère et que vos marchands se livrent à la contrebande d'opium au mépris de la loi. *Nous* n'avons pas besoin de vos colifichets, de vos horloges, de vos lampes ou de vos fusils ; notre pays se suffit à lui-même. Dans une position aussi inégale, vous devriez redoubler de gratitude et d'humilité envers l'empereur, au lieu de quoi vous nous infligez affront sur affront.

Un tel manque de respect ne saurait être toléré plus longtemps.

Cet étalage de griefs, qui dépassait si largement la question en suspens, fut fait avec passion et beaucoup d'énergie ; ce discours était plus sincère que tout ce que Laurence avait entendu jusqu'ici de la part du prince, moins contenu, et la surprise qu'il ne put s'empêcher d'afficher rappela de toute évidence à Yongxing où il se trouvait, et freina son flot de paroles. Pendant un moment, ils se regardèrent en silence. Laurence était toujours plein de ressentiment, incapable de formuler une réponse – comme si Yongxing s'était adressé à lui dans sa langue natale –, abasourdi par une description des relations entre leurs pays qui brassait pêle-mêle missionnaires chrétiens et contrebandiers et refusait aveuglément de reconnaître les bénéfices pour les deux parties d'un commerce ouvert et sans entraves.

— Je ne suis pas un politicien, monsieur, pour débattre avec vous de questions de politique étrangère, déclara enfin Laurence, mais je défendrai jusqu'à mon dernier souffle l'honneur et la dignité de ma nation et de mes compatriotes ; et vous ne me persuaderez pas de me comporter de manière déshonorante, surtout envers Téméraire.

Yongxing avait recouvré son sang-froid, mais semblait toujours aussi mécontent ; il secoua la tête en fronçant les sourcils.

— Si vous ne voulez pas vous laisser convaincre par considération pour Lung Tien Xiang ou pour vous-même, accepterez-vous au moins de servir les intérêts de votre pays ?

Avec une réticence aussi profonde que manifeste, il ajouta :

— Que nous vous ouvrions nos ports, en dehors de Canton, est inenvisageable ; mais nous permettrons à votre ambassadeur de rester à Pékin, comme vous le désirez tant, et nous conviendrons de ne pas entrer en guerre ni contre vous ni contre vos alliés, aussi longtemps que vous témoignerez une obéissance respectueuse à l'empereur ; je peux vous accorder tout cela, si vous facilitez le retour de Lung Tien Xiang.

Il attendit sa réponse. Laurence demeura immobile, le souffle court, livide, puis il murmura « non » d'une voix presque inaudible et, sans écouter un mot de plus, tourna les talons et quitta la cabine, en écartant brutalement les tentures qui se trouvaient sur son chemin.

Il regagna le pont sans rien voir et trouva Téméraire endormi, paisible, la queue entourée autour de lui. Laurence ne le toucha pas, mais s'assit sur l'un des caissons qui entouraient le pont et baissa la tête, afin que personne ne risquât de croiser son regard ; et il garda les mains jointes, de manière qu'on ne les vît pas trembler.

— Vous avez refusé, j'espère ? demanda Hammond, contre toute attente (Laurence, qui s'était préparé à essuyer des reproches incendiaires, en demeura bouche bée). Merci, Seigneur ; il ne m'était pas venu à l'idée qu'il puisse tenter une approche directe, surtout aussi tôt. Je dois vous supplier, capitaine, de ne pas vous engager à quoi que ce soit en notre nom sans m'avoir consulté d'abord, si séduisantes que paraissent leurs propositions. Aussi bien ici que lorsque nous aurons atteint la Chine, ajouta-t-il après coup. Et maintenant, racontez-moi encore, s'il vous plaît : il vous a offert d'emblée une promesse de neutralité et un émissaire permanent à Pékin ?

Il y avait une lueur prédatrice dans son regard, et Laurence dut faire un gros effort de mémoire pour se rappeler la conversation dans ses moindres détails et pouvoir répondre à ses nombreuses interrogations.

— De cela, je me souviens parfaitement : aucun autre port ne nous sera ouvert, il s'est montré très ferme sur la question, protesta Laurence en voyant Hammond déployer ses cartes de Chine et demander quels ports seraient les plus avantageux, lesquels Laurence jugeait les plus appropriés pour le commerce.

— Oui, oui, dit Hammond en réfutant l'argument d'un geste. Mais si *lui* veut bien admettre la possibilité d'un envoyé permanent, quel autre progrès nous est-il interdit d'espérer ? Vous devez savoir que ses opinions le portent presque irrévocablement à dénoncer tout commerce avec l'Occident.

— Je le sais, dit Laurence.

Il était surpris que Hammond le sût aussi, considérant les efforts inlassables du diplomate pour établir de bonnes relations.

— Nos chances de gagner le prince Yongxing à notre cause sont minces, même si j'ai le sentiment que nous progressons, dit Hammond. En revanche, je trouve très encourageant qu'il se montre aussi empressé d'obtenir votre coopération à ce stade. Il souhaite clairement arriver en Chine le *fait accompli*, ce qui ne peut signifier qu'une chose : il craint que l'empereur ne nous accorde des concessions encore plus douloureuses pour lui.

« Il n'est pas en lice pour le trône, vous savez, ajouta Hammond en voyant l'air dubitatif de Laurence. L'empereur a trois fils, et l'aîné, le prince Mianning, est déjà adulte ; c'est lui, le prince héritier. Le prince Yongxing ne manque pas d'influence, certainement, sinon on ne lui aurait jamais accordé une telle autonomie en l'envoyant en Angleterre. Mais cette tentative de sa part me donne à penser qu'il y a peut-être dans cette affaire plus d'opportunités que nous ne l'avions pensé jusqu'ici. Si seulement…

Là-dessus, il sombra brusquement dans la consternation et se rassit sans plus s'occuper de ses cartes.

— Si seulement les Français n'étaient pas déjà en faveur auprès des esprits les plus libéraux de la cour, acheva-t-il à voix basse. Mais cela expliquerait beaucoup de choses, j'en ai peur, et en particulier pourquoi ils ont envoyé l'œuf. C'est à s'en arracher les cheveux ; ils ont dû réussir à se glisser dans les petits papiers de l'empereur, je suppose, tandis que nous restions assis à gloser sur notre précieuse dignité depuis l'expulsion de lord Macartney, sans faire la moindre tentative pour rétablir nos relations.

Laurence prit congé sans éprouver moins de culpabilité ou de détresse qu'auparavant ; il était bien conscient que son refus n'avait pas été motivé par des arguments très rationnels et admirables, mais par un pur réflexe de rejet. Certes, il n'accepterait jamais de mentir à Téméraire, comme Yongxing l'y avait incité, ni de l'abandonner à un sort déplaisant ou barbare. Mais Hammond risquait de lui exprimer d'autres demandes, moins faciles à refuser. Si l'on ordonnait leur séparation pour garantir un traité véritablement avantageux, son devoir lui commanderait non seulement de partir, mais également de convaincre Téméraire de s'y plier, quelles que fussent ses réticences. Jusqu'à présent, il s'était rassuré en pensant que les Chinois ne leur offriraient aucune concession satisfaisante ; ce réconfort illusoire venait de voler en éclats, et toute la misère d'une séparation lui paraissait se rapprocher à chaque mille marin.

Deux jours plus tard, ils quittaient Cape Coast, au grand soulagement de Laurence. Le matin de leur départ, un groupe d'esclaves était arrivé de l'intérieur des terres pour être enfermé dans les souterrains en vue du vaisseau. S'était ensuivie une scène plus effroyable encore, car ces esclaves n'étaient pas encore épuisés par un long confinement ni résignés à leur sort, et quand les portes de leur prison s'ouvrirent pour les recevoir, telle une tombe béante, certains parmi les plus jeunes tentèrent une révolte.

Ils avaient manifestement trouvé un moyen de détacher leurs liens au cours du trajet. Deux des gardes tombèrent immédiatement, assommés par les propres chaînes de leurs captifs, et les autres commencèrent à reculer en trébuchant, faisant feu au hasard dans la panique. Une troupe de gardes descendit se jeter au pas de charge dans la mêlée, ajoutant à la confusion.

Le geste était désespéré, quoique courageux, et la plupart des hommes qui s'étaient libérés virent l'issue inévitable et prirent leurs jambes à leur cou ; certains filèrent le long de la plage, d'autres détalèrent dans la ville. Les gardes réussirent à regrouper les esclaves encore enchaînés et se mirent à tirer sur ceux qui s'enfuyaient. Presque tous furent abattus avant d'avoir pu disparaître, et l'on organisa immédiatement des groupes de recherche pour retrouver les autres, que leur nudité et la marque des fers rendraient faciles à repérer. La route de terre menant à la prison était trempée de sang, jonchée de petits cadavres entassés au milieu des vivants ; bon nombre de femmes et d'enfants avaient été tués dans l'échauffourée. Déjà, les négriers enfermaient les esclaves dans les souterrains, à l'exception de quelques-uns chargés de déblayer les corps. Ce massacre n'avait pas pris quinze minutes.

Il n'y eut ni chants ni cris au moment de hisser l'ancre, et l'opération se déroula moins vite que d'habitude ; et même le bosco, d'ordinaire si prompt à réprimer le moindre signe de fainéantise, ne cingla personne avec sa canne. C'était encore une journée d'une humidité poisseuse, si chaude que le goudron se liquéfiait et formait de grandes taches noires en tombant des cordages ; quelques gouttes s'écrasèrent même sur la peau de Téméraire, à son profond dégoût. Laurence chargea les cadets et les enseignes de se tenir prêts avec des seaux et des chiffons, pour le nettoyer au fur et à mesure, et à la fin de la journée ils étaient tous éreintés et crasseux.

Le lendemain se déroula de la même façon, ainsi que les trois jours suivants ; une côte barrée d'une jungle inextricable défilait sur bâbord, entrecoupée ici et là de falaises et d'éboulis rocheux, nécessitant une vigilance constante pour maintenir le vaisseau en sécurité en eaux profondes, car les vents se montraient changeants et imprévisibles aussi près de la côte. Les hommes travaillaient en silence, sans sourire, dans la chaleur accablante ; la nouvelle du désastre d'Austerlitz s'était répandue au sein de l'équipage.

8

Blythe émergea finalement de l'infirmerie, très diminué, principalement pour somnoler toute la journée dans un fauteuil sur le pont. Martin se montrait particulièrement soucieux de son confort, prompt à houspiller quiconque faisait bouger la tenture de fortune qu'ils avaient installée au-dessus de lui. À peine Blythe toussait-il qu'on lui fourrait un verre de grog dans la main ; s'il émettait la moindre remarque sur le temps, on lui apportait, selon le cas, une couverture, un ciré, une serviette humide.

— Je suis gêné de le voir prendre ça tellement à cœur, confessa Blythe à Laurence. Aucun gars un peu vif ne serait resté les bras croisés, de la façon dont ces peaux-de-goudron l'asticotaient, et, pour sûr, le pauvre n'y est pour rien ; je voudrais bien qu'il en fasse un peu moins.

Les marins n'appréciaient guère de voir l'agresseur dorloté de cette manière, et, par réaction, ils redoublèrent d'égards envers Reynolds, déjà enclin à prendre des airs de martyr. En temps normal ce n'était qu'un homme de mer tout à fait ordinaire, et le respect nouveau dont il jouissait lui monta à la tête. Il se mit à parader sur le pont comme un coq, multipliant les ordres inutiles pour le plaisir de les voir suivis d'autant de courbettes, de hochements de tête et de saluts réglementaires ; même Purbeck et Riley lui lâchaient la bride sur le cou.

Laurence avait espéré que le désastre d'Austerlitz servirait au moins à faire oublier la querelle entre marins et aviateurs ; mais ces démonstrations continuaient à chauffer les esprits de part et d'autre. L'*Allegiance* se rapprochait de l'équateur, et Laurence jugea nécessaire de prendre certaines dispositions en vue des réjouissances traditionnelles du passage de la ligne. Plus de la moitié des aviateurs sacrifieraient à ce rite pour la première fois, et dans un tel climat de tension, si les marins étaient autorisés à les plonger dans un baquet et à les raser, Laurence ne voyait pas comment l'ordre pourrait être maintenu. Il s'en ouvrit à Riley, et l'on convint qu'il offrirait une dîme générale au nom de ses hommes, c'est-à-dire trois tonnelets de rhum qu'il avait pris la précaution de se procurer à Cape Coast ; les aviateurs se verraient ainsi excusés.

Les marins accueillirent mal cette entorse à la coutume, certains allant jusqu'à maugréer que cela risquait d'attirer le mauvais sort sur le vaisseau ; bon nombre d'entre eux attendaient sans doute avec impatience l'occasion d'humilier leurs rivaux. En conséquence, lorsqu'ils franchirent effectivement l'équateur et que le cortège traditionnel se présenta à bord, la réception fut plutôt calme, manquant d'enthousiasme. Elle divertit au moins Téméraire, que Laurence dut s'empresser de faire taire lorsqu'il déclara, assez fort pour être entendu de tout le monde :

— Mais, Laurence, ce n'est pas du tout Neptune ; c'est Griggs, et Amphitrite est Boyne.

Il avait reconnu les marins sous leurs costumes miteux, car ils n'avaient pas fait beaucoup d'efforts pour se grimer.

Cette remarque déclencha un fou rire irrépressible au sein de l'équipage, et Badger-Bag – l'aide-charpentier, Leddowes, moins reconnaissable sous la serpillière figurant sa perruque de juge – eut une lueur d'inspiration en décrétant que, cette fois-ci, tous ceux qui seraient pris à rire seraient les victimes de Neptune. Laurence adressa un rapide hochement de tête à Riley, et Leddowes fut autorisé à faire son choix parmi les marins comme chez les aviateurs. Il préleva un nombre équivalent des uns et des autres, sous les applaudissements de l'assistance, et pour couronner l'événement Riley s'écria :

— Une ration supplémentaire de grog pour tout le monde, grâce à la taxe acquittée par l'équipage du capitaine Laurence !

Ce qui souleva une clameur enthousiaste.

Certains matelots se mirent à jouer de la musique, d'autres à danser ; le rhum fit son effet et, bientôt, même les aviateurs tapaient dans leurs mains en cadence et fredonnaient la chanson aux novices, bien qu'ils ne connussent pas les paroles. Ce passage de la ligne n'était peut-être pas tout à fait aussi joyeux que d'autres, mais il se déroulait beaucoup mieux que Laurence ne l'avait redouté.

Les Chinois étaient venus assister à l'événement, sans être naturellement soumis eux-mêmes au rituel, qu'ils observaient en discutant entre eux avec animation. Il s'agissait d'une forme de divertissement plutôt vulgaire, bien entendu, et Laurence éprouva un certain embarras à voir Yongxing suivre les réjouissances, mais Liu Bao se frappait la cuisse pour applaudir avec tout l'équipage, et lâchait un grand rire tonitruant à chaque nouvelle victime de Badger-Bag. Il finit par se tourner vers Téméraire, de l'autre côté de la limite, et lui posa une question.

— Laurence, il veut savoir quel est l'objet de cette cérémonie, et quels esprits sont honorés, dit Téméraire. Mais je l'ignore moi-même ; que sommes-nous en train de célébrer, et pourquoi ?

— Oh ! fit Laurence, en se demandant comment expliquer cette cérémonie quelque peu ridicule. Nous venons de franchir l'équateur, et une vieille tradition veut que tous ceux qui le font pour la première fois rendent un hommage à Neptune – c'est l'ancien dieu romain de la mer, qui n'est plus adoré aujourd'hui.

— Ah ! s'exclama Liu Bao d'un ton approbateur, lorsque la réponse lui fut traduite. Cela me plaît ; il est bon de rendre hommage aux anciens dieux, même quand ce ne sont pas les vôtres. Voilà qui doit porter bonheur au navire. Dans dix-neuf jours, ce sera le nouvel an : nous devrons donner un festin à bord, et cela aussi nous portera chance. Les esprits de nos ancêtres nous guideront jusqu'en Chine.

Laurence était dubitatif, mais les marins, qui écoutèrent la traduction avec grand intérêt, trouvèrent deux raisons d'approuver ce discours : d'une part la perspective du festin, d'autre part la promesse de bonne fortune qui parlait à leurs mentalités superstitieuses. La notion d'« esprits », qu'ils assimilèrent un peu trop vite à celle de « fantômes », ce qui ne manqua pas d'affoler les plus impressionnables, fut la source de nombreux débats très sérieux sous le pont. En fin de compte, on convint que des esprits ancestraux devaient être favorablement disposés envers leurs descendants à bord, et qu'il n'y avait donc rien à craindre.

— Ils m'ont demandé une vache, quatre moutons et les huit poulets qui nous restent ; nous allons devoir relâcher à Sainte-Hélène. Nous obliquerons vers l'ouest demain ; au moins, nous n'aurons plus à batailler contre les alizés, dit Riley quelques jours plus tard, alors qu'il contemplait d'un air perplexe plusieurs serviteurs chinois occupés à pêcher le requin. J'espère seulement que l'alcool n'est pas trop fort ; je dois le distribuer en supplément des rations de grog, non à leur place, sinon leur nouvel an ne serait pas une fête.

— Je m'en voudrais de vous alarmer, mais Liu Bao à lui seul est capable d'écluser de quoi en faire rouler deux comme moi sous la table ; je l'ai vu descendre trois bouteilles de vin en un seul dîner, avoua Laurence quelque peu désabusé.

Il parlait d'après sa propre expérience : depuis Noël, il avait partagé plusieurs repas conviviaux avec l'émissaire, et si ce dernier souffrait encore en quoi que ce soit du mal de mer, cela ne se voyait guère à son appétit.

— À ce sujet, reprit-il, si Sun Kai lui-même n'est pas un grand buveur, il ne fait pas la différence entre le vin et le brandy, pour ce que j'en sais.

— Oh ! au diable ces Chinois, soupira Riley. Enfin, espérons que quelques douzaines de bons marins s'attireront suffisamment d'ennuis pour être privés de grog ce soir-là. Qu'ont-ils l'intention de faire de ces requins, selon vous ? Ils ont déjà rejeté deux marsouins, qui sont pourtant bien meilleurs à manger.

Laurence ne se sentait guère en mesure d'émettre une hypothèse, mais il n'eut pas à le faire, car à cet instant la vigie cria :

— Ailes en vue, trois points à bâbord sur l'avant !

Ils se précipitèrent à la rambarde, sortirent leurs longues-vues et scrutèrent le ciel tandis que les marins se pressaient à leurs postes au cas où il s'agirait d'une attaque.

Téméraire avait émergé de sa sieste en entendant ce raffut.

— Laurence, c'est Volly, lança-t-il depuis le pont d'envol. Il nous a vus, il vient dans notre direction.

Ayant dit cela, il poussa un rugissement de bienvenue qui fit sursauter pratiquement tout le monde et vibrer les mâts ; plusieurs marins lui jetèrent un regard noir, même si aucun ne se risqua à protester.

Téméraire changea de position pour dégager un peu de place et, un quart d'heure plus tard, le petit Greyling du service du courrier s'abattit sur le pont en repliant ses larges ailes à rayures grises et blanches.

— Temrer ! s'écria-t-il en lui donnant un coup de tête affectueux. Une vache ?

— Non, Volly, mais nous pouvons t'offrir un mouton, répondit Téméraire avec indulgence. Aurait-il été blessé ? s'enquit-il auprès de James, car le petit dragon parlait d'une voix curieusement nasillarde.

Le capitaine de Volatilus, Langford James, se laissa glisser sur le pont.

— Hello, Laurence ! Vous voici enfin. Nous vous avons cherchés d'un bout à l'autre de cette côte, dit-il en serrant la main de Laurence. Ne t'inquiète pas, Téméraire ; il a simplement attrapé ce fichu rhume qui sévit en ce moment à Douvres. La moitié de nos dragons ne cessent de se plaindre et de renifler : de vrais enfants, c'est incroyable. Il sera parfaitement rétabli dans une semaine ou deux.

Plus inquiet que rassuré par cette déclaration, Téméraire s'écarta un peu de Volatilus ; il ne semblait guère pressé de tomber malade pour la première fois. Laurence hocha la tête ; la lettre qu'il avait reçue de Jane Roland avait mentionné ce rhume.

— J'espère que vous ne l'avez pas trop poussé en nous cherchant si loin. Voulez-vous que je fasse prévenir mon chirurgien ? proposa-t-il.

— Non, merci ; on ne l'a déjà que trop soigné. Il lui faudra bien une semaine de plus pour oublier le goût de son médicament, et me pardonner de le lui glisser dans son dîner, dit James en écartant la proposition d'un revers de main. De toute manière, nous n'avons pas couvert un long trajet ; nous faisions déjà route au sud depuis deux semaines, et il fait bien meilleur ici que dans notre bonne vieille Angleterre, vous savez. Et puis, dès que Volly est fatigué, il ne se prive pas de me le faire savoir ; de sorte que tant qu'il ne dit rien, je le maintiens en l'air.

Il caressa le petit dragon, qui vint presser doucement son nez au creux de sa main, avant de baisser la tête et de s'endormir aussitôt.

— Quelles sont les nouvelles ? demanda Laurence, en triant le courrier que James lui avait remis – ce qui relevait de sa responsabilité plutôt que de celle de Riley, puisqu'il était arrivé par dragon. La situation a-t-elle évolué sur le continent ? Nous avons appris, pour Austerlitz, à Cape Coast. Sommes-nous rappelés ? Ferris, remettez ces lettres à lord Purbeck, et distribuez le reste à nos hommes, ajouta-t-il en tendant le courrier à son lieutenant.

Lui-même avait reçu une dépêche et deux lettres, mais il les glissa poliment dans sa veste, remettant sa lecture à plus tard.

— Non à vos deux questions, et c'est bien regrettable, mais nous pouvons au moins vous faciliter le voyage ; nous avons pris la colonie hollandaise du Cap, dit James. Elle est tombée le mois dernier, de sorte que vous pourrez y faire escale.

La nouvelle vola d'un bout à l'autre du pont, relayée avec enthousiasme par des hommes qui avaient trop longtemps ressassé la dernière victoire de Napoléon, et l'*Allegiance* retentit instantanément d'une grande clameur patriotique ; aucune conversation ne fut plus possible en attendant que le calme revienne. Le courrier eut un effet apaisant à cet égard, distribué par Purbeck et Ferris à leurs équipages respectifs, et le vacarme retomba peu à peu à mesure que les hommes se plongeaient dans leurs lettres.

Laurence fit monter une table et des chaises sur le pont d'envol et invita Riley et Hammond à se joindre à eux afin de leur apprendre la bonne nouvelle. James se fit une joie de leur relater la prise de la ville avec plus de détails que n'en contenait la brève dépêche : il portait le courrier depuis l'âge de quatorze ans et avait développé un certain sens du théâtre ; quoique, dans ce cas précis, il n'eût pas grand-chose sur quoi broder.

— Je suis désolé que cela ne fasse pas un meilleur récit ; il n'y a pas vraiment eu combat, vous savez, s'excusa-t-il. Nous avions les Highlanders avec nous, et les Hollandais n'avaient que quelques mercenaires ; ils ont pris la fuite avant même que nous ayons atteint la ville. Le gouverneur a été obligé de se rendre ; la population est encore incertaine, mais le général Baird lui a laissé la direction des affaires locales, et personne n'a vraiment fait d'esclandre.

— Eh bien, voilà qui devrait certainement faciliter notre ravitaillement, dit Riley. Nous n'aurons plus besoin de nous arrêter à Sainte-Hélène ; et cela nous fera gagner au moins deux semaines. C'est une excellente nouvelle, en vérité.

— Restez-vous pour le dîner ? demanda Laurence à James. Ou bien devez-vous repartir immédiatement ?

Volatilus éternua brusquement dans leur dos, avec une force qui les fit sursauter.

— Beurk, fit le petit dragon, qui s'était arraché de son sommeil et se frottait avec dégoût le nez contre sa patte avant pour tâcher d'en faire sortir le mucus.

— Oh ! cesse donc, vilain dégoûtant, dit James en se levant. (Il prit un immense mouchoir blanc dans ses fontes et entreprit de moucher Volatilus avec la lassitude née d'une longue pratique.) Je suppose que nous allons rester, dit-il en contemplant le petit dragon. Inutile de le presser, maintenant que je vous ai trouvés dans les délais ; cela vous laisse le temps d'écrire, si vous avez des lettres à me confier : nous retournons directement chez nous en repartant d'ici.

... ainsi donc ma pauvre Lily, à l'instar d'Excidium et de Mortiferus, a dû abandonner le confort de sa clairière pour les carrières de sable, car chaque fois qu'elle éternue, elle ne peut s'empêcher de cracher un peu d'acide, les muscles impliqués dans ce réflexe (à ce que me disent les chirurgiens) étant exactement les mêmes. Tous trois sont bien fâchés de cette situation, car le sable s'insinue dans les plis et ils ont beau se baigner tant et plus, ils ne cessent de se gratter comme des chiens infestés de puces.

Maximus est en disgrâce la plus complète, car il a commencé à éternuer le premier, et les autres dragons se plaisent à pouvoir le blâmer pour leur infortune ; toutefois, il le supporte assez bien, ou, comme Berkley me demande de l'écrire, « se fiche totalement de ce qu'on peut dire de lui et se plaint toute la journée, sauf lorsqu'il est occupé à se remplir la panse ; cette histoire n'a pas affecté son appétit le moins du monde ».

Pour le reste, tout le monde va bien et vous

adresse ses compliments ; les dragons également, qui vous prient de transmettre leurs salutations et leur affection à Téméraire. Il leur manque beaucoup. Cependant je suis au regret de vous annoncer que nous avons récemment découvert une cause détestable à leur nostalgie, qui n'est autre que la gloutonnerie pure et simple. Il semble que Téméraire leur ait appris à ouvrir les enclos à bestiaux puis à les refermer, de manière qu'ils puissent se servir seuls sans que personne ne le sache. Leur coupable secret a été découvert lorsqu'on a constaté que les troupeaux avaient singulièrement diminué ; interrogés, les dragons de notre formation, un peu trop bien nourris, ont confessé toute l'affaire.

Je dois m'arrêter ici, car nous avons une patrouille, et Volatilus part pour le Sud au petit matin. Toutes nos prières pour la réussite de votre voyage et votre prompt retour.

Etc.,

Catherine Harcourt

— Que m'apprend Harcourt ? Tu aurais enseigné aux autres dragons comment voler dans les enclos ? s'offusqua Laurence en levant les yeux de sa lettre.

Il profitait de l'heure précédant le dîner pour lire son courrier et rédiger ses réponses.

Téméraire dressa la tête avec une expression si transparente que sa culpabilité ne faisait aucun doute.

— C'est faux, je ne leur ai jamais appris à voler, protesta-t-il. Les bergers sont très paresseux, à Douvres, et ne se lèvent pas toujours aux aurores, de sorte que nous devons attendre tant et plus devant les enclos. Et puis ces troupeaux nous sont destinés, de toute manière ; on ne peut pas appeler cela du vol.

— J'aurais dû me douter de quelque chose lorsque tu as cessé de te plaindre de leur retard, admit Laurence. Mais comment diable t'y es-tu pris ?

— Le portail est rudimentaire, expliqua Téméraire. Il se ferme simplement au moyen d'une barre, qu'il suffit de soulever ; Nitidus était le plus doué pour cela, car c'est lui qui a les plus petites pattes. Néanmoins, garder les bêtes à l'intérieur de l'enclos n'est pas chose facile et lors de ma première tentative, le troupeau entier s'est enfui, ajouta-t-il. Maximus et moi avons dû les pourchasser pendant des heures – cela n'avait rien de drôle, *rien du tout*, dit-il, vexé, assis sur son arrière-train et fixant Laurence avec une indignation profonde.

— Je te demande pardon, parvint à prononcer Laurence lorsqu'il eut cessé de rire. Je te demande pardon, vraiment, c'est seulement cette image de toi, avec Maximus et les moutons… Oh ! mon Dieu, dit Laurence, qui partit d'un nouveau fou rire malgré tous ses efforts pour se contenir – regards éberlués de son équipage, et Téméraire offensé au plus haut point.

— Y a-t-il d'autres nouvelles dans la lettre ? s'enquit Téméraire froidement lorsque Laurence se fut enfin calmé.

— Pas de nouvelles, mais tous les dragons t'envoient leurs salutations et leurs amitiés, répondit Laurence sur un ton conciliant. Console-toi en songeant qu'ils sont tous malades, et que si tu te trouvais là-bas, tu le serais certainement toi aussi, ajouta-t-il en voyant Téméraire commencer à se morfondre en songeant à ses amis.

— Je me moquerais bien d'être malade si je pouvais être chez nous. De toute manière, Volly va certainement me contaminer, maugréa Téméraire en jetant un coup d'œil vers le petit Greyling : le malheureux ronflait bruyamment dans son sommeil, formant des bulles de mucus au bord de ses narines, tandis qu'une petite flaque de salive s'était accumulée sous sa gueule entrouverte.

En toute honnêteté, Laurence n'avait que très peu d'espoir qu'il en fût autrement, et préféra donc changer de sujet.

— As-tu des messages ? Je vais descendre rédiger mes réponses, afin que James puisse les emporter : ce sera notre dernière chance d'envoyer du courrier avant longtemps, je le crains, car nos dragons messagers ne vont pas en Extrême-Orient, sauf en cas d'urgence.

— Envoie-leur simplement mon affection, dit Téméraire, et dis au capitaine Harcourt ainsi qu'à l'amiral Lenton que cela n'avait rien à voir avec du vol. Oh ! et puis, parle à Maximus et Lily de ce poème composé par un dragon, car j'ai trouvé cela très intéressant, et peut-être seront-ils du même avis. Et raconte-leur également comment j'ai appris à grimper à bord, et que nous avons franchi l'équateur, et parle-leur de Neptune et de Badger-Bag.

— Assez, assez ; tu vas me faire écrire un roman, s'esclaffa Laurence en se levant avec agilité.

Fort heureusement, sa jambe s'était enfin remise et

il n'était plus obligé de boitiller sur le pont comme un vieillard. Il flatta le flanc de Téméraire.

— Veux-tu que nous remontions nous asseoir avec toi pour prendre notre porto ?

Téméraire renifla et le poussa affectueusement du bout du nez.

— Merci, Laurence ; ce serait agréable, et j'aimerais entendre James nous donner d'autres nouvelles des amis, en plus de ce qui se trouvait dans tes lettres.

Laurence ayant achevé ses réponses lorsque l'on piqua les trois coups, ses invités et lui festoyèrent dans un confort inhabituel : d'ordinaire, Laurence s'en tenait à son habitude de dîner en habit, et Granby l'imitait ainsi que ses autres officiers, tandis que Riley et ses propres subordonnés faisaient de même par respect envers la tradition navale ; ils mouraient de chaud tout au long du repas avec leur uniforme de toile épaisse et leur foulard soigneusement noué. Mais, comme tout aviateur digne de ce nom, James méprisait les convenances ; en outre, son grade de capitaine – fût-ce d'un simple dragon courrier – acquis dès l'âge de quatorze ans lui donnait une certaine assurance. Aussi se défit-il de sa veste dès qu'il entra dans la cabine en s'écriant :

— Grand Dieu, que c'est petit, ici ! Vous devez étouffer, Laurence.

Ce dernier ne fut pas fâché de suivre son exemple, ce qu'il aurait fait de toute manière pour lui éviter de se sentir mal à l'aise. Granby les imita immédiatement, bientôt suivi, après un bref moment de surprise, par Riley et Hammond. Lord Purbeck fut le seul à garder sa veste, en les fixant tous d'un air clairement désapprobateur. Le dîner se déroula dans une atmosphère joyeuse. À la demande de Laurence, James ne donna pas d'autres nouvelles jusqu'à ce qu'ils fussent tous confortablement installés sur le pont d'envol avec leurs cigares et leur porto. Là, Téméraire put en profiter, tout en leur faisant un paravent avec son corps contre les oreilles indiscrètes. Laurence renvoya les aviateurs sur le gaillard d'avant. Seul resta Sun Kai, sorti prendre l'air sur le pont d'envol comme tous les soirs. Il était assez proche pour entendre leurs propos, mais ceux-ci ne devaient guère avoir de sens pour lui.

James avait beaucoup de choses à raconter sur les mouvements de formations : presque tous les dragons de la division méditerranéenne avaient été réaffectés dans la Manche, où Laetificat et Excursius, avec leurs formations respectives, devaient fournir une opposition impénétrable au cas où Bonaparte, enhardi par son succès sur le continent, tenterait une nouvelle invasion par la voie des airs.

— Il ne reste pas grand monde pour défendre Gibraltar, après tous ces mouvements, fit observer Riley. Et nous devons garder un œil sur Toulon : nous avons peut-être pris vingt vaisseaux à Trafalgar, mais maintenant que Bonaparte a toutes les forêts d'Europe à sa disposition, il peut construire d'autres navires. J'espère que le ministère en est conscient.

— Oh ! bon sang, s'écria James, en se rasseyant lourdement (il s'était balancé dangereusement en arrière sur sa chaise, les pieds sur la rambarde). Quel imbécile je fais : je ne vous ai pas encore mis au courant pour M. Pitt.

— Est-il encore souffrant ? s'enquit Hammond avec angoisse.

— Il est mort, voici plus de quinze jours, répondit James. Ce sont les nouvelles qui l'ont tué, dit-on ; il est tombé malade en apprenant l'armistice et ne s'en est jamais remis.

— Dieu ait son âme, déclara Riley.

— Amen, dit Laurence, profondément choqué.

Pitt n'était pas mort vieux ; il était plus jeune que le père de Laurence.

— Qui était M. Pitt ? voulut savoir Téméraire, et Laurence s'interrompit le temps de lui expliquer le poste de Premier Ministre.

— James, avez-vous la moindre idée de qui formera le prochain gouvernement ? demanda-t-il, s'interrogeant déjà sur les conséquences possibles pour Téméraire et lui, au cas où le nouveau ministère estimerait que la question chinoise devait être traitée différemment, de manière plus conciliante ou au contraire plus belliqueuse.

— Non, je suis parti avant d'avoir pu en savoir plus, dit James. Si la situation a changé en quoi que ce soit à mon retour, je vous promets de faire de mon mieux pour vous apporter d'autres nouvelles au Cap. Mais d'ordinaire, ajouta-t-il, on ne nous envoie là-bas qu'une fois tous les six mois, alors je ne compterais pas dessus. Les sites d'atterrissage sont par trop incertains, et nous avons déjà perdu plusieurs courriers sur ce trajet, qui voulaient survoler la côte ou simplement passer la nuit à terre.

James les quitta le lendemain matin, en leur faisant signe depuis le dos de Volatilus jusqu'à ce que le petit dragon gris-blanc eût entièrement disparu dans les nuages bas effilochés. Laurence avait rédigé une brève lettre à Harcourt, et complété celles qu'il avait déjà commencées à l'intention de sa mère et de Jane, et le courrier les avait emportées toutes les trois : les derniers mots que ces trois femmes recevraient de lui avant de nombreux mois, presque à coup sûr.

Il n'eut guère le temps de s'abandonner aux regrets, cependant : Liu Bao le fit aussitôt appeler en bas, pour le consulter sur le meilleur substitut à quelque organe de singe que l'on employait d'ordinaire dans un plat. Ayant suggéré des rognons d'agneau, Laurence fut instantanément sollicité pour autre chose, et le reste de la semaine s'écoula en préparations de plus en plus trépidantes ; la cuisine était le siège d'une activité si intense, le pont se mit à chauffer à tel point que Téméraire lui-même commença à trouver toute cette agitation quelque peu excessive. Les serviteurs chinois entreprirent également de débarrasser le vaisseau de la vermine ; combat perdu d'avance, mais dans lequel ils persévérèrent néanmoins. Ils remontaient cinq ou six fois par jour sur le pont pour jeter des cadavres de rats à la mer, au grand dam des aspirants, dont les rongeurs agrémentaient généralement l'ordinaire en fin de voyage.

Laurence ignorait totalement à quoi s'attendre, mais

il s'habilla avec le plus grand soin, louant pour l'occasion les services de Jethson, le steward de Riley. Il enfila sa plus belle chemise, empesée et repassée, des bas de soie et des culottes au lieu de pantalons, des bottes lustrées, sa veste d'uniforme vert bouteille avec ses épaulettes d'or et ses décorations : la médaille d'or sur son large ruban bleu commémorant la bataille d'Aboukir, où il était lieutenant naval, et l'épingle d'argent récemment votée aux capitaines de la bataille de Douvres.

Il se réjouit grandement du mal qu'il s'était donné lorsqu'il pénétra dans les quartiers des Chinois : en franchissant la porte, il dut courber la tête sous un lourd rideau rouge et trouva la pièce si richement décorée de tentures qu'on aurait pu la prendre pour un pavillon de fête, s'il n'y avait eu le balancement régulier du vaisseau sous leurs pieds. Sur la table était dressée une vaisselle fine en porcelaine, chaque pièce d'une couleur différente. La plupart des assiettes étaient incrustées d'or et d'argent ; et les baguettes laquées faisant office de couverts, que Laurence avait redoutées toute la semaine, étaient disposées pour chaque convive.

Yongxing était déjà assis en bout de table, figure imposante dans sa robe de soie dorée, ornée de dragons noirs et bleus. On installa Laurence suffisamment près du prince pour qu'il pût remarquer de petites incrustations de pierres précieuses dans les yeux et les griffes des dragons, et sur sa poitrine, couvrant toute la largeur, un dragon plus grand que les autres, brodé en fil de soie blanc, avec des éclats de rubis pour les yeux et cinq longues griffes à chaque patte.

Dieu sait comment ils parvinrent tous à rentrer, jusqu'aux petits Roland et Dyer, les plus jeunes officiers se retrouvant pressés les uns contre les autres à leur propre table, le visage déjà brillant et empourpré par la chaleur. Les serviteurs commencèrent à verser le vin dès que tout le monde fut installé, tandis que d'autres arrivaient de la cuisine en portant de grands plats qu'ils déposèrent sur les tables : viandes froides en tranches, agrémentées d'un assortiment de noix jaune foncé, de cerises confites et de crevettes aux têtes et aux pattes encore intactes.

Yongxing leva sa coupe pour porter un premier toast, et tout le monde s'empressa de boire avec lui ; l'alcool de riz, servi tiède, glissait avec une facilité trompeuse. Ce fut le signal de l'ouverture des réjouissances ; les Chinois commencèrent à piocher dans les plats, et les jeunes messieurs ne se firent pas prier pour les imiter. Laurence put constater avec embarras, en jetant un coup d'œil dans leur direction, que Roland et Dyer maniaient leurs baguettes avec dextérité et avaient déjà les joues gonflées de nourriture.

Lui-même venait à peine de réussir à porter une tranche de bœuf à sa bouche en la transperçant avec l'une de ses baguettes ; la viande avait une saveur fumée qui n'était pas déplaisante. À peine l'eut-il avalée que Yongxing porta un autre toast, et il fallut boire de nouveau ; ce manège se répéta plusieurs fois, jusqu'à ce qu'il se sente agréablement étourdi.

S'enhardissant avec ses baguettes, il se risqua sur les

crevettes, bien qu'il eût constaté que les autres officiers autour de lui les évitaient soigneusement ; la sauce les rendait glissantes et difficiles à happer. Elles tremblaient en équilibre instable, le fixant de leurs petits yeux ronds et noirs ; il suivit l'exemple des Chinois et en trancha une d'un coup de dents juste derrière la tête. Aussitôt, on le vit tâtonner à la recherche de sa coupe, tandis qu'il respirait bruyamment par le nez : la sauce était effroyablement forte, et fit naître une nouvelle suée sur son front, dont les gouttes roulèrent le long de ses mâchoires pour lui couler dans le col. Liu Bao poussa un rugissement de rire devant son expression et lui reversa du vin, se penchant par-dessus la table pour lui taper sur l'épaule avec approbation.

Les plats furent bientôt emportés et remplacés par une série d'écuelles en bois chargées de boulettes, certaines enveloppées d'une sorte de fine crêpe, d'autres recouvertes d'une pâte blanche et farineuse. Elles étaient plus faciles à attraper avec des baguettes, et l'on pouvait les mettre tout entières dans sa bouche. Les cuisiniers avaient dû déployer des trésors de créativité, par manque d'ingrédients essentiels ; Laurence trouva un morceau d'algue dans une boulette, et les rognons d'agneau firent leur apparition également. Il y eut trois autres services de petits plats, puis un plat étrange à base de poisson cru, rose pâle et charnu, entouré de nouilles froides et de légumes verts en saumure rendus brunâtres par une longue conservation. Une étrange substance croquante dans la préparation fut identifiée, après que Hammond eut posé la question, comme de la méduse séchée, renseignement qui persuada plusieurs hommes d'en prélever subrepticement les morceaux pour les faire disparaître sous la table.

Liu Bao, par le geste ainsi que par son exemple, encouragea Laurence et les autres à jeter littéralement les ingrédients en l'air afin de les mélanger. Hammond leur traduisit que cette pratique était censée porter chance ; plus on les lançait haut, mieux c'était. Les Britanniques se prêtèrent au jeu de bonne grâce ; mais leur coordination n'était pas à la hauteur de la tâche, hélas, et bientôt uniformes et table furent maculés de morceaux de poisson et de légumes en saumure. La dignité de la réunion n'y survécut pas : chaque homme ayant vidé près d'un cruchon d'alcool de riz, même la présence de Yongxing ne suffit plus à contenir l'hilarité générale devant les officiers couverts de nourriture.

— C'est rudement meilleur que le régime que nous suivions à bord de la chaloupe du *Normandy* ! lança Riley à Laurence d'une voix forte, en parlant du poisson.

Pour le reste de l'assistance, Hammond et Liu Bao ayant exprimé leur intérêt, il développa l'histoire :

— Nous servions sur le *Normandy*, quand le capitaine Yarrow nous a jetés sur un récif, devant une île déserte, à sept cents milles de Rio. On nous a envoyés chercher du secours à bord de la chaloupe. À vrai dire, Laurence n'était que deuxième lieutenant à l'époque, mais le capitaine et le premier lieutenant n'étaient eux-mêmes pas plus marins que des singes apprivoisés, raison pour laquelle ils nous avaient drossés à la côte. Ils n'y seraient pas allés pour tout l'or du monde. En plus, ils ne nous donnaient pas grand-chose en matière de provisions, ajouta-t-il, encore fâché à ce souvenir.

— Douze hommes sans rien d'autre à se mettre sous la dent que nos ceintures et un sac de noix de coco ; lorsque nous attrapions du poisson, nous étions trop heureux de le dévorer tout cru, avec nos doigts, raconta Laurence. Pourtant, je ne me plains pas ; je suis à peu près certain que c'est pour cela que Foley m'a choisi comme premier lieutenant sur le *Goliath*, et j'aurais avalé bien davantage de poisson cru pour une telle chance. Bien sûr, celui-ci est incomparablement meilleur ! s'empressa-t-il d'ajouter, ne voulant pas laisser entendre que le poisson cru n'était bon à manger que dans une situation désespérée ; il en était convaincu lui-même, mais préférait garder cette opinion pour lui.

Ce récit encouragea d'autres officiers navals, la langue déliée et le dos assoupli par de telles agapes, à se lancer dans plusieurs anecdotes de leur cru. L'interprète eut fort à faire pour les traduire au public chinois captivé. Même Yongxing suivit cet échange : il n'avait toujours pas daigné enfreindre son silence, sinon pour les toasts de rigueur, mais on lisait une sorte d'apaisement dans son regard.

Liu Bao se montra moins réservé dans sa curiosité :

— Vous avez beaucoup voyagé, à ce que je vois, et connu nombre d'aventures inhabituelles, dit-il à Laurence. L'amiral Zheng a navigué jusqu'en Afrique, mais il est mort au cours de son septième voyage, et sa tombe est vide. Vous avez fait plusieurs fois le tour du monde ; ne craignez-vous pas de disparaître en mer, et que personne ne puisse jamais accomplir les rites funéraires pour vous ?

— Je n'y ai jamais vraiment réfléchi, avoua Laurence. (Ce qui n'était pas tout à fait exact : en vérité, la question ne lui avait jamais effleuré l'esprit.) Mais après tout, Drake, Cook et tant d'autres grands navigateurs sont morts en mer, eux aussi ; je m'estimerais heureux de partager leur tombe, monsieur, ainsi que celle de votre amiral.

— Ma foi, j'espère que vous avez de nombreux fils à la maison, dit Liu Bao en secouant la tête.

Le naturel avec lequel il proféra une remarque aussi personnelle laissa Laurence bouche bée.

— Non, monsieur, aucun, dit-il, trop décontenancé pour songer à autre chose que répondre. Je ne me suis jamais marié, ajouta-t-il, voyant Liu Bao sur le point d'afficher une expression de profonde sympathie.

Une fois sa réponse traduite, l'expression en question céda la place à une franche stupéfaction ; Yongxing et même Sun Kai se tournèrent vers lui en ouvrant de grands yeux. Mis sur la sellette, Laurence tenta de s'expliquer.

— Rien ne presse ; je suis le cadet de trois fils, et mon frère aîné a déjà trois garçons lui-même.

— Permettez-moi, capitaine, s'il vous plaît, intervint Hammond en venant à son secours. (Il se tourna vers les Chinois.) Chez nous, messieurs, le fils aîné hérite seul du domaine familial, tandis que les plus jeunes doivent s'ouvrir leur propre chemin dans la vie ; je sais qu'il en va différemment chez vous.

— Je suppose que votre père est un soldat, comme vous ? déclara Yongxing abruptement. Possède-t-il un domaine si modeste qu'il ne puisse subvenir aux besoins de tous ses fils ?

— Non, monsieur ; mon père est lord Allendale, répondit Laurence avec agacement. Notre domaine se trouve dans le comté de Nottingham ; je ne crois pas avoir jamais entendu personne le qualifier de modeste.

Yongxing parut surpris et quelque peu déçu par cette réponse, mais peut-être faisait-il simplement grise mine devant la soupe qu'on apportait présentement devant eux : un bouillon très léger, couleur d'or pâle et à la saveur curieuse, à la fois fumée et délicate. On leur servit des pichets de vinaigre rouge vif en accompagnement, pour ajouter du goût, ainsi qu'une masse de petites nouilles séchées, étrangement croquantes, dans chaque bol.

Pendant que les serviteurs versaient la soupe, le traducteur avait murmuré doucement quelque chose en réponse à une question de Sun Kai ; il se pencha ensuite par-dessus la table et demanda en son nom :

— Capitaine, votre père est-il apparenté au roi ?

Quoique étonné par la question, Laurence s'empressa de saisir cette occasion de poser sa cuillère ; il aurait eu du mal à avaler cette soupe, quand bien même ils n'en fussent pas déjà au sixième plat !

— Non, monsieur ; je n'aurais pas l'audace d'appeler Sa Majesté un parent. La famille de mon père descend des Plantagenêts ; nous ne sommes que très lointainement liés à la maison royale actuelle.

Sun Kai écouta la traduction, puis insista :

— Mais êtes-vous un plus proche parent du roi que ne l'était lord Macartney ?

Le traducteur écorcha quelque peu le nom du précédent ambassadeur, si bien que Laurence eut du mal à le reconnaître, jusqu'à ce que Hammond lui glisse hâtivement à l'oreille à qui Sun Kai faisait référence.

— Oh ! certainement, répondit Laurence. Lord Macartney n'a été élevé au rang de pair du royaume que pour service rendu à la Couronne ; non pas que nous considérions cela comme moins honorable, je vous l'assure, mais mon père est le onzième duc d'Allendale, dont la lignée remonte à 1529.

Tout en parlant, il s'amusa lui-même de se découvrir si absurdement jaloux de son héritage, à mi-chemin des antipodes, en compagnie de gens pour qui cela n'avait sans doute aucune signification, alors qu'il ne s'en était jamais vanté auprès de ses relations en Angleterre. De fait, il s'était souvent rebellé contre les sermons de son père à ce sujet – lesquels avaient été nombreux, surtout après sa première tentative avortée de prendre la mer. Mais quatre semaines à s'entendre répéter la même histoire quotidiennement dans le bureau de son père avaient manifestement produit leur effet, qu'il ne soupçonnait pas jusqu'ici, puisqu'il pouvait être poussé à donner une réponse aussi prétentieuse rien qu'en se voyant comparé à un grand diplomate issu d'une famille hautement respectable.

Contre toute attente, cependant, Sun Kai et ses

compatriotes se montrèrent sincèrement fascinés par cette information, révélant une passion pour la généalogie que Laurence n'avait encore rencontrée que chez les plus hautains de ses parents, et il se retrouva bientôt pressé de questions sur l'histoire de sa famille, qu'il ne se rappelait qu'à grand-peine.

— Excusez-moi, je vous en prie, implora-t-il en désespoir de cause. Il m'est impossible de retracer mon arbre généalogique oralement ; veuillez me pardonner.

Ce gambit s'avéra malheureux : Liu Bao, qui suivait la conversation avec intérêt, s'empressa de déclarer :

— Oh ! cela ne présente pas de difficulté.

Et de réclamer qu'on lui apporte de l'encre et un pinceau ; les serviteurs emportaient la soupe, et il y avait un peu de place sur la table pour l'instant. Ses voisins s'agglutinèrent autour de lui, les Chinois par curiosité, les Britanniques par instinct de conservation : un autre plat attendait dans l'antichambre, mais personne, hormis les cuisiniers, n'était pressé qu'il fût servi.

Se jugeant bien puni de sa vanité, Laurence fut contraint de dessiner son arbre généalogique sur un long rouleau de papier de riz devant tous les convives. À la difficulté de former l'alphabet latin avec un pinceau s'ajoutait celle de se remémorer la progéniture de chacun de ses ancêtres ; il dut laisser plusieurs emplacements vierges, marqués d'un point d'interrogation, avant de remonter finalement à Édouard III, *via* plusieurs circonvolutions et un passage par la loi salique. Le résultat ne faisait guère honneur à ses talents de calligraphe, mais les Chinois se passèrent et se repassèrent le document, dont ils débattirent avec enthousiasme, bien que son écriture ne fût guère plus intelligible pour eux que l'étaient leurs caractères pour lui. Même Yongxing l'examina longuement, sans trahir toutefois la moindre émotion. Et Sun Kai, lorsqu'il le reçut enfin, le roula avec une expression d'intense satisfaction, apparemment pour le conserver précieusement.

Fort heureusement, ce calvaire prit fin ; mais il n'y avait plus de raison de retarder davantage le plat suivant, et l'on apporta les poulets sacrifiés, les huit à la fois, sur de grands plats baignés d'une sauce fumante, âcre et onctueuse. Ils furent déposés sur la table et découpés en petits morceaux d'une main experte par les serviteurs, au moyen d'un couperet à large lame, et, une fois de plus, un Laurence au désespoir dut accepter qu'on lui remplît son assiette. La viande était délicieuse, tendre et gorgée de jus, mais la manger tenait presque du châtiment ; et ce n'était même pas la conclusion : lorsqu'on eut remporté les poulets, dont il restait beaucoup, on apporta des poissons entiers, frits dans la graisse du porc salé des matelots. Personne ne put faire mieux que picorer dans ce plat, ou dans la sélection de friandises qui suivit : gâteau parfumé au carvi et boulettes sucrées au sirop, fourrées d'une pâte rouge épaisse. Les serviteurs insistèrent tout particulièrement pour en servir aux jeunes messieurs, et l'on entendit la pauvre Roland demander plaintivement :

— Puis-je les garder pour demain ?

Lorsqu'on les autorisa enfin à s'échapper, ils furent

une douzaine à devoir se faire porter par les matelots et raccompagner hors de la cabine. Ceux qui étaient encore capables de marcher sans assistance sortirent sur le pont et s'accoudèrent à la main courante dans diverses attitudes de fascination feinte, principalement pour attendre leur tour sur les sièges d'aisance en bas. Laurence profita sans vergogne de ses commodités privées, puis sortit pour aller s'asseoir avec Téméraire, la tête presque aussi douloureuse que le ventre.

À sa profonde stupeur, il trouva Téméraire lui-même en train d'être régalé par une délégation de serviteurs chinois, qui lui avaient préparé les mets délicats qu'appréciaient les dragons dans leur propre pays : les entrailles de la vache, fourrées avec son propre foie et ses poumons hachés menu et assaisonnés d'épices, qui ressemblaient beaucoup à de grosses saucisses ; également un cuissot, très légèrement grillé et mouillé de la même sauce piquante que celle que l'on avait servie aux invités humains. La chair marron foncé d'un énorme thon, finement découpée en steaks et présentée entre deux couches de nouilles jaunes, fut son plat de poisson ; puis les serviteurs lui apportèrent en grande pompe un mouton entier, dont la viande cuite à part était présentée dans sa peau, teinte en rouge cramoisi, avec des morceaux de bois flotté figurant les pattes.

Téméraire goûta ce dernier mets et s'exclama, surpris :

— Oh ! c'est délicieux.

Il posa une question en chinois aux serviteurs ; ces

derniers s'inclinèrent à plusieurs reprises en répondant, et Téméraire hocha la tête, puis il mangea délicatement le contenu, en laissant de côté la peau et les jambes de bois.

— Ils ne servent qu'à la décoration, expliqua-t-il à Laurence en se couchant avec un soupir de satisfaction profonde.

Il était de toute évidence le seul convive à se sentir aussi bien. Sur le pont en contrebas, on entendit quelqu'un pris de haut-le-cœur – l'un des aspirants les plus âgés, victime de ses excès.

— Ils me disent que, en Chine, les dragons ne mangent pas la peau, comme les gens.

— Eh bien, j'espère que tu n'auras pas de mal à digérer, avec toutes ces épices, dit Laurence, qui regretta aussitôt cette remarque où perçait sa jalousie instinctive de voir Téméraire apprécier la moindre coutume chinoise.

Il prenait douloureusement conscience de n'avoir jamais songé à proposer à Téméraire des mets cuisinés, ni même un plus large choix que la sempiternelle alternance entre poisson et mouton, ne serait-ce que pour les grandes occasions.

Mais Téméraire dit seulement :

— Non, je trouve cela très bon. (Il bâilla avec indifférence, s'étira de tout son long et fit jouer ses griffes.) Irons-nous voler un peu plus longtemps demain ? s'enquit-il en se lovant de manière plus compacte. Je ne me suis pas beaucoup fatigué, cette semaine ; je suis sûr de pouvoir parcourir une plus grande distance.

— Absolument, répondit Laurence, heureux d'apprendre qu'il récupérait ses forces.

Keynes avait enfin mis un terme à la convalescence de Téméraire, peu après leur départ de Cape Coast. Yongxing n'avait jamais retiré son interdiction initiale concernant les vols du dragon avec Laurence, mais ce dernier n'avait pas l'intention de la respecter, encore moins de le supplier de la lever. Toutefois, Hammond parvint, non sans ingénuité et au prix d'une petite discussion, à régler la situation de manière diplomatique : Yongxing monta sur le pont après la décision finale de Keynes et donna sa permission à haute voix, « pour assurer le rétablissement de Lung Tien Xiang grâce à un exercice approprié », ainsi qu'il le formula. Ils étaient donc libres de reprendre l'air sans risque de querelle, mais Téméraire se plaignait d'une certaine raideur dans les muscles et se fatiguait plus vite que d'habitude.

Le festin s'était prolongé si longtemps que Téméraire n'avait commencé à dîner qu'au crépuscule ; il faisait complètement noir désormais et, en s'adossant contre le flanc du dragon, Laurence leva les yeux vers les étoiles moins familières de l'hémisphère sud. La nuit était parfaitement claire, ce qui permettrait au maître, espérait-il, d'établir la longitude avec précision d'après les constellations. Les matelots avaient reçu quartier libre pour faire la fête eux aussi, et l'alcool de riz avait coulé à flots à leurs tables également ; ils entonnèrent une chanson paillarde hautement explicite, et Laurence s'assura d'un regard que Roland et Dyer ne se trouvaient pas à portée d'oreille sur le pont : il ne les vit nulle part. Sans doute étaient-ils partis se coucher sitôt la dernière bouchée avalée.

Un par un, les hommes commencèrent à quitter les festivités pour se mettre en quête de leur hamac. Riley monta par l'escalier du pont d'envol, en posant les deux pieds l'un après l'autre sur chaque marche, très las et le visage empourpré ; Laurence l'invita à s'asseoir et, par égard pour lui, ne lui offrit pas de verre de vin.

— Ce fut un succès retentissant ; n'importe quelle maîtresse de maison pourrait considérer la tenue d'un tel dîner comme un triomphe, dit Laurence. Mais j'avoue que je me serais volontiers contenté de la moitié des plats, et les serviteurs auraient pu montrer moins d'empressement sans que je souffre de la faim.

— Oh ! Oui, en effet, répondit machinalement Riley, distrait et, maintenant que Laurence l'étudiait de près, visiblement mécontent et contrarié.

— Qu'y a-t-il ? Un problème ?

Laurence leva aussitôt les yeux vers les cordages, les mâts ; mais tout semblait fonctionner pour le mieux, et, de toute manière, son intuition comme ses sensations lui indiquaient que le vaisseau marchait fort bien : ou du moins, aussi bien que possible, pour le mastodonte qu'il était.

— Laurence, je déteste devoir jouer les mouchards, mais il m'est impossible de garder cela pour moi, dit Riley. Cet enseigne, ou cadet, je suppose, que vous avez ; Roland. Il… enfin, il s'était assoupi dans la cabine des Chinois, et, au moment où je partais, les serviteurs m'ont demandé, par l'intermédiaire de leur interprète, où il dormait, afin de pouvoir le ramener.

Laurence redoutait déjà la conclusion, et ne fut pas surpris d'entendre Riley ajouter :

— Mais le gars disait « elle » au lieu de « lui » ; j'étais sur le point de le reprendre, mais, en y regardant de plus près… enfin, bref ; Roland est une fille. J'ignore comment elle est parvenue à le dissimuler aussi longtemps.

— Oh ! foutre, dit Laurence, trop éreinté et rendu trop irritable par l'abus de nourriture et de boisson pour surveiller son langage. Vous n'avez parlé de cela à personne, n'est-ce pas, Tom ? À personne d'autre ?

Riley acquiesça prudemment, et Laurence lui expliqua :

— Je dois vous supplier de garder le secret ; le fait est que les Longwings refusent d'endosser le harnais pour un capitaine masculin. Et d'autres races également, même si leur importance tactique est moindre ; mais nous ne pouvons nous passer des Longwings, aussi certaines filles doivent-elles s'entraîner à leur intention.

Riley, souriant à moitié, protesta d'une voix hésitante :

— Seriez-vous… ? Non, c'est absurde ; le chef de votre formation n'est-il pas venu ici même, avec son Longwing ?

— Lily ? intervint Téméraire en allongeant le cou. Son capitaine est Catherine Harcourt ; ce n'est pas un homme.

— C'est vrai ; je vous l'assure, dit Laurence, tandis que Riley les fixait tour à tour, Téméraire et lui.

— Mais, Laurence, dit Riley, effaré maintenant qu'il commençait à les croire, l'idée même… La moindre fibre de votre être doit protester contre une telle indignité. Quoi, si nous devons envoyer des femmes à la guerre, pourquoi ne pas les emmener en mer, également ? Nous pourrions doubler nos équipages, et peu importe si chaque vaisseau se transforme en bordel, et que des orphelins se retrouvent abandonnés en larmes sur le rivage ?

— Allons, l'un ne découle pas nécessairement de l'autre, dit Laurence, agacé par cette exagération (lui-même n'appréciait guère cette nécessité, mais n'était pas disposé pour autant à recevoir des arguments aussi mélodramatiques). Je ne prétends pas que cette réponse puisse ou doive convenir dans tous les cas ; mais si le sacrifice de quelques-unes peut permettre la sécurité et le bonheur des autres, je ne sache pas que ce soit si grave. Ces femmes officiers que j'ai pu rencontrer n'ont pas été enrôlées de force, ni contraintes de servir par les nécessités ordinaires qui obligent les hommes à chercher un emploi, et je vous assure que personne dans le service n'oserait leur manquer de respect.

Cette explication ne convainquit pas Riley, mais il mit de côté sa protestation d'ordre général pour revenir à la situation particulière qui le préoccupait.

— Ainsi donc, vous avez bel et bien l'intention de conserver cette fille dans le service, dit-il, d'un ton plus plaintif que choqué. Et de lui permettre de déambuler partout en habits d'homme ; est-ce seulement légal ?

— Il existe une dispense officielle des lois somptuaires concernant les femmes officiers des Corps en service, autorisée par la Couronne, répondit Laurence. Je suis navré que vous preniez cette affaire aussi à cœur, Tom ; j'espérais pouvoir éviter le sujet, mais je suppose que c'était trop demander, avec sept mois à passer à bord. Je vous promets, ajouta-t-il, que j'étais aussi choqué qu'on peut l'être lorsque j'ai découvert cette pratique ; mais depuis, j'ai servi auprès de plusieurs de ces officiers et je vous assure que ce ne sont pas des femmes ordinaires. Elles sont éduquées pour cela, voyez-vous, et dans de telles circonstances les habitudes prennent le pas même sur le genre.

Pour sa part, Téméraire suivait cet échange tête inclinée, en proie à une confusion croissante :

— Je ne vois pas où est le problème, finit-il par intervenir. Lily a beau être une femelle, elle se bat aussi bien que moi. Ou presque, corrigea-t-il avec un brin de suffisance.

Riley, que les propos rassurants de Laurence n'apaisaient toujours pas, entendit cette remarque avec l'expression de celui à qui l'on demande de justifier la marée, ou les phases de la lune ; Laurence, accoutumé depuis longtemps aux idées radicales de Téméraire, répondit :

— Les femmes sont généralement plus petites et moins fortes que les hommes, Téméraire, moins aptes à endurer les privations du service.

— Il ne m'a jamais semblé que le capitaine

Harcourt soit plus petite que le reste d'entre vous, dit Téméraire (ce qui pouvait se comprendre, de la part d'une créature de quelque trente pieds de haut et d'un poids supérieur à dix-huit tonnes). Par ailleurs, je suis moi-même plus petit que Maximus, et Messoria est plus petite que moi ; cela ne nous empêche pas de combattre.

— Il en va différemment des dragons et des humains, dit Laurence. Les femmes doivent porter les enfants et s'occuper d'eux durant leur enfance, notamment. Alors que vous pondez des œufs dont vous sortez tout prêts à subvenir à vos propres besoins.

Cette information nouvelle fit sourciller Téméraire.

— Vous ne pondez pas d'œufs ? demanda-t-il, ébahi. Dans ce cas, comment…

— Je vous demande pardon, il me semble apercevoir Purbeck en train de me chercher, dit Riley très vite.

« Il s'enfuyait avec une remarquable célérité, pour un homme qui venait d'avaler près du quart de son poids en nourriture », songea Laurence avec une pointe de ressentiment.

— Il m'est impossible de t'expliquer le processus en détail ; je n'ai pas d'enfant moi-même, éluda Laurence. De toute façon, il est tard ; si tu as l'intention de faire un long vol demain, nous devrions dormir, maintenant.

— Tu as raison, j'ai sommeil, dit Téméraire, qui bâilla en déroulant sa longue langue fourchue pour goûter l'air. Je crois que le temps devrait se maintenir ; nous aurons une belle journée pour voler. (Il s'installa confortablement.) Bonne nuit, Laurence ; viendras-tu de bonne heure, demain ?

— Tout de suite après le petit déjeuner, je serai entièrement à ta disposition, promit Laurence.

Il resta là, à caresser doucement Téméraire, jusqu'à ce que le dragon s'endorme ; sa peau était encore tiède au toucher, sans doute grâce à la chaleur résiduelle de la cuisine, dont les fourneaux venaient de s'éteindre après ces interminables préparations. Enfin, quand les yeux de Téméraire se réduisirent à deux fentes, Laurence se releva et descendit du pont d'envol.

Les hommes étaient pour la plupart descendus dans leurs cabines ou dormaient sur le pont, à l'exception des quelques malchanceux désignés comme vigies, qui pestaient sur leur sort dans le gréement. L'air nocturne était agréablement frais. Laurence marcha un peu vers l'arrière pour se dégourdir les jambes avant de descendre ; l'aspirant de quart, le jeune Tripp, bâillait en ouvrant une bouche presque aussi large que celle de Téméraire ; il la referma d'un coup et se redressa au garde-à-vous au passage de Laurence.

— Agréable soirée, n'est-ce pas, monsieur Tripp ? lui dit Laurence, en dissimulant son amusement.

Le garçon était prometteur, d'après Riley, et ne ressemblait plus guère à l'enfant gâté et paresseux que leur avait confié sa famille. Ses poignets dépassaient de ses manches sur plusieurs pouces, et sa veste s'était fendue si souvent qu'on avait dû se résoudre à l'élargir en lui insérant un pan de toile à voile teinte en bleu, d'une nuance légèrement différente du reste, si bien qu'il avait une bande étrange le long du dos. Ses cheveux avaient bouclé également, et singulièrement blondi au soleil ; sa propre mère ne l'aurait pas reconnu.

— Oh ! oui, monsieur, dit Tripp avec enthousiasme. La nourriture était délicieuse, et ils m'ont donné une douzaine de ces petites boules de pâte sucrées, à la fin. Dommage que nous ne puissions pas manger ainsi tous les jours.

Laurence soupira devant cet exemple de résistance de la jeunesse ; son propre estomac s'insurgeait à cette seule idée.

— Gardez-vous de vous endormir, prévint-il.

Après un tel dîner, il n'y avait rien eu d'étonnant à ce que le garçon se laissât aller à somnoler, et Laurence n'avait aucune envie de lui voir infliger un châtiment ignominieux.

— Jamais, monsieur, lui assura Tripp, réprimant un bâillement qui lui fit achever sa phrase dans les aigus. Monsieur, s'enquit-il anxieusement à voix basse, comme Laurence s'apprêtait à s'éloigner. Je voulais vous demander : croyez-vous que les esprits chinois se montreraient à quelqu'un qui ne serait pas membre de leur famille ?

— Je peux vous garantir que vous ne verrez pas le moindre esprit durant votre quart, monsieur Tripp. À moins que vous n'en cachiez un flacon dans la poche de votre veste ! répondit Laurence avec ironie.

La plaisanterie fit son chemin, puis Tripp lâcha un petit rire, toujours aussi nerveux ; Laurence fronça les sourcils.

— Vous aurait-on raconté des histoires ?

demanda-t-il, bien conscient du tort que pouvait faire ce genre de rumeur au moral d'un équipage.

— Non, c'est simplement que... enfin, il m'a semblé apercevoir quelqu'un vers l'avant, quand je suis allé retourner le sablier. Je l'ai appelé, il a disparu ; je suis sûr qu'il s'agissait d'un Chinois, et, mon Dieu, il avait le visage si blanc !

— La chose me paraît claire : vous avez vu l'un des serviteurs qui ne parlent pas notre langue, qui venait de l'avant, et qui s'est caché dès que vous l'avez hélé ; sans doute redoutait-il une réprimande. J'espère que vous n'êtes pas enclin à la superstition, monsieur Tripp ; c'est une chose qu'il nous faut tolérer chez les hommes, mais un regrettable défaut chez un officier.

Il s'exprimait sévèrement, espérant que sa fermeté découragerait au moins le garçon de propager son histoire – et tant mieux si la peur le tenait éveillé pour le restant de la nuit.

— Oui, monsieur, dit Tripp avec abattement. Bonne nuit, monsieur.

Laurence poursuivit sa promenade sur le pont, à une allure nonchalante qui lui demandait déjà un certain effort. L'exercice lui calmait l'estomac ; il fut tenté d'effectuer un deuxième tour, mais le sablier s'épuisait, et il ne voulait pas décevoir Téméraire en se levant tard. Au moment de se diriger vers l'écoutille avant, toutefois, il reçut une violente bourrade dans le dos qui le fit trébucher et basculer tête la première dans l'ouverture.

Sa main se referma d'elle-même sur la rampe et, après une brusque torsion, il trouva les marches du bout du pied, se rattrapant contre l'échelle avec un choc sourd. Furieux, il leva la tête et faillit lâcher prise, reculant devant la face pâle, étonnamment déformée, qui surgissait de l'obscurité pour se pencher sur lui.

— Grand Dieu ! s'écria-t-il avec une surprise non feinte.

Puis il reconnut Feng Li, le serviteur de Yongxing, et respira de nouveau : l'homme n'avait eu l'air étrange que parce qu'il le voyait à l'envers à travers l'écoutille, à quelques pouces de tomber lui-même.

— Quelle mouche vous pique, de courir ainsi sur le pont ? demanda-t-il, attrapant la main de l'homme et la posant sur la rampe de manière qu'il pût reprendre son équilibre. Vous devriez avoir le pied un peu plus marin, depuis le temps.

Feng Li se contenta de le dévisager sans comprendre, puis se remit sur ses pieds et dévala l'échelle pêle-mêle devant Laurence, avant de filer à une telle vitesse en direction des quartiers réservés aux serviteurs chinois que l'on pouvait légitimement appeler cela disparaître. Avec son habit bleu foncé et ses cheveux noirs, à peine eut-il le dos tourné qu'il devint pratiquement invisible dans le noir.

— On ne peut pas reprocher à Tripp d'avoir eu peur, dit Laurence à haute voix, davantage enclin à pardonner la nervosité du garçon.

Son cœur battait la chamade tandis qu'il regagnait sa propre cabine.

Laurence fut tiré du sommeil le lendemain matin par des cris de consternation et des bruits de piétinement ;

il se précipita en haut, pour voir la misaine abattue sur le pont en deux parties, couvrant la moitié du gaillard d'avant, et Téméraire qui paraissait aussi malheureux qu'embarrassé.

— Je ne l'ai pas fait exprès, s'excusa-t-il piteusement d'une voix râpeuse, avant d'éternuer de nouveau, prenant cette fois la précaution de tourner la tête loin du vaisseau : la puissance de son souffle souleva quelques vagues, qui vinrent clapoter contre le flanc bâbord.

Keynes grimpait déjà sur le pont d'envol avec sa trousse, et vint coller son oreille contre le poitrail de Téméraire.

— Hmm.

Il n'ajouta rien de plus, se contentant d'écouter en plusieurs endroits, jusqu'à ce que Laurence s'impatiente et lui demande ce qu'avait Téméraire.

— Oh ! il a très certainement pris froid ; il n'y a rien à faire sinon attendre, et lui administrer un remède pour la gorge lorsqu'il commencera à tousser. Je cherche simplement à savoir si je peux entendre circuler le fluide dans les canaux relatifs au vent divin, répondit Keynes d'un air absent. Nous n'avons aucune notion anatomique de ce trait particulier ; il est bien dommage que nous n'ayons jamais eu de spécimen comme lui à disséquer.

Ces propos hérissèrent Téméraire, qui coucha sa collerette et renifla avec dédain, ou plutôt tenta de le faire : au lieu de quoi, il souffla du mucus partout sur la figure de Keynes. Laurence lui-même bondit en arrière juste à temps, et n'éprouva aucune compassion pour le chirurgien : sa remarque avait manqué singulièrement de tact.

— Je me sens bien, nous pouvons aller voler quand même, fit Téméraire d'une voix rauque en jetant un regard implorant à Laurence.

— Évitons d'aller trop loin, dans ce cas, et peut-être pourrons-nous voler de nouveau cet après-midi si tu n'es pas trop fatigué, suggéra Laurence en consultant du regard Keynes qui tentait vainement de s'essuyer la figure.

— Par un beau temps comme celui-ci il peut voler aussi longtemps qu'il le désire ; inutile de le couver, dit Keynes d'un ton sec, réussissant enfin à dégager ses yeux. Veillez seulement à bien vous attacher, sinon il risque de vous désarçonner au premier éternuement. Voulez-vous m'excusez ?

Ainsi donc, Téméraire eut droit à son long vol : ils laissèrent l'*Allegiance* rapetisser derrière eux sur l'immensité bleue et l'océan se mit à scintiller comme du verre tandis qu'ils se rapprochaient de la côte : de vieilles falaises, rongées par les ans et s'inclinant en pente douce jusqu'à la plage sous un manteau de verdure, avec une frange de rochers gris à la base où se fracassaient les vagues. On apercevait quelques bandes de sable blond ici et là, trop étroites pour que Téméraire pût s'y poser, quand bien même ils en auraient eu l'intention ; mais pour le reste, la forêt semblait impénétrable, même au bout d'une heure passée à la survoler en ligne droite à l'intérieur des terres.

Sous eux, défilait un paysage presque aussi monotone que l'océan ; le vent faisait onduler les cimes des arbres comme des vagues, et le silence était simplement d'une qualité différente. Téméraire tendait le cou avec intérêt chaque fois qu'un cri d'animal rompait le silence, mais les frondaisons étaient si denses qu'il n'apercevait même pas le sol.

— Personne ne vit donc par ici ? finit-il par demander.

Il parlait peut-être à voix basse pour ménager sa gorge, mais Laurence éprouvait le même penchant à préserver le calme, et répondit doucement :

— Non ; nous avons volé trop longtemps. Même les tribus les plus puissantes restent le long de la côte et ne s'aventurent jamais si loin à l'intérieur des terres ; on y rencontre trop de dragons sauvages et d'autres créatures féroces.

Ils continuèrent sans plus parler pendant un moment. Le soleil cognait fort, et Laurence oscillait entre la veille et le sommeil, en dodelinant de la tête. Laissé à lui-même, Téméraire poursuivit de l'avant, à une allure modeste qu'il pouvait soutenir indéfiniment ; lorsqu'un éternuement du dragon tira enfin Laurence de sa torpeur, le soleil avait dépassé le zénith : ils allaient rater le dîner.

Téméraire obtempéra immédiatement quand Laurence lui proposa de faire demi-tour ; sur le chemin du retour, il pressa même l'allure. Ils avaient volé si loin que la côte était hors de vue et ils s'orientèrent uniquement à la boussole de Laurence, sans le moindre repère pour les guider au-dessus de cette jungle immuable. Ils revirent avec plaisir la courbe douce de l'océan, et Téméraire retrouva toute sa bonne humeur lorsqu'ils furent de nouveau au-dessus des vagues.

— Au moins ai-je recouvré mon endurance, malgré ma maladie, se réjouit-il.

Sur quoi un éternuement violent le projeta trente pieds plus haut, dans un fracas assez semblable à un coup de canon.

Le soir tombait quand ils regagnèrent l'*Allegiance*, et Laurence découvrit qu'ils n'avaient pas manqué que le dîner. Un autre marin que Tripp avait aperçu Feng Li sur le pont la nuit précédente, avec des conséquences similaires, et en l'absence de Laurence l'histoire du fantôme avait déjà fait le tour du vaisseau, amplifiée une douzaine de fois et fermement ancrée dans les esprits. Il eut beau multiplier les explications rationnelles, l'équipage ne voulut pas en démordre : trois hommes juraient maintenant avoir vu le fantôme danser la gigue au-dessus de la misaine la veille au soir, annonçant sa ruine ; d'autres du quart de nuit affirmaient que le fantôme avait évolué toute la nuit dans le gréement.

Liu Bao lui-même ajouta de l'huile sur le feu ; apprenant l'histoire lors de sa promenade sur le pont, le lendemain, il hocha la tête et déclara que l'apparition du fantôme était le signe qu'une personne à bord s'était mal conduite à l'encontre d'une femme. Cela pouvait concerner pratiquement tout le monde à bord. Les hommes maugréèrent longuement sur ces spectres étrangers à la pruderie déraisonnable et débattirent anxieusement de la question durant les repas, chacun s'efforçant de se persuader lui-même et de convaincre ses compagnons qu'il ne pouvait être en cause ; sa faute avait été bien bénigne, sans malice, et d'ailleurs il avait toujours eu l'intention d'épouser la fille dès son retour.

Les soupçons ne s'étaient encore portés sur personne en particulier pour l'instant, mais ce n'était qu'une question de temps ; dès que le coupable présumé serait désigné, sa vie deviendrait impossible. En attendant, les hommes ne travaillaient qu'à contrecœur durant la nuit, allant même jusqu'à refuser certains ordres afin de ne pas rester seuls sur le pont. Riley tenta bien de donner l'exemple en s'éloignant seul dans le noir pendant son quart, mais l'effort de volonté que cela lui réclamait de toute évidence en atténua l'impact. Laurence réprimanda sévèrement Allen, le premier membre de son équipage à mentionner le fantôme dans son rapport, de sorte qu'il n'en fut plus question devant lui ; mais les aviateurs avaient tendance à rester à proximité de Téméraire lorsqu'ils étaient de service, et à ne sortir de leurs quartiers qu'en petits groupes.

Téméraire lui-même était trop enrhumé pour prêter grande attention à cette affaire. Ébahi devant l'ampleur de la frayeur exprimée, il se plaignit même de n'avoir jamais aperçu le spectre, alors que tant d'autres affirmaient l'avoir vu ; mais, pour l'essentiel, il était occupé à dormir et à orienter ses éternuements fréquents à l'extérieur du vaisseau. Il essaya d'abord de dissimuler sa toux quand elle se développa, pour ne pas avoir à prendre son médicament : dès l'apparition des premiers symptômes, Keynes l'avait préparé dans une grande marmite, et son odeur infecte s'échappait de la cuisine à travers les planches du pont. Mais dans l'après-midi du troisième jour, il fut secoué par une quinte de toux qu'il ne put réprimer, et Keynes et ses aides montèrent la marmite sur le pont d'envol : elle était remplie d'une mixture brune épaisse, presque gélatineuse, noyée dans un glacis de graisse liquide orangée.

Téméraire avisa la marmite d'un air malheureux.

— Suis-je vraiment obligé ? demanda-t-il.

— Mieux vaut le prendre chaud, répondit Keynes, implacable.

Téméraire ferma les yeux et se pencha pour boire.

— Oh ! non ! *non !* s'écria-t-il après la première gorgée.

Il saisit le tonnelet d'eau qu'on avait préparé à son intention et le vida dans sa gueule, s'en renversant la moitié dans le cou et sur le pont au passage.

— Il m'est impossible d'en avaler davantage, conclut-il en reposant le tonnelet.

Pourtant, à force d'exhortations et de cajoleries, maussade et secoué de haut-le-cœur jusqu'au bout, il finit par ingurgiter tout le contenu de la marmite.

Pendant tout ce temps, Laurence était resté près de lui, à le caresser anxieusement. Il n'osait plus rien dire : Keynes s'était montré si tranchant lorsqu'il avait suggéré un bref répit dans l'administration de la mixture ! Quand Téméraire eut enfin terminé, il se laissa retomber sur le pont et déclara avec passion :

— Plus jamais je ne serai malade, plus jamais !

En dépit de ses protestations, pourtant, sa toux s'apaisa bel et bien et il dormit mieux cette nuit-là, avec une respiration beaucoup moins laborieuse.

Laurence demeura sur le pont à ses côtés comme toutes les nuits depuis qu'il était tombé malade ; pendant que Téméraire dormait calmement, il eut tout le loisir d'observer les précautions absurdes prises par les hommes afin d'éviter le fantôme : se rendre à l'avant deux par deux, se regrouper autour des deux lanternes de pont au lieu de dormir. Même l'officier de quart rechignait à s'éloigner, et pâlissait chaque fois qu'il devait traverser le pont pour aller retourner le sablier et piquer la cloche.

Seule une diversion pourrait leur faire oublier ces sornettes, mais il ne fallait guère y compter : d'une part le temps se maintenait au beau, d'autre part ils avaient peu de chance de croiser un ennemi pressé d'en découdre, et tout vaisseau désireux de les fuir n'aurait aucun mal à les distancer. Laurence ne souhaitait ni la tempête ni le combat, de toute manière : ils allaient devoir supporter cette situation jusqu'à la prochaine escale, où l'interruption dans leur voyage suffirait peut-être à dissiper le mythe.

Téméraire renifla dans son sommeil et se réveilla à demi, secoué d'une toux grasse, avant de soupirer tristement. Laurence posa la main sur lui et rouvrit le livre posé dans son giron. La lanterne qui se balançait près de lui l'éclairait suffisamment, quoique par intermittence, et il lut à voix haute jusqu'à ce que Téméraire referme enfin ses paupières lourdes.

9

— Je ne voudrais pas me mêler de vos affaires, dit le général Baird, qui montrait pourtant fort peu de réticence à le faire. Mais les vents sont bigrement imprévisibles en Inde à cette période de l'année, avec la mousson d'hiver qui vient tout juste de s'achever. Vous risquez de vous faire renvoyer tout droit jusqu'ici. Vous feriez beaucoup mieux d'attendre l'arrivée de lord Caledon, en particulier après cette nouvelle à propos de Pitt.

C'était un homme jeune, au visage allongé, sérieux, avec une mâchoire très déterminée ; le col raide de son uniforme lui relevait le menton et donnait à son cou une apparence de raideur altière. En attendant la venue du nouveau gouverneur britannique, il commandait par intérim la colonie du Cap, depuis la grande citadelle fortifiée au milieu de la ville, au pied de la montagne de la Table. Dans la cour éclaboussée de lumière, le soleil étincelait sur les baïonnettes des soldats à l'exercice, et les murs d'enceinte les protégeaient de la brise qui les avait rafraîchis tout au long de leur ascension depuis le port.

— Nous ne pouvons pas rester ici jusqu'au mois de

juin, dit Hammond. Il vaudrait beaucoup mieux hisser les voiles et prendre du retard en mer, avec des efforts manifestes pour tenter de progresser, que rester oisifs devant le prince Yongxing. Il m'a déjà demandé combien de temps durerait encore ce voyage, et combien d'autres escales nous envisagions.

— Pour ma part, je ne demande qu'à repartir dès que nous aurons ravitaillé, lui assura Riley. (Il reposa sa tasse de thé et adressa un signe de tête au domestique pour qu'il le resserve.) L'*Allegiance* n'est pas un vaisseau rapide, certainement, mais je serais prêt à parier mille livres sur lui face à n'importe quel grain que nous pourrions rencontrer.

Plus tard, alors qu'ils regagnaient le bord, il rectifia à l'adresse de Laurence, non sans une pointe d'anxiété :

— Non pas, bien sûr, que j'aimerais le voir à l'épreuve contre un typhon. Je ne voulais rien dire de la sorte ; je pensais simplement à un grain ordinaire, peut-être un peu de pluie.

Leurs préparatifs pour la longue traversée qui les attendait encore furent menés bon train ; il fallut non seulement racheter du bétail, mais également trouver davantage de viande salée, car le port ne pouvait leur procurer de provisions navales réglementaires. Fort heureusement, les autres denrées ne manquaient pas. Les colons toléraient de bonne grâce l'occupation modérée, et se montraient tout disposés à vendre une partie de leurs bêtes. Laurence se souciait surtout de la question de la demande, car l'appétit de Téméraire avait beaucoup diminué depuis sa maladie et il était devenu difficile concernant sa nourriture, se plaignant de sa fadeur.

Il n'y avait pas de base à proprement parler, mais, prévenu par Volatilus, Baird avait anticipé leur arrivée et fait dégager une clairière verdoyante près du terrain d'atterrissage afin d'accueillir le dragon. Une fois Téméraire installé dans cet environnement stable, Keynes put enfin l'examiner convenablement : le dragon se vit ordonner de coucher sa tête à plat sur le sol, puis d'ouvrir la gueule en grand ; et le chirurgien grimpa à l'intérieur avec une lanterne, progressant prudemment entre les crocs acérés pour jeter un coup d'œil dans le fond de la gorge.

Laurence, qui attendait nerveusement à l'extérieur en compagnie de Granby, vit que la langue fourchue de Téméraire, d'ordinaire rose pâle, était présentement recouverte d'un épais dépôt blanchâtre, moucheté de taches rouge vif.

— J'imagine que c'est la raison pour laquelle il ne sent plus le goût ; je ne vois rien d'anormal dans l'état de sa gorge, dit Keynes, haussant les épaules en descendant de la gueule de Téméraire (sous les applaudissements d'une bande de gamins, colons et indigènes mêlés, qui s'étaient ressemblés derrière la barrière de la clairière pour observer la scène avec fascination, comme au cirque). La langue des dragons leur sert également pour sentir les odeurs, reprit le chirurgien, ce qui doit contribuer à ses difficultés.

— Ce n'est tout de même pas un symptôme habituel ? s'inquiéta Laurence.

— Je ne me rappelle pas avoir jamais vu un dragon

perdre l'appétit après un rhume, dit Granby, soucieux. D'ordinaire, c'est plutôt le contraire qui se produit.

— Il se montre simplement plus difficile que les autres à propos de son alimentation, dit Keynes. Il va falloir te forcer à manger jusqu'à ce que tu sois pleinement rétabli, ajouta-t-il d'une voix sévère à l'intention de Téméraire. Allons, voici un bon bœuf bien frais ; voyons si tu peux le dévorer jusqu'au bout.

— Je vais essayer, dit Téméraire, avec un soupir qui sonna comme un gémissement du fait de ses narines encombrées. Mais c'est très ennuyeux de mâcher et remâcher quelque chose qui n'a aucun goût.

Il engloutit docilement plusieurs grosses pièces de bœuf, sans enthousiasme, mais se contenta de mâchonner les suivantes sans avaler grand-chose. Après quoi il détourna la tête pour se moucher dans la petite fosse creusée à cet effet avant de s'essuyer le nez dans un monceau de feuilles de palmier.

Laurence l'observa en silence, puis emprunta le sentier tortueux qui reliait le terrain d'atterrissage à la citadelle : il y trouva Yongxing en train de se reposer en compagnie de Sun Kai et de Liu Bao dans le quartier des invités. De minces rideaux filtraient le soleil en lieu et place des lourdes tentures en velours, et deux serviteurs brassaient l'air en agitant de grands éventails en papier devant les fenêtres ouvertes ; un autre se tenait discrètement à proximité, prêt à remplir les tasses de thé des émissaires. Laurence se sentit sale et en sueur, par contraste ; son col poisseux collait à son cou après les exercices de la journée, et une épaisse couche de poussière, mêlée du sang du dernier repas de Téméraire, recouvrait ses bottes.

Lorsque le traducteur fut convoqué et qu'on eut échangé les amabilités d'usage, il exposa la situation et demanda, aussi élégamment qu'il le put :

— Je vous serais infiniment reconnaissant si vous acceptiez de me prêter vos cuisiniers afin qu'ils préparent pour Téméraire une nourriture à votre mode, qui aura sans doute plus de saveur que la viande crue.

À peine avait-il formulé sa demande que Yongxing lançait des ordres dans sa langue ; les cuisiniers se mirent au travail sur-le-champ.

— Asseyez-vous un moment pour attendre avec nous, proposa Yongxing, de façon tout à fait inopinée, en lui faisant apporter un fauteuil drapé d'une longue écharpe de soie.

— Non merci, monsieur ; je suis couvert de poussière, dit Laurence en avisant l'étoffe somptueuse, orange pâle, avec des motifs floraux. Je peux rester debout.

Mais Yongxing réitéra son invitation ; rendant les armes, Laurence s'assit timidement sur le bord du fauteuil et accepta la tasse de thé qu'on lui offrait. Sun Kai lui adressa un hochement de tête, façon curieuse de marquer son approbation.

— Quelles nouvelles de votre famille, capitaine ? s'enquit-il par l'entremise du traducteur. J'espère que tout va bien chez vous.

— Je n'ai pas reçu de nouvelles récentes, monsieur, mais je vous remercie de vous en soucier, répondit Laurence…

Il passa le quart d'heure suivant à discuter du temps et de leurs perspectives de départ, en s'interrogeant sur ce brusque changement d'attitude.

Peu après, deux carcasses d'agneaux sur un fond de pâte, arrosées d'une sauce gélatineuse rouge-orange, sortirent des cuisines sur de grands plateaux de bois pour être emportées jusqu'à la clairière au bas du sentier. Les yeux de Téméraire s'éclairèrent dès qu'il les vit arriver ; la force des épices eut raison de l'engourdissement de ses papilles, et il mangea avec un solide appétit.

— J'avais faim, après tout, déclara-t-il en se léchant les babines, inclinant la tête afin qu'on le nettoie.

Laurence espérait ne pas faire de mal à Téméraire par cette initiative : il avait reçu quelques gouttes de sauce sur la main en essuyant le dragon, et elles lui avaient littéralement brûlé la peau, au point de laisser des marques. Pourtant, Téméraire ne parut pas s'en plaindre, et ne réclama pas plus à boire que d'ordinaire ; quant à Keynes, il était d'avis que la seule chose qui importait était qu'il s'alimentât.

Quand Laurence sollicita la prolongation du prêt de ses cuisiniers, non seulement Yongxing accepta aussitôt, mais il mit un point d'honneur à les superviser et à les encourager à se surpasser, et, sur sa demande, son propre médecin vint recommander l'introduction d'herbes diverses dans les plats. Les pauvres serviteurs durent se rendre au marché – l'argent étant la seule langue qu'ils avaient en commun avec les commerçants locaux – pour y chercher le plus grand nombre d'ingrédients possibles, tous plus exotiques et coûteux les uns que les autres.

Keynes se montra sceptique, mais pas inquiet, et Laurence, qui se sentait plus redevable envers les Chinois que franchement reconnaissant – et s'en voulait de son insincérité –, ne chercha pas à se mêler des menus. Pourtant, il voyait chaque jour les serviteurs revenir du marché avec une succession de victuailles de plus en plus bizarres : des pingouins, fourrés aux céréales et aux baies ainsi qu'avec leurs propres œufs ; de la viande d'éléphant fumée, rapportée par des chasseurs qui ne craignaient pas de s'aventurer dans l'intérieur des terres ; des moutons hirsutes à queue large, avec des poils en guise de laine ; et des épices et des légumes plus étranges encore. Les Chinois accordaient une importance toute particulière à ces derniers, jurant qu'ils étaient excellents pour les dragons, alors que la coutume anglaise leur avait toujours imposé un régime exclusivement carné. Téméraire, pour sa part, savourait ces mets raffinés sans manifester la moindre contrariété, sinon une fâcheuse tendance à roter bruyamment à la fin de ses repas.

Les enfants des environs venaient régulièrement leur rendre visite, enhardis par le spectacle de Dyer et Roland qui escaladaient Téméraire toute la journée ; la quête des ingrédients devint un jeu pour eux, et ils se mirent à applaudir chaque nouveau plat, ou parfois à siffler ceux qui ne leur semblaient pas assez imaginatifs. Les enfants indigènes appartenaient à différentes tribus de la région. La plupart vivaient de l'élevage, d'autres de cueillette dans les montagnes et les forêts au-delà, et ce furent surtout ces derniers qui se joignirent à la fête, en rapportant quotidiennement des trouvailles que leurs aînés avaient jugées trop bizarres pour leur propre consommation.

Le point d'orgue de leur contribution prit la forme d'un énorme champignon biscornu rapporté triomphalement à la clairière par un groupe de cinq enfants, les racines encore noires de terre ; il comportait trois chapeaux mouchetés de brun au lieu d'un seul, disposés l'un au-dessus de l'autre le long de la tige, le plus grand atteignant presque deux pieds de large, et si fétide que les enfants le portaient en détournant la tête et se le repassaient entre eux avec de petits rires aigus.

Les serviteurs chinois l'emportèrent dans les cuisines de la citadelle avec beaucoup d'enthousiasme, payant les enfants en rubans de couleur et en poignées de coquillages. Peu après, le général Baird fit son apparition dans la clairière, visiblement contrarié. Laurence le suivit jusqu'à la citadelle et comprit la raison de ses doléances avant même d'y avoir pénétré. On ne voyait pas de fumée, mais l'air était imprégné d'une odeur de cuisine, quelque chose entre le chou bouilli et la moisissure verte qui se développait sur les poutres du pont par temps humide : aigre, écœurante, collant sur la langue. La rue qui longeait le mur des cuisines, ordinairement animée par la cohue des marchands locaux, avait été désertée ; et les couloirs de la citadelle frôlaient l'insalubrité à cause des miasmes qui y flottaient. Les émissaires logeaient dans un bâtiment différent, à l'écart des cuisines, et n'avaient donc pas été eux-mêmes incommodés, mais les soldats avaient leurs quartiers juste à côté et il leur était impossible de manger au milieu d'une telle puanteur.

Les cuisiniers à l'œuvre, dont le sens de l'odorat, se dit Laurence, avait dû être émoussé par toutes ces semaines passées à produire des plats de plus en plus épicés, protestèrent par le truchement de l'interprète que la sauce n'était pas terminée, et Laurence et Baird durent mettre en œuvre toute la force de persuasion dont ils étaient capables afin de les convaincre de leur remettre la marmite incriminée. Baird désigna sans rougir deux malheureux soldats pour la transporter jusqu'à la clairière, suspendue entre eux à une grosse branche. Laurence les suivit à distance, en s'efforçant de respirer le moins possible.

Téméraire les reçut avec enthousiasme, beaucoup plus heureux de sentir bel et bien quelque chose que dégoûté par l'odeur.

— Cela m'a l'air très bon, dit-il, attendant impatiemment que l'on verse la sauce sur sa viande.

Il dévora entièrement l'un des bœufs bossus de la région, généreusement arrosé de sauce, avant de lécher l'intérieur de la marmite sous le regard dubitatif de Laurence, qui resta aussi loin que la politesse l'y autorisait.

Téméraire sombra dans une somnolence béate après ce repas, marmonnant des paroles d'approbation entrecoupées de hoquets, presque comme s'il était ivre. Laurence se rapprocha, un peu inquiet de le voir s'endormir aussi vite, mais Téméraire se réveilla à son contact, souriant de tous ses crocs, et insista pour l'attirer dans son giron. Son haleine était presque aussi insoutenable que la puanteur originale ; Laurence détourna la tête et se retint de vomir, trop heureux de s'échapper lorsque Téméraire se rendormit et qu'il put s'arracher à l'étreinte affectueuse des pattes avant du dragon.

Laurence dut se laver et changer de vêtements avant de se considérer de nouveau comme présentable. Même ainsi, il percevait encore des relents nauséabonds dans ses cheveux ; c'en est trop, se dit-il, résolu cette fois à se plaindre aux Chinois. Ces derniers n'en prirent pas ombrage, mais l'accueillirent avec moins de sérieux qu'il ne l'avait espéré : en fait, Liu Bao partit d'un rire tonitruant lorsque Laurence lui eut décrit les effets du champignon ; et quand Laurence suggéra qu'ils devraient peut-être s'en tenir à des plats plus classiques et moins innovants, Yongxing écarta cette idée, en déclarant :

— Nous ne pouvons pas insulter un *tien-lung* en lui servant la même nourriture tous les jours ; les cuisiniers feront plus attention, voilà tout.

Laurence partit sans avoir pu imposer ses vues, avec le sentiment d'avoir perdu tout contrôle sur le régime de Téméraire. Ses craintes furent bientôt confirmées. Téméraire se réveilla le lendemain matin après un sommeil inhabituellement long. Il allait beaucoup mieux et se sentait moins congestionné. Son rhume disparut tout à fait au bout de quelques jours, mais Laurence eut beau laisser entendre à plusieurs reprises qu'aucune assistance n'était plus nécessaire, les plats cuisinés continuèrent à arriver. Téméraire s'en plaignit d'autant moins qu'il commençait à recouvrer son odorat.

— Je crois que je commence à pouvoir distinguer les épices l'une de l'autre, dit-il en se léchant les griffes.

Il avait pris l'habitude de porter la nourriture à sa gueule entre ses pattes avant, au lieu d'enfoncer simplement la tête dans la mangeoire.

— Ces petites choses rouges s'appellent *hua jiao*, je les aime beaucoup.

— Tant que tu apprécies tes repas… soupira Laurence.

— Je ne peux rien dire sans paraître grossier, confia-t-il à Granby ce soir-là, en dînant avec lui dans sa cabine. Leurs efforts auront au moins servi à le distraire et à le faire manger ; il m'est impossible de leur dire : « Merci, c'est fini », surtout que Téméraire y a pris goût.

— Cela reste de l'ingérence pure et simple, si vous voulez mon avis, grommela Granby, indigné pour eux deux. Et comment continuerons-nous à le nourrir ainsi, quand nous l'aurons ramené chez nous ?

Laurence haussa les épaules, à la fois devant sa question et l'usage du *quand* ; il aurait volontiers accepté l'incertitude concernant le premier point, s'il avait pu avoir la moindre assurance concernant le second.

L'*Allegiance* laissa l'Afrique derrière lui et prit presque plein est dans le sens des courants. Riley préférait éviter de remonter la côte dans les vents capricieux qui soufflaient plus au nord qu'au sud pour le moment, et ne tenait pas à s'enfoncer au cœur de l'océan Indien. Laurence vit le mince crochet de terre s'assombrir et s'enfoncer sous l'horizon ; quatre mois de voyage, et ils avaient déjà couvert plus de la moitié du trajet jusqu'en Chine.

Une humeur maussade s'installa parmi l'équipage au moment de quitter le port et toutes ses distractions. Ils n'avaient trouvé aucune lettre en arrivant au Cap, puisque Volatilus leur avait déjà apporté leur courrier, et n'avaient guère d'espoir de recevoir d'autres nouvelles de chez eux avant longtemps, à moins qu'une frégate rapide ou un navire marchand ne les dépasse ; mais ces derniers se rendaient rarement en Chine aussi tôt dans la saison. Il ne leur restait donc rien à attendre de la suite du voyage, et le fantôme se remit à peser sur les esprits.

Préoccupés par leurs terreurs superstitieuses, les marins ne se montraient pas aussi vigilants qu'ils auraient dû. Trois jours après leur départ, peu avant l'aube, Laurence fut tiré d'un sommeil agité par des éclats de voix à travers la cloison de sa cabine ; dans la cabine voisine, Riley était en train d'éreinter le pauvre lieutenant Beckett qui avait eu le quart de nuit. Le vent avait changé et forci durant la soirée, et, dans sa confusion, Beckett avait suivi le mauvais cap et négligé de prendre des ris dans la grand-voile et la misaine : d'ordinaire, ses erreurs étaient corrigées par les matelots plus expérimentés, qui toussaient discrètement jusqu'à ce qu'il réalise quel ordre il devait donner, mais cette fois-ci, par crainte de croiser le fantôme dans le gréement, personne ne l'avait mis en garde, et l'*Allegiance* s'était dérouté très au nord.

La houle atteignait quinze pieds sous un ciel rosissant, avec des vagues vert pâle, translucides comme du verre sous l'écume mousseuse, grimpant en pics anguleux avant de s'effondrer sur elles-mêmes dans de grandes explosions d'embruns. Grimpant sur le pont d'envol, Laurence rabattit un peu plus le capuchon de son ciré ; il avait déjà les lèvres sèches et durcies par le sel. Il trouva Téméraire recroquevillé sur lui-même, aussi loin du bord que possible, la peau mouillée et brillante à la lueur de la lanterne.

— Je suppose que l'on ne pourrait pas pousser les fourneaux dans la cuisine ? s'enquit Téméraire d'une voix plaintive en sortant la tête de sous son aile, les yeux plissés contre les embruns.

Il toussa un peu à l'appui de ses propos. Peut-être y avait-il là une part de comédie, car il s'était totalement remis de son rhume avant de quitter le Cap, mais Laurence n'avait aucune envie de risquer une rechute. Bien que l'eau fût assez bonne pour s'y baigner, le vent qui continuait à souffler du sud en rafales erratiques était glacial. Il chargea son équipage de recouvrir Téméraire de toiles cirées, qu'il demanda aux hommes de harnais de coudre ensemble afin de les faire tenir.

Téméraire avait l'air passablement ridicule sous cette tente improvisée, dont seul son nez dépassait et qu'il agitait, tel un énorme tas de linge sale vivant chaque fois qu'il changeait de position. Mais Laurence s'en moquait, tant qu'il se trouvait au chaud et au sec, et il ignora les ricanements étouffés sur le gaillard d'avant comme il resta sourd aux bougonnements de Keynes, hostile au fait de couver les patients et d'encourager la simulation. Le mauvais temps lui interdisant de faire la lecture sur le pont, il se glissa lui-même sous l'abri pour s'asseoir avec Téméraire et lui tenir compagnie. Non seulement la toile cirée conservait la chaleur de la cuisine en contrebas, mais également la propre chaleur corporelle de Téméraire. Laurence dut bientôt enlever son manteau, et se mit à somnoler contre le flanc du dragon, ne participant à la conversation que par des réponses vagues et distraites.

— Dors-tu, Laurence ? demanda Téméraire.

La question tira Laurence de sa torpeur. Il se demanda s'il avait réellement dormi toute la journée, ou si un pan de la tenture était tombé, masquant l'ouverture : il faisait très sombre, en tout cas.

Il repoussa la lourde toile cirée et sortit la tête de leur abri improvisé : la houle était retombée et l'océan apparaissait lisse comme un miroir. En avant du vaisseau, à l'est, une barrière compacte de nuages noirs et violacés occultait l'horizon. Sa frange effilochée par le vent se colorait de reflets cramoisis dans la lumière de l'aube ; dessous, des éclairs fugitifs soulignaient brièvement ses contours tandis que, loin au nord, une armée de nuages en ordre dispersé se hâtait vers la masse nébuleuse, qu'elle rejoindrait en un point juste au-dessus du vaisseau. Le ciel au-dessus de leurs têtes était encore clair pour l'instant.

— Envoyez les chaînes de tempête, M. Fellowes, s'il vous plaît, dit Laurence en abaissant sa longue-vue.

Le gréement grouillait déjà d'activité.

— Peut-être devriez-vous voler jusqu'à la fin de l'orage, suggéra Granby en le rejoignant contre la main courante.

Un tel conseil se justifiait de sa part : bien que Granby se fût déjà trouvé sur un transport, il avait servi presque exclusivement à Gibraltar ainsi que dans la Manche, et n'avait guère l'expérience de la haute mer. La plupart des dragons pouvaient rester en vol une journée entière, s'ils se contentaient de se laisser porter par le vent, à condition d'avoir été convenablement nourris et désaltérés au préalable. Ils évitaient ainsi de gêner l'équipage lorsqu'un transport essuyait un orage ou un grain ; mais ce n'était pas le cas.

Pour toute réponse, Laurence eut un bref mouvement de tête.

— Nous avons bien fait de le recouvrir de toile cirée ; ce sera moins inconfortable pour lui quand il se retrouvera sous les chaînes, dit-il, et il vit que Granby avait compris.

Les chaînes de tempête furent remontées du pont inférieur morceau par morceau – chaque maillon de fer étant aussi large qu'un poignet d'enfant –, puis tendues en travers du dos de Téméraire. Des câbles épais, renforcés de fil d'acier et emmaillotés pour une meilleure solidité, furent passés dans tous les maillons et liés aux bittes à double corps aux quatre coins du pont d'envol. Laurence inspecta soigneusement chaque nœud et en fit renouer plusieurs, avant de se déclarer satisfait.

— Tes liens te blessent-ils quelque part ? demanda-t-il à Téméraire. Ne sont-ils pas trop serrés ?

— Je ne peux plus bouger avec toutes ces chaînes sur moi, se lamenta Téméraire avec de petits battements de queue nerveux, testant sa marge de manœuvre étroite en tirant sur les attaches. Cela n'est pas du tout comme le harnais ; à quoi servent-elles donc ? Pourquoi dois-je les porter ?

— Ne romps pas les cordes, je t'en prie, s'inquiéta Laurence, qui alla vérifier (heureusement, aucune n'avait cédé). Je suis désolé, ajouta-t-il en revenant, mais quand la mer grossit, nous sommes obligés de t'enchaîner au pont : sinon tu risquerais de glisser dans l'océan, ou de faire dévier le navire de sa trajectoire par un faux mouvement. Est-ce si inconfortable ?

— Non, pas vraiment, concéda Téméraire d'un ton maussade. Y en aura-t-il pour longtemps ?

— Aussi longtemps que durera la tempête, répondit Laurence.

Il jeta un coup d'œil au-delà de la proue : la barrière de nuages se fondait progressivement dans un ciel sombre, plombé, avalant le soleil qui venait à peine de se lever.

— Il faut que j'aille consulter le baromètre.

Le mercure était très bas dans la cabine de Riley, vide et où régnait l'odeur du café du petit déjeuner. Laurence en demanda une tasse au steward, avala d'un trait le liquide brûlant sans même s'asseoir, puis remonta sur le pont ; durant sa brève absence, la houle avait gagné au moins dix pieds, et l'*Allegiance* donnait désormais sa pleine mesure, sa proue bardée de fer fendant joliment les vagues, qu'elle repoussait de part et d'autre de sa masse énorme.

On installait les panneaux de tempête au-dessus des écoutilles ; Laurence procéda à une ultime inspection des chaînes de Téméraire, puis dit à Granby :

— Envoyez tous les hommes en bas ; je vais prendre le premier quart.

Il s'engouffra de nouveau sous la toile cirée, près de la tête de Téméraire, et lui caressa le museau.

— Nous avons une longue attente devant nous, je le crains. Voudrais-tu manger quelque chose ? lui demanda-t-il.

— J'ai mangé hier soir, je n'ai pas faim, répondit Téméraire.

Dans l'ombre de la tente ses pupilles s'étaient agrandies, liquides et noires, ne laissant plus apparaître qu'un minuscule liseré bleu autour. Les chaînes en fer grincèrent doucement tandis qu'il changeait de position, faisant gémir les poutres du vaisseau.

— Nous avons déjà essuyé une tempête à bord du *Reliant*, reprit-il. Je n'avais pas besoin de porter des chaînes, à l'époque.

— Tu étais beaucoup plus petit, et la tempête également, lui rappela Laurence.

Téméraire concéda l'argument, non sans grommeler à voix basse ; mais il n'insista pas et demeura silencieux, grattant ses chaînes de temps à autre du bout des griffes. Il était couché dos à la proue, afin d'éviter les embruns. En regardant au-delà de son museau, Laurence pouvait voir les marins tendre les amarres de tempête et rentrer les huniers. Hormis le petit grattement métallique, tous les sons lui parvenaient étouffés par la toile cirée.

À l'heure de piquer les deux coups dans le quart de l'après-midi, des paquets de mer embarquaient par-dessus le bastingage, coulant en cascade du pont d'envol sur le gaillard d'avant. Les fourneaux de la cuisine étaient froids ; il n'y aurait plus de feu à bord jusqu'à ce que la tempête s'épuise. Téméraire se recroquevilla sur le pont, cessa de geindre et resserra les pans de la toile cirée contre eux ; ses muscles frissonnaient sous la peau, chatouillés par les filets d'eau qui s'insinuaient dans les plis.

— En haut le monde, en haut le monde ! entendit-on crier Riley au loin, dans le vent.

Le bosco répéta l'appel d'une voix de tonnerre entre ses mains en coupe, et les hommes surgirent sur le pont au pas de course, dans un martèlement de pieds, pour commencer à réduire la voilure et placer le vaisseau à la cape.

La cloche qui sonnait ponctuellement à chaque retournement du sablier, toutes les demi-heures, était leur seule indication temporelle ; la lumière avait décliné depuis longtemps, et le crépuscule accentua l'obscurité. Une phosphorescence froide éclaboussait le pont, flottant à la surface de l'eau, éclairant les cordages et le bord des planches ; son scintillement bleuté soulignait la crête des vagues, de plus en plus haute.

Même l'*Allegiance* ne pouvait plus fendre les flots désormais ; il escaladait lentement les vagues, en pente si raide qu'en regardant vers l'arrière Laurence apercevait leurs creux droit dans l'axe du pont. Enfin sa proue parvenait tout en haut ; le vaisseau basculait alors de l'autre côté avec un petit sursaut, avant de retomber brutalement dans un bouillonnement d'écume. Le large éventail du pont d'envol se relevait, ruisselant d'eau, taillant dans la surface de la prochaine vague ; et le vaisseau reprenait sa lente ascension, avec uniquement la chute des grains dans le sablier pour marquer la différence entre une vague et la suivante.

Lendemain matin : vent toujours aussi féroce, mais houle un peu moins forte. Laurence émergea d'un sommeil difficile. Téméraire refusa toute nourriture.

— Je serais incapable d'avaler quoi que ce soit, même si l'on pouvait m'apporter quelque chose, répondit-il à Laurence, avant de refermer les yeux, épuisé, les narines blanchies par le sel.

Granby était venu relever Laurence ; lui et deux autres membres de l'équipage se trouvaient de l'autre côté de Téméraire, serrés contre son flanc. Laurence appela Martin et l'envoya chercher des chiffons. La pluie actuelle était trop mêlée d'embruns pour être bue, mais, heureusement, ils ne manquaient pas d'eau douce et le tonnelet avant était encore plein. S'accrochant des deux mains aux lignes de vie tendues vers l'avant et l'arrière tout le long du pont, Martin gagna le tonnelet et en rapporta ses chiffons trempés d'eau. Téméraire remua à peine quand Laurence nettoya doucement les croûtes de sel qui s'étaient formées sur son nez.

Le ciel au-dessus d'eux était étrange, uniformément gris, sans qu'on pût y distinguer ni le soleil ni les nuages ; la pluie tombait par courtes averses que le vent leur soufflait à la figure, et, depuis le sommet des vagues, la mer entière s'agitait et bouillonnait jusqu'à l'horizon. Laurence envoya Granby en bas quand Fenis monta, et mangea un peu de biscuits et de fromage ; il ne voulait pas quitter le pont. La pluie tomba de plus en plus drue tout au long de la journée, de plus en plus froide ; la mer démontée secouait l'*Allegiance* de part et d'autre, et une vague monstrueuse s'éleva presque jusqu'à la hauteur de son mât de misaine, avant de s'abattre brutalement sur le dos de Téméraire, qu'elle réveilla en sursaut.

La masse d'eau balaya les quelques aviateurs, qui se jetèrent frénétiquement à la recherche d'une prise. Laurence saisit Portis avant qu'il ne se fasse catapulter hors du pont d'envol et ne roule au bas des escaliers ; il dut ensuite le retenir jusqu'à ce que l'aspirant parvînt à empoigner la ligne de vie et à se remettre debout. Téméraire tirait sur ses chaînes, à moitié éveillé seulement et pris de panique, appelant Laurence à grands cris ; le pont commençait à se tordre à la fixation des bittes.

Laurence bondit à travers le pont ruisselant pour poser les deux mains sur Téméraire et le rassurer.

— Ce n'était qu'une vague ; je suis là, s'empressa-t-il de dire.

Téméraire cessa de se débattre et se recoucha, pantelant : mais les attaches avaient souffert. Ses chaînes s'étaient détendues au moment où elles étaient le plus nécessaires, et la mer était trop forte pour que des terriens, ou même des aviateurs, tentent de resserrer les nœuds.

L'*Allegiance* prit une autre vague par le travers et gîta dangereusement ; Téméraire glissa de côté, augmentant encore la tension dans les maillons. Quand il planta instinctivement les griffes dans le pont pour tenter de se retenir, les planches de chêne se fendirent sous ses pattes.

— Ferris, par ici ! Restez avec lui ! rugit Laurence avant de s'élancer à découvert.

Les vagues noyaient le pont en succession rapide ; Laurence passait à l'aveuglette d'une ligne de vie à l'autre, ses mains trouvant d'elles-mêmes à quoi se raccrocher.

Les nœuds imbibés d'eau, que la tension imprimée par Téméraire avait resserrés, résistèrent. Laurence ne pouvait y travailler que lorsque les cordes se détendaient, dans le bref intervalle entre deux vagues ; chaque pouce gagné lui réclamait un effort intense. Téméraire s'aplatissait de son mieux, c'était la seule aide qu'il pût apporter ; quant au reste, il avait besoin de toute son attention pour se maintenir en place.

Laurence ne voyait personne d'autre sur le pont obscurci par les embruns – aucun corps hormis les cordes qui lui brûlaient les mains, les courts poteaux de fer, ainsi que la masse légèrement plus sombre de Téméraire dans la grisaille. Deux coups de cloche dans le premier petit quart : quelque part derrière les nuages, le soleil se couchait. Du coin de l'œil, il vit s'approcher deux ombres ; un instant plus tard, Leddowes s'agenouillait près de lui pour l'aider. Il tendait les câbles pendant que Laurence resserrait les nœuds, chacun s'accrochant l'un à l'autre et à la bitte en fer quand les vagues revenaient, jusqu'à ce qu'enfin le métal des chaînes se retrouvât sous leurs mains. Ils finirent par corriger la distension des cordes.

Il était quasiment impossible de s'entendre avec le rugissement du vent ; Laurence indiqua simplement la deuxième bitte bâbord, Leddowes acquiesça, et ils se dirigèrent vers elle. Laurence prit la tête, en restant le long de la main courante ; il trouvait plus facile d'escalader les grands canons que de conserver son équilibre au milieu du pont. Une vague déferla et leur accorda un moment de répit ; il lâchait la rambarde pour enfourcher la première caronade quand Leddowes poussa un cri.

Pivotant, Laurence vit une forme sombre s'abattre vers sa tête et leva instinctivement la main pour se protéger : il reçut un choc terrible, comme un coup de tisonnier sur le bras. Dans sa chute, il réussit à s'accrocher d'une main à la culasse de la caronade ; il aperçut confusément une deuxième ombre qui l'enjambait et Leddowes, terrorisé, le regard fixe, qui reculait sur les fesses en levant les deux mains. Une vague se fracassa contre la rambarde et, brusquement, Leddowes ne fut plus là.

Laurence se cramponna à la pièce et s'étrangla avec de l'eau de mer, en décochant des ruades à la recherche d'un point d'appui : ses bottes pleines d'eau étaient lourdes comme du plomb. Ses cheveux s'étaient détachés ; rejetant la tête en arrière pour les chasser de ses yeux, il eut juste le temps d'apercevoir le pied-de-biche qui s'apprêtait à l'assommer et de stopper sa course de sa main libre. À l'autre bout de l'outil, il reconnut avec horreur le visage blafard, terrifié et désespéré de Feng Li. Ce dernier tenta de dégager son arme pour une nouvelle tentative, et ils luttèrent un moment, Laurence à moitié couché sur le pont, les talons de ses bottes dérapant sur les planches détrempées.

Le vent était également de la partie ; il s'efforçait de les séparer, et finit par l'emporter : la barre de fer glissa des doigts engourdis de Laurence. Feng Li, toujours debout, recula en titubant, les bras écartés comme pour retenir le vent : délibérément, celui-ci le fit basculer par-dessus la rambarde et le précipita dans les eaux écumantes, où il disparut sans laisser de trace.

Laurence se releva tant bien que mal et se pencha au-dessus de la main courante : il n'aperçut aucun signe de Feng Li, ni d'ailleurs de Leddowes ; il ne distinguait même pas la surface de l'eau des tourbillons de brume et d'embruns qui s'élevaient des vagues. Ce bref affrontement n'avait eu aucun témoin. Derrière lui, une sonnerie de cloche indiqua un nouveau tour de sablier.

Trop épuisé pour réfléchir à ce qui venait de se passer, Laurence n'en pipa mot, sinon pour prévenir Riley que deux hommes étaient tombés à la mer. Il n'y avait rien d'autre à faire. D'ailleurs, la tempête monopolisait toute l'attention qu'il parvenait à rassembler. Le vent diminua le lendemain matin ; au début du quart de l'après-midi, Riley se sentit suffisamment en confiance pour envoyer dîner les hommes, quoique à tour de rôle. La masse nébuleuse se déchira aux six coups de cloche, laissant percer le soleil en larges rais obliques sous le ciel sombre, et les matelots s'en réjouirent intérieurement malgré leur fatigue.

L'on fut très affecté par la disparition de Leddowes, qui était apprécié et respecté de tous. Cependant, sa mort fut perçue comme une issue inévitable plutôt qu'un tragique accident : il était désormais avéré que c'était lui la cible du fantôme, depuis le début, et ses compagnons de mess avaient déjà commencé à grossir discrètement ses aventures galantes auprès du reste de l'équipage. Quant à la disparition de Feng Li, elle ne suscita guère d'émoi. La plupart n'y virent qu'une simple coïncidence : si un étranger qui n'avait pas le pied marin s'amusait à se promener sur le pont en plein typhon, il ne fallait pas s'attendre à autre chose ; on ne le connaissait guère, de toute façon.

La mer restait agitée, mais Téméraire ne supportait plus d'être attaché ; Laurence donna l'ordre de le délivrer dès que son équipage fut revenu de dîner. Les nœuds avaient gonflé sous la chaleur, et il fallut trancher les cordes à la hache. Enfin libre, Téméraire se débarrassa de ses chaînes d'un haussement d'épaules, tourna la tête, et arracha avec les dents la tente qui le recouvrait. Puis il s'ébroua d'un bout à l'autre, ruisselant d'eau, et annonça d'un air de défi :

— Je vais voler.

Il bondit dans les airs sans harnais ni compagnon, laissant tout le monde ébahi. Laurence eut un geste involontaire pour le retenir, inutile et absurde, puis laissa retomber son bras, vexé de s'être ridiculisé de cette façon. Téméraire ne faisait que se dégourdir les ailes après un long confinement, rien de plus ; du moins s'efforça-t-il de s'en convaincre. Il était profondément choqué, inquiet ; mais ses émotions étaient comme écrasées sous le poids de sa fatigue.

— Vous êtes sur le pont depuis trois jours, lui rappela Granby en le raccompagnant doucement à sa cabine.

Laurence avait les doigts gourds, maladroits, et ils se refusèrent à empoigner les barreaux de l'échelle. Il faillit glisser, et Granby lui agrippa le bras pour le retenir. Laurence ne put alors réprimer une exclamation de douleur : une marque violacée lui barrait l'avant-bras à l'endroit où l'avait atteint le pied-de-biche.

Granby voulut le conduire aussitôt chez le chirurgien, mais Laurence s'y opposa.

— Ce n'est qu'une ecchymose, John ; je préfère ne pas l'ébruiter, pour l'instant.

Sur quoi, il fut bien forcé d'expliquer ce qui lui était arrivé : bribe par bribe, Granby finit par lui arracher toute l'histoire.

— Laurence, c'est scandaleux. Cette canaille a

tenté de vous assassiner ; nous devons faire quelque chose, dit Granby.

— Oui, répondit Laurence machinalement, en grimpant dans son hamac : ses paupières se fermaient déjà.

Il eut vaguement conscience d'une couverture que l'on remontait sur lui, et de l'éclairage qui baissait ; puis plus rien.

Il se réveilla avec les idées un peu plus claires, bien que son corps fût encore tout endolori, et se leva immédiatement : l'*Allegiance* était suffisamment bas sur l'eau pour qu'il sût que Téméraire était rentré, mais son esprit reposé avait désormais tout le loisir de s'inquiéter. Il était à ce point perdu dans ses préoccupations en sortant de la cabine qu'il faillit trébucher sur Willoughby, l'un des hommes de harnais, qui dormait en travers de la coursive.

— Que faites-vous ici ? lui demanda-t-il.

— C'est M. Granby qui nous a postés ici, monsieur, répondit le jeune homme en bâillant et en se frottant le visage. Désirez-vous monter sur le pont maintenant ?

Laurence protesta en vain ; Willoughby le suivit jusqu'au pont d'envol avec un zèle de chien de berger. Téméraire se redressa vivement dès qu'il les aperçut et, du bout du nez, amena Laurence à l'abri dans son giron tandis que le reste des aviateurs refermaient les rangs derrière lui : de toute évidence, Granby n'avait pas gardé le secret.

— Es-tu sérieusement blessé ? demanda Téméraire en le reniflant de la tête aux pieds, dardant sa langue pour se rassurer.

— Je me porte très bien, je t'assure, j'ai simplement reçu un coup sur le bras, dit Laurence en essayant de se dégager (mais, dans son for intérieur, il se réjouissait de constater que la mauvaise humeur de Téméraire semblait l'avoir quitté).

Granby passa la tête sous le cou de Téméraire, en ignorant sans remords le regard noir que lui lança Laurence.

— Là ; nous avons réparti les tours de garde. Laurence, vous ne croyez pas qu'il ait pu s'agir d'une espèce d'accident, ou qu'il ait pu vous prendre pour un autre, n'est-ce pas ?

— Non.

Laurence hésita, puis admit à contrecœur :

— Ce n'était pas sa première tentative. Je n'y avais pas prêté attention sur le moment, mais aujourd'hui je suis presque certain qu'il avait tenté de me pousser par l'écoutille après le dîner du nouvel an.

Téméraire poussa un grondement caverneux, et eut beaucoup de difficulté à se retenir de griffer le pont, lequel avait déjà été profondément lacéré pendant la tempête.

— Je suis heureux qu'il soit tombé à la mer, siffla-t-il hargneusement. J'espère qu'il s'est fait dévorer par des requins.

— Eh bien, pas moi, dit Granby. Cela rend ses motivations d'autant plus difficiles à établir.

— Il ne saurait s'agir d'une affaire personnelle, dit Laurence. Je ne lui ai pas adressé dix mots, et il ne les aurait pas compris si je l'avais fait. Je suppose qu'il a pu être victime d'un coup de folie, dit-il sans conviction.

— À deux reprises, dont la seconde au milieu d'un typhon ? réfuta dédaigneusement Granby. Non, je n'irais pas chercher si loin. Pour ma part, je pense qu'il a agi sur ordre de quelqu'un, et cela désigne vraisemblablement le prince, ou un autre de ces Chinois ; nous ferions mieux de trouver lequel, et vite, avant qu'il ne lui prenne l'envie de recommencer.

Téméraire appuya cette suggestion avec vigueur, et Laurence soupira lourdement.

— Faisons venir Hammond dans ma cabine pour lui en parler en privé, dit-il. Il aura peut-être son idée sur leurs motifs éventuels. Quoi qu'il en soit, nous aurons besoin de lui pour les interroger.

Convoqué en bas, Hammond écouta le récit de Laurence avec une inquiétude visible, mais ses appréhensions étaient d'un tout autre ordre.

— Vous proposez sérieusement d'interroger le frère de l'empereur et sa suite comme une vulgaire bande de criminels, en les accusant de complicité d'assassinat, en leur réclamant des alibis et des preuves ? Autant jeter une torche dans la sainte-barbe et faire sauter le vaisseau ; notre mission aurait à peu près autant de chances de réussir ainsi. Ou non : plus de chances, car une fois que nous serions tous morts au fond de l'océan, au moins n'y aurait-il plus de raison de querelle.

— Que proposez-vous, alors ? Que nous restions assis à leur sourire sans rien faire jusqu'à ce qu'ils parviennent à éliminer Laurence ? demanda Granby, s'échauffant à son tour. Je suppose que cela vous conviendrait aussi bien ; une personne de moins pour s'opposer à la restitution de Téméraire, et tant pis pour les Corps, pour ce que vous vous en souciez !

Hammond pivota face à lui.

— Mon principal souci est mon pays, et non quelque homme ou dragon que ce soit. Et ce serait aussi le vôtre, si vous aviez la moindre notion du devoir…

— Suffit, messieurs, intervint Laurence. Notre première responsabilité consiste à garantir la paix avec la Chine, et notre principal espoir doit être d'y réussir sans nous priver de Téméraire ; ces deux points ne se discutent pas, je crois.

— Dans ce cas, ni cette responsabilité ni cet espoir ne seront servis par l'action que vous envisagez, rétorqua Hammond. Si vous parvenez à trouver une preuve, qu'imaginez-vous que nous puissions faire ? Mettrions-nous le prince Yongxing aux fers ?

Il s'interrompit le temps de recouvrer son sang-froid.

— Je ne vois aucune raison, aucun indice qui puisse indiquer que Feng Li n'aurait pas agi seul. Vous dites que la première agression a eu lieu après le dîner du nouvel an ; vous avez très bien pu l'offenser durant le festin sans vous en rendre compte. Peut-être brûlait-il d'une rage fanatique en voyant Téméraire en votre possession, ou bien était-il fou ; à moins que vous ne vous soyez trompé, tout simplement. En fait, cela me paraît le plus probable – les deux incidents ont eu lieu dans des conditions confuses, de mauvaise visibilité ;

le premier sous l'influence d'une boisson forte, le second au milieu d'une tempête…

— Pour l'amour du ciel ! explosa Granby. (Hammond sourcilla.) Et bien sûr Feng Li avait une excellente raison de vouloir pousser Laurence par l'écoutille ou de lui fracasser le crâne !

Laurence lui-même resta momentanément sans voix devant ce sous-entendu insultant.

— Si vos suppositions sont vraies, monsieur, une enquête le fera certainement apparaître. Feng Li n'aurait pu dissimuler sa folie ou son fanatisme à ses compatriotes comme il l'a fait devant nous ; et si je l'ai offensé, il en aura sans doute parlé autour de lui.

— Et, pour l'établir, il suffirait d'infliger par cette enquête une offense mortelle au frère de l'empereur, de qui dépendra probablement notre succès ou notre échec à Pékin, dit Hammond. Non seulement je ne m'y prêterai pas, monsieur, mais je vous l'interdis absolument ; et si vous tentiez quelque chose en dépit de mes mises en garde, je ferais de mon mieux pour persuader le capitaine de ce vaisseau qu'il est de son devoir envers le roi de vous confiner.

Cela mit naturellement un terme à la discussion, du moins avec Hammond, qui prit congé ; mais dès qu'il eut refermé la porte derrière lui, Granby revint à la charge, avec plus de force que nécessaire :

— Jamais je n'avais été à ce point tenté d'aplatir le nez de quelqu'un. Laurence, Téméraire pourrait sans doute nous servir de traducteur, si nous amenions ces canailles en sa présence.

Laurence secoua la tête et allongea le bras vers la

carafe ; il était furieux, en avait bien conscience et ne se fiait pas à son jugement pour l'instant. Il tendit un verre à Granby, emporta le sien vers le caisson arrière et s'assit là pour boire en regardant l'océan : une houle sombre et régulière de cinq pieds, pas plus, qui roulait contre son flanc bâbord.

Enfin, il reposa son verre.

— Non, je crains qu'il ne nous faille trouver mieux, John. Même si je goûte fort peu le ton qu'a employé Hammond, je ne peux pas lui donner tort. Songez seulement que si nous offensions le prince et l'empereur par une telle enquête, sans découvrir aucune preuve, ou pire encore, en trouvant une explication rationnelle…

— … nous pourrions dire adieu à nos chances de conserver Téméraire, acheva Granby d'une voix résignée. Ma foi, je suppose que vous avez raison et que nous allons devoir ravaler notre colère pour l'instant ; mais que je sois damné si j'y trouve mon compte.

Cette résolution plut encore moins à Téméraire.

— Je me moque que nous ayons des preuves ou non, gronda-t-il rageusement. Je ne vais pas attendre tranquillement qu'il réussisse à te faire tuer. La prochaine fois qu'il sortira sur le pont, c'est *moi* qui le tuerai, et cela mettra un terme à toute l'affaire.

— Non, Téméraire, tu ne peux pas faire ça ! s'exclama Laurence, consterné.

— Je suis bien certain que si, rétorqua Téméraire. Il évitera peut-être de sortir de nouveau, ajouta-t-il d'un air songeur, mais il me suffirait de défoncer les fenêtres de poupe pour l'atteindre ; ou peut-être de lui lancer une bombe.

— Tu ne *dois* pas faire ça, s'empressa de rectifier Laurence. Même si nous possédions des preuves, nous ne pourrions pas grand-chose contre lui ; ce serait un motif de déclaration de guerre immédiate.

— S'il est si grave de le tuer, pourquoi serait-il moins grave pour lui de te tuer, toi ? s'insurgea Téméraire. Pourquoi n'a-t-il pas peur que *nous* lui déclarions la guerre ?

— Faute de preuves suffisantes, je doute que notre gouvernement prenne une telle mesure, répondit Laurence.

En vérité, il était convaincu que le gouvernement ne partirait pas en guerre, même *avec* des preuves. Seulement, cela ne lui semblait pas le meilleur des arguments pour l'instant.

— Mais on ne nous autorise pas à *obtenir* des preuves, se plaignit Téméraire. Pas plus qu'on ne m'autorise à le tuer. Et nous devons nous montrer courtois envers lui, tout cela au nom du gouvernement. Je suis plus que las de ce gouvernement, que je n'ai jamais vu, et qui passe son temps à me faire faire des choses désagréables en ne se préoccupant que de ses propres intérêts, jamais des miens !

— Toute considération politique mise à part, nous ne sommes pas sûrs que le prince Yongxing ait trempé de près ou de loin dans cette affaire, objecta Laurence. Il reste un millier de questions sans réponses : pourquoi voudrait-il me voir mort, et pourquoi enverrait-il un serviteur m'assassiner, plutôt que l'un de ses gardes ? Après tout, Feng Li pouvait effectivement avoir un motif personnel dont nous ignorons tout. Nous ne pouvons pas tuer les gens sur un simple soupçon, sans preuve ; ce serait devenir nous-mêmes des meurtriers. Tu ne te sentirais pas fier de toi après coup, je te l'assure.

— J'en serais capable, pourtant, grommela Téméraire en prenant un air maussade.

Au grand soulagement de Laurence, Yongxing ne se montra plus sur le pont pendant plusieurs jours après l'incident, ce qui permit à Téméraire de se calmer. Lorsqu'il réapparut enfin, rien n'avait changé dans son comportement : il salua Laurence avec la même politesse froide et distante, et entreprit de réciter un nouveau poème à Téméraire, ce qui finit par capter l'intérêt du dragon, malgré lui, et par lui faire abandonner son expression renfrognée : il n'était pas d'un naturel rancunier. Si Yongxing avait quelque chose sur la conscience, il n'en montra rien, et Laurence se mit à douter de son propre jugement.

— J'ai parfaitement pu me tromper, admit-il à contrecœur devant Granby et Téméraire une fois que Yongxing eut quitté le pont. J'ai déjà du mal à me souvenir de certains détails ; et, après tout, j'étais presque assommé de fatigue. Peut-être que le pauvre bougre désirait simplement m'aider, et que tout le reste est sorti de mon imagination ; cela me semble plus incroyable chaque fois que j'y repense. Que le frère de l'empereur de Chine veuille me faire assassiner, comme si je représentais la moindre menace pour lui, est absurde. Je vais finir par tomber d'accord avec Hammond, et me traiter d'ivrogne et d'imbécile.

— À mon avis, vous n'êtes ni l'un ni l'autre, dit Granby. Je n'y comprends rien non plus, mais je ne crois pas une seconde à l'idée que Feng Li ait eu tout d'un coup la lubie de vous cogner sur la tête. Nous allons devoir continuer à monter la garde autour de vous, et prier pour que le prince ne fasse pas mentir Hammond.

10

Il s'écoula presque trois semaines sans le moindre incident, puis ils aperçurent l'île de la Nouvelle-Amsterdam : Téméraire s'émerveilla devant la multitude de phoques étincelants, dont la plupart se chauffaient paresseusement au soleil sur la plage, tandis que les plus énergiques s'approchaient du vaisseau pour folâtrer dans son sillage. Ils n'avaient pas peur des marins, ni même de l'infanterie de marine pourtant encline à les prendre pour cible d'exercice, mais lorsque Téméraire plongea, ils disparurent aussitôt, et même ceux demeurés à terre se traînèrent mollement loin de la grève.

Se retrouvant seul, Téméraire nagea en cercle autour du navire, dépité, puis remonta à bord ; il était devenu habile à cette manœuvre avec la pratique, et fit à peine osciller l'*Allegiance*. Les phoques revinrent timidement, acceptant de se laisser examiner de plus près, mais prompts à replonger dès que le dragon enfonçait un peu trop la tête dans l'eau.

La tempête les avait entraînés vers le sud presque jusqu'aux quarantièmes, et leur avait fait perdre également la plus grande partie du trajet effectué vers l'est : au bas mot, plus d'une semaine de navigation.

— Le seul avantage, c'est que la mousson semble enfin installée, déclara Riley en regardant Laurence par-dessus ses cartes. D'ici, nous pouvons mettre le cap directement sur les Indes néerlandaises ; nous resterons un bon mois et demi sans voir la terre, mais j'ai envoyé les canots sur l'île et, avec quelques jours de chasse au phoque en plus de nos provisions actuelles, nous ne devrions manquer de rien.

Les tonneaux de viande de phoque, dûment salée, empestaient au plus haut point ; deux douzaines de carcasses supplémentaires furent accrochées aux bossoirs dans des casiers à viande pour les tenir au frais. Le lendemain, alors qu'ils étaient de nouveau en pleine mer, les cuisiniers chinois débitèrent presque la moitié de ces carcasses sur le pont, jetant les têtes, les queues et les entrailles par-dessus bord en un effroyable gaspillage, et servirent à Téméraire un monceau de steaks, légèrement grillés.

— Ce ne serait pas mauvais avec beaucoup de poivre, et peut-être un peu plus d'oignons rôtis, déclara-t-il après avoir goûté.

Il était devenu difficile.

Toujours aussi empressés à lui plaire, ils modifièrent aussitôt le plat à sa convenance. Il dévora alors le tout avec entrain, puis s'installa pour une longue sieste, totalement indifférent à la désapprobation du cuisinier du bord, des quartiers-maîtres et de l'équipage en général. Les cuisiniers chinois n'avaient pas nettoyé derrière eux, et le pont supérieur était presque entièrement recouvert de sang ; l'affaire s'étant déroulée dans l'après-midi, Riley ne voyait pas comment demander aux hommes de laver les ponts pour la deuxième fois de la journée. La puanteur était omniprésente lorsque Laurence s'installa à sa table en compagnie des autres officiers, d'autant que les petites fenêtres devaient rester fermées afin d'éviter l'odeur plus âcre encore des carcasses suspendues à l'extérieur.

À regret, le cuisinier de Riley avait dû imiter ses confrères chinois : le plat principal posé sur la table était une magnifique tourte dorée dont la pâte contenait l'équivalent d'une semaine de beurre, accompagnée des derniers pois frais du Cap et d'un bol de sauce brûlante ; mais quand on la découpa, l'odeur de viande de phoque leur sauta aux narines, et tous les convives se mirent à chipoter dans leur assiette.

— Cela ne sert à rien, soupira Riley, en vidant le contenu de son assiette dans le plat. Emportez cela au mess des aspirants, Jethson, et voyez s'ils en veulent ; ce serait dommage de gâcher.

Tous suivirent son exemple avant de se rabattre sur les autres plats. Mais cela créa un vide au centre de la table et, tandis que le steward emportait la tourte, on l'entendit à travers la porte pester contre « ces étrangers qui ne savent pas se comporter, et ruinent l'appétit des honnêtes gens ».

Ils se faisaient passer la bouteille pour se consoler lorsque le vaisseau eut un étrange sursaut, comme un petit bond dans l'eau ; Laurence n'avait jamais rien ressenti de pareil. Riley était déjà à la porte quand

Purbeck s'écria soudain : « Regardez ! » en désignant la fenêtre. La chaîne du casier à viande pendouillait dans le vide ; le casier avait disparu.

Ils contemplèrent ce spectacle les yeux écarquillés ; puis une confusion de cris et de hurlements éclatèrent sur le pont, et le vaisseau gîta abruptement sur tribord dans un grand craquement de bois brisé. Riley se précipita, le reste des officiers sur ses talons. Alors que Laurence escaladait l'échelle, une autre secousse ébranla le navire ; il dégringola quatre barreaux, manquant jeter Granby au bas de l'échelle.

Ils jaillirent sur le pont comme des diables de leur boîte, tous ensemble ; une jambe sanguinolente portant encore un soulier à boucle et un bas de soie gisait en travers de la coursive bâbord, tout ce qui restait de Reynolds, qui était l'aspirant de quart, et deux autres corps étaient affalés contre un trou en demi-lune dans la rambarde, apparemment roués de coups. Sur le pont d'envol, Téméraire se tenait assis sur son arrière-train, jetant des coups d'œil affolés autour de lui ; les autres hommes sur le pont bondissaient dans le gréement ou se bousculaient en bas par l'échelle avant, luttant contre les aspirants qui tentaient de monter.

— Envoyez les couleurs ! cria Riley par-dessus le tumulte. Il se jeta sur la roue du gouvernail et appela plusieurs marins à son secours ; Basson, le barreur, n'était visible nulle part, et le vaisseau était en train de perdre le cap. Il continuait pourtant d'avancer, donc il n'avait pas heurté de récif, et l'on n'apercevait aucun autre vaisseau nulle part ; l'horizon était entièrement dégagé.

— Battez le branle-bas !

Le tambour se mit à gronder, noyant tout espoir d'apprendre ce qui se passait, mais c'était le plus sûr moyen de ramener l'ordre dans cette panique, chose la plus importante pour l'instant.

— Monsieur Garnett, les canots par-dessus bord, s'il vous plaît ! lança Purbeck d'une voix forte, s'avançant jusqu'à la rambarde en redressant son chapeau (il portait presque toujours son plus bel uniforme au dîner et offrait une silhouette altière, impressionnante). Griggs, Masterson, que signifie ceci ? dit-il en s'adressant aux deux matelots réfugiés craintivement dans la mâture. Votre grog est coupé pour une semaine ; descendez, et à vos canons !

Laurence s'avança le long de la coursive, forçant le passage contre le flot des hommes qui se ruaient à leurs postes : un fusilier le croisa en sautillant, essayant d'enfiler sa botte fraîchement cirée, de ses mains graisseuses qui glissaient sur le cuir ; les équipes des servants des caronades arrière se piétinaient littéralement les unes vers les autres.

— Laurence, Laurence, qu'y a-t-il ? s'écria Téméraire en l'apercevant. J'étais endormi ; que s'est-il passé ?

L'*Allegiance* roula brusquement, et Laurence fut projeté contre la rambarde ; de l'autre côté du vaisseau, un grand jaillissement d'eau vint éclabousser le pont, et une tête draconique monstrueuse s'éleva au-dessus de la main courante : d'énormes yeux orange où brûlait un éclat sinistre, derrière un museau arrondi, avec une crête palmée alourdie de longues traînées d'algues noires. Un bras pendait encore, tout flasque, dans sa gueule. La créature rejeta la tête en arrière et l'avala d'un coup : ses crocs étaient rougis de sang.

Riley appelait la bordée tribord, tandis que Purbeck, sur le pont, rassemblait trois équipes de servants autour de l'une des caronades : il avait l'intention de la pointer directement contre la créature. Les hommes tiraient sur les palans, tandis que les plus forts bloquaient les roues ; tous suaient à grosses gouttes et observaient un silence complet, hormis quelques grognements, travaillant aussi vite que possible, livides sous l'effort ; la pièce de quarante-deux livres n'était pas facile à manier.

— Feu, feu, bande de meuniers à cul jaune ! beuglait Macready d'une voix rauque dans la mâture, en rechargeant son propre fusil.

Les autres fusiliers tirèrent une volée tardive, mais leurs balles ricochèrent ; le cou de la créature était recouvert d'écailles épaisses, très serrées, bleues avec des reflets d'argent. Le serpent de mer émit un croassement sourd et plongea sur le pont, écrasant deux hommes avant d'en saisir un troisième dans sa gueule ; on entendit résonner les hurlements de Doyle, tandis que le malheureux se débattait frénétiquement.

— Non ! s'écria Téméraire. Stop ! *Arrêtez*[1] !

Il essaya le chinois également, mais le serpent de mer le dévisagea avec indifférence, sans le moindre signe d'intelligence, puis referma ses énormes

1. En français dans le texte. *(N.d.T.)*

mâchoires : les jambes de Doyle retombèrent sur le pont, sectionnées, projetant du sang de tous les côtés à travers les airs.

Téméraire demeura interdit, horrifié, le regard fixé sur les mâchoires du serpent en train de mastiquer, la collerette plaquée contre son cou ; Laurence cria son nom, et il recouvra ses esprits. Le mât de misaine et le grand mât se dressaient entre lui et le serpent de mer ; ne pouvant atteindre directement la créature, Téméraire s'envola et contourna le navire en virage serré afin de se placer derrière elle.

Le monstre suivit son mouvement de la tête, se haussant davantage hors de l'eau ; il posa ses deux pattes avant sur la rambarde de l'*Allegiance* pour se soulever ; ses doigts griffus, d'une longueur exceptionnelle, étaient palmés. Son corps était beaucoup plus étroit que celui de Téméraire, s'arrondissant à peine en son milieu, mais sa tête était plus imposante, avec des yeux larges comme des soucoupes, terribles de férocité aveugle et implacable.

Téméraire plongea. Ses griffes ripèrent sur les écailles argentées, cependant il parvint à s'accrocher avec ses pattes avant : le serpent de mer était d'une longueur incroyable, mais son corps était suffisamment mince pour que l'on puisse l'étreindre. Le serpent grogna de nouveau, avec un gargouillement venu du fond de la gorge, et se cramponna à l'*Allegiance* ; ses bajoues flasques tremblaient à chacun de ses cris. Téméraire banda ses muscles et tira, brassant furieusement l'air avec ses ailes : le vaisseau s'inclina dangereusement sous leurs forces combinées, et des cris jaillirent des écoutilles, où l'eau entrait par les sabords inférieurs.

— Téméraire, arrête ! cria Laurence. Vous allez nous faire chavirer.

Téméraire fut contraint de lâcher prise ; le serpent ne semblait plus songer qu'à s'éloigner de lui, désormais : il s'avança au-dessus du navire, bousculant la vergue de grand-voile et déchirant le gréement sur son passage, basculant la tête de part et d'autre. Laurence aperçut son propre reflet, étrangement allongé, dans la pupille noire ; puis le serpent cligna de l'œil, une épaisse membrane translucide coulissa sur son orbe, et il le dépassa ; Granby tirait Laurence en arrière vers l'échelle de descente.

Le corps de la créature était immensément long ; sa tête et ses pattes avant avaient déjà disparu sous l'eau de l'autre côté du vaisseau que son arrière-train n'avait pas encore émergé. Le bleu de ses écailles devenait de plus en plus foncé, avec une irisation violette, à mesure qu'il déroulait ses anneaux. Les serpents que Laurence avait vus jusque-là n'atteignaient pas le dixième de cette taille ; ceux de l'Atlantique ne dépassaient pas douze pieds, même dans les eaux tièdes au large du Brésil, et dans le Pacifique, ils plongeaient à l'approche des navires, de sorte que l'on en voyait rarement plus qu'un aileron.

L'aide-maître Sackler surgit de l'échelle de descente, hors d'haleine, brandissant un énorme tranchoir de sept pouces hâtivement ficelé à une gaffe : il avait été second sur un baleinier dans les mers du Sud avant d'être enrôlé de force.

— Monsieur, monsieur ! Dites-leur de prendre garde ! Oh ! par Dieu, il va nous enserrer ! cria-t-il à Laurence en l'apercevant, tout en jetant sa gaffe sur le pont avant de se hisser à sa suite.

Laurence se rappela ces pêches où il avait vu remonter un espadon ou un thon avec un serpent de mer serré autour de lui, à l'étouffer : c'était la façon dont ces créatures tuaient leurs proies. Riley avait entendu l'avertissement lui aussi ; il criait qu'on apporte des haches, des épées. Laurence en saisit une dans le premier panier qu'on leur tendit par l'écoutille et se mit à taillader au côté d'une douzaine d'autres hommes. Mais le corps défilait sans s'arrêter ; ils avaient beau couper dans le lard pâle et blanchâtre, ils ne parvenaient pas à atteindre la chair.

— La tête ! Attention à la tête ! prévint Sackler, qui se tenait près de la rambarde avec son tranchoir, les mains serrées anxieusement sur le manche. Laurence rendit sa hache et partit donner des indications à Téméraire : ce dernier continuait à planer sur la scène, impuissant à empoigner le serpent de mer tant que celui-ci se trouvait emmêlé dans les mâts et le gréement.

La tête du serpent ressortit de l'eau, du même côté, ainsi que Sackler l'avait anticipé, et ses anneaux se resserrèrent ; l'*Allegiance* grinça, et la rambarde commença à se fendre sous la pression.

Purbeck avait enfin réussi à pointer son canon.

— Paré, tout le monde ; à mon signal !

— Attendez, attendez ! cria Téméraire, sans que Laurence comprenne pourquoi.

Purbeck l'ignora et cria :

— Feu !

La caronade rugit et la mitraille partit au-dessus des eaux, atteignant le serpent de mer au cou avant de grêler la surface de l'eau. La créature rejeta la tête de côté sous l'impact, et une odeur de chair brûlée se fit sentir ; mais le coup n'était pas mortel : le serpent ne fit qu'émettre un gargouillement de douleur avant de resserrer encore son étreinte.

Purbeck ne sourcilla même pas, imperturbable, alors que le corps du serpent se trouvait à peine à un demi-pied de lui.

— Rechargez ! ordonna-t-il aussitôt que la fumée se fut dissipée.

Mais il risquait de s'écouler trois bonnes minutes avant que les hommes fussent de nouveau en mesure de tirer, gênés comme ils l'étaient par la position inhabituelle du canon et la confusion des trois équipes réunies.

Brusquement, une section de la rambarde juste à côté du canon éclata sous la pression dans un bouquet d'esquilles, aussi meurtrières que les éclats de bois projetés sous l'effet du choc d'un boulet. Une énorme écharde se ficha dans le bras de Purbeck, rougissant aussitôt la manche de sa veste. Chervins leva les mains, tâtonnant autour de l'esquille enfoncée dans sa gorge, puis s'affala sur le canon ; Dyfydd le traîna plus loin sur le pont sans perdre un instant, malgré la pointe de bois qui lui transperçait la mâchoire et ressortait sous son menton, ruisselant de sang.

Téméraire continuait à voleter au-dessus du serpent,

en grognant dans sa direction. Il n'avait pas rugi, craignant peut-être de le faire aussi près de l'*Allegiance* : une vague telle que celle qui avait englouti la *Valérie* les coulerait aussi facilement que le serpent lui-même. Laurence était sur le point de lui ordonner de prendre le risque, néanmoins : les hommes tailladaient frénétiquement, mais les écailles coriaces leur résistaient et l'*Allegiance* serait bientôt endommagé irrémédiablement : si les allonges cédaient, ou, pire encore, si la quille se tordait, le vaisseau ne pourrait peut-être jamais regagner le port.

Mais avant qu'il puisse le héler, Téméraire poussa soudain un cri sourd, prit un peu de hauteur et replia ses ailes : il chuta comme une pierre, toutes griffes dehors, et se reçut directement sur la tête du serpent, qu'il enfonça sous l'eau. Son élan l'immergea lui aussi, et un nuage de sang écarlate se répandit à la surface.

— Téméraire ! s'écria Laurence.

Sans réfléchir, il escalada le corps palpitant du serpent, mi-rampant, mi-courant sur le pont poisseux de sang, enjamba la rambarde et grimpa dans les chaînes du grand mât, en dépit de la vaine tentative de Granby pour le retenir.

Il se débarrassa de ses bottes, sans plan cohérent à l'esprit ; il n'était pas un très bon nageur, et n'avait ni couteau ni pistolet. Granby essaya de monter le rejoindre, mais il ne parvenait pas à garder l'équilibre sur ce navire qui allait et venait comme un cheval à bascule. Brusquement, un grand frisson parcourut à l'envers le tronçon gris argenté que l'on voyait du serpent ; son arrière-train et sa queue émergèrent convulsivement, puis retombèrent dans l'eau dans une immense gerbe d'écume. Enfin, la bête cessa de bouger.

Téméraire remonta comme un bouchon à la surface, jaillissant partiellement hors de l'eau avant de retomber : il toussa, postillonna, cracha : il avait du sang plein les mâchoires.

— Je crois qu'il est mort, annonça-t-il entre deux inspirations sifflantes avant de nager lentement vers le navire : il ne remonta pas immédiatement à bord, mais s'appuya contre l'*Allegiance*, respirant profondément, comptant sur sa flottabilité naturelle pour ne pas couler.

Laurence descendit jusqu'aux pièces chantournées où il se percha comme un gamin et caressa Téméraire, autant pour se réconforter que pour apaiser le dragon.

Téméraire étant trop fatigué pour remonter tout de suite, Laurence prit l'un des petits canots et emmena Keynes l'examiner. Il avait reçu quelques égratignures – dont une plaie où un long croc effilé était resté logé –, mais rien de grave ; Keynes, toutefois, colla de nouveau son oreille contre la poitrine de Téméraire, la mine sombre, et diagnostiqua qu'un peu d'eau était entrée dans les poumons.

Encouragé par Laurence, Téméraire se hissa à bord ; il fit rouler l'*Allegiance* plus que d'habitude, en raison de son épuisement comme de l'état désastreux du navire, mais parvint à regagner le pont d'envol, non sans occasionner de nouveaux dégâts à la rambarde.

Même lord Purbeck, pourtant si soucieux de l'apparence du vaisseau, ne lui en fit pas grief ; en fait, le dragon fut accueilli à bord par une acclamation lasse mais sincère de tout l'équipage.

— Dites-lui de poser sa tête sur le côté, dit Keynes une fois que Téméraire eut repris sa place sur le pont.

Le dragon protesta un peu – il ne songeait qu'à dormir – mais obéit. Après s'être allongé le plus loin possible de l'eau, et avoir grommelé d'une voix rauque que la tête lui tournait, il parvint à recracher une bonne quantité d'eau de mer. Ayant satisfait Keynes, il se recula prudemment sur le pont et se lova sur lui-même.

— Désires-tu manger quelque chose ? lui demanda Laurence. De la viande fraîche ? Un mouton ? Je te le ferai accommoder à ta guise.

— Non, Laurence, je ne peux rien avaler pour l'instant, répondit sourdement Téméraire, la tête cachée sous l'aile et un frisson courant entre ses omoplates. Qu'on l'éloigne de ma vue, s'il te plaît.

Le corps du serpent de mer gisait toujours en travers de l'*Allegiance* : sa tête était remontée à la surface du côté bâbord, et l'on pouvait désormais l'observer dans toute sa longueur. Riley envoya des canots le mesurer d'un bout à l'autre : plus de deux cent cinquante pieds, au moins le double de la longueur du plus grand Regal Copper dont Laurence ait entendu parler, ce qui lui avait permis d'enserrer entièrement le vaisseau, malgré ses quelque vingt pieds de diamètre à peine.

— Un *kiao*, un dragon marin, déclara Sun Kai, venu aux nouvelles sur le pont.

Il leur apprit qu'on trouvait des créatures similaires en mer de Chine, quoique ordinairement plus petites.

Personne ne suggéra de le manger. Une fois qu'on l'eut mesuré et que le poète chinois, qui dessinait également, eut été autorisé à en faire un croquis, les haches se remirent au travail. Sackler dirigeait la manœuvre avec son tranchoir, et Pratt sectionna l'énorme colonne vertébrale en trois coups bien assénés. Après quoi le poids de la bête et la lente progression de l'*Allegiance* firent le reste : la chair et la peau restantes cédèrent avec un bruit de tissu qui se déchire, et les deux moitiés glissèrent de part et d'autre.

Une intense activité régnait déjà dans l'eau autour du corps : des requins déchiquetaient la tête, ainsi que d'autres poissons ; bientôt, une lutte de plus en plus furieuse battit son plein autour des deux tronçons ensanglantés.

— Tâchons de repartir tant bien que mal, dit Riley à Purbeck.

Les voiles et les cordages du grand mât et du mât d'artimon étaient en piteux état, mais le mât de misaine était intact en dehors de quelques aussières emmêlées, et ils parvinrent à envoyer un peu de toile au vent.

Ils laissèrent le corps flotter dans leur sillage et s'éloignèrent ; une heure plus tard, ce n'était plus qu'une ligne brillante à l'horizon. Déjà le pont avait été lavé, briqué à fond et rincé de nouveau, arrosé à la pompe avec beaucoup d'enthousiasme, tandis que le charpentier et ses aides s'affairaient à tailler une paire d'espars afin de remplacer la grand-vergue et la vergue de perroquet de fougue.

Les voiles avaient âprement souffert : il fallut remonter de la voile de rechange des magasins, dont il apparut qu'elle avait été grignotée par les rats, ce qui mit Riley en fureur. Des travaux de reprise furent aussitôt engagés, mais le soleil se couchait et l'on ne put réinstaller les cordages avant le matin. Les hommes furent autorisés à dîner à tour de rôle, puis à aller se coucher sans subir l'inspection habituelle.

Toujours pieds nus, Laurence avala un peu de café et les biscuits que Roland lui apporta, mais demeura auprès de Téméraire, qui semblait abattu, sans appétit. Il s'efforça de lui remonter le moral, en se demandant s'il n'aurait pas reçu quelque blessure interne qui ne serait pas apparue immédiatement ; mais Téméraire lui dit d'une voix morne :

— Non, je ne suis ni blessé ni malade ; je vais parfaitement bien.

— Qu'est-ce qui t'attriste ainsi, dans ce cas ? s'enquit prudemment Laurence après un moment. Tu t'es bien comporté aujourd'hui ; tu as sauvé le navire.

— J'ai simplement tué cette créature ; je ne vois aucun motif de fierté là-dedans, répondit Téméraire. Ce n'était pas une ennemie qui se battait au nom d'une cause ; elle n'est venue vers nous que poussée par la faim, et je suppose que nous avons dû l'effrayer en lui tirant dessus, et que c'est pour cela qu'elle nous a attaqués ; j'aurais voulu pouvoir la convaincre de s'en aller.

Laurence ouvrit de grands yeux ; il ne lui était pas

venu à l'esprit que l'on pût voir le serpent de mer autrement que comme un monstre.

— Téméraire, tu ne saurais comparer cette bête à un dragon, dit-il. Elle était dépourvue de langage ou d'intelligence ; je pense que tu as raison en supposant qu'elle cherchait simplement à se nourrir, mais n'importe quel animal peut chasser.

— Pourquoi dis-tu cela ? protesta Téméraire. Elle ne parlait pas anglais, ni français, ni chinois, mais c'était une créature marine ; comment aurait-elle appris les langues humaines si personne ne s'était occupé d'elle dans sa coquille ? Je ne les parlerais pas moi-même, si ç'avait été mon cas, et cela ne voudrait pas dire que je serais dépourvu d'intelligence.

— Mais tu t'es certainement rendu compte que cette créature n'avait pas de sens commun, insista Laurence. Elle a dévoré quatre membres de l'équipage et en a tué six autres : des hommes, pas des phoques, et qui n'avaient manifestement rien de bêtes sauvages ; si elle avait été intelligente, ce qu'elle a fait aurait pu être qualifié d'inhumain – enfin… de barbare, corrigea-t-il en butant sur le choix des mots. Personne n'a jamais été capable de dompter un serpent de mer ; même les Chinois ne disent pas autre chose.

— Autant dire qu'une créature qui refuse de servir les hommes ou d'apprendre leurs coutumes n'est pas intelligente et que sa vie n'a pas de valeur, dit Téméraire, la collerette frémissante, dressé sur ses ergots.

— Pas du tout, se défendit Laurence, en cherchant comment réconforter Téméraire (pour lui, l'absence d'intelligence dans le regard de la créature avait paru évident). Je dis seulement que si les serpents de mer étaient intelligents, ils auraient trouvé un moyen de communiquer, et nous en aurions entendu parler. Après tout, bon nombre de dragons refusent de prendre un pilote, ou même de s'adresser aux hommes ; cela ne se produit pas très souvent, mais cela arrive, et personne ne croit les dragons dépourvus d'intelligence pour autant.

Il se dit en lui-même qu'il avait été particulièrement fortuné dans ce domaine.

— Mais que deviennent-ils, dans ce cas ? demanda Téméraire. Que m'arriverait-il si je refusais d'obéir ? Je ne parle pas uniquement d'un ordre ; qu'adviendrait-il si je refusais de combattre dans les Corps ?

Jusqu'à présent, la discussion s'en était tenue à des généralités ; ce brusque passage à un registre plus particulier prit Laurence au dépourvu et donna à leur échange une tournure inquiétante. Il se félicita intérieurement que les marins fussent désœuvrés du fait du peu de voiles qui restaient : la plupart d'entre eux étaient rassemblés sur le gaillard d'avant, en train de jouer leurs rations de grog aux dés ; les quelques aviateurs de service devisaient tranquillement, accoudés à la rambarde. Personne ne risquait de surprendre cette conversation, au grand soulagement de Laurence : d'aucuns auraient pu soupçonner Téméraire d'être insoumis, voire déloyal. Pour sa part, il ne croyait pas en la probabilité de voir Téméraire quitter les Corps et tous ses amis. Il s'efforça de répondre posément :

— Les dragons sauvages sont hébergés dans des fermes de reproduction, très confortables. Tu pourrais y habiter si tu le désirais. Il en existe une dans le nord du pays de Galles, en bordure de la baie de Cardigan ; un endroit splendide, d'après ce qu'on m'a dit.

— Et si je n'avais pas envie de vivre là-bas, mais que je choisissais de m'installer ailleurs ?

— Comment te nourrirais-tu ? fit observer Laurence. On ne trouve pas de troupeaux à l'état sauvage, ils appartiennent forcément à quelqu'un.

— Si les hommes ont cru bon de s'approprier toutes les bêtes disponibles, on ne pourrait pas m'en vouloir d'en attraper une de temps en temps, dit Téméraire. Mais quand bien même, je pourrais toujours pêcher. Et si je m'établissais près de Douvres, volant quand bon me semble et vivant de ma pêche sans toucher aux troupeaux de qui que ce soit, serait-ce permis ?

Laurence comprit trop tard qu'il s'était aventuré sur un terrain dangereux, et se mordit les doigts d'avoir orienté la conversation dans cette direction. Il savait bien qu'une telle situation ne serait jamais autorisée. La population serait terrifiée à l'idée de vivre à proximité d'un dragon solitaire, si pacifique fût-il. Il existait de nombreuses objections fondées à un tel arrangement, mais, du point de vue de Téméraire, celles-ci seraient immédiatement assimilées à des atteintes intolérables à sa liberté. Laurence ne trouva rien à répondre qui ne risquât d'aggraver le ressentiment du dragon.

Téméraire interpréta correctement son silence et acquiesça.

— Si je refusais de combattre, on me remettrait dans les chaînes, et on m'emmènerait, dit-il. Je serais contraint d'aller vivre dans une ferme de reproduction, et si je tentais de partir, on m'en empêcherait ; et de même pour n'importe quel dragon. Alors il me semble, ajouta-t-il avec un grondement de colère dans la voix, que nous sommes pareils à des esclaves ; si ce n'est que nous sommes moins nombreux, et aussi beaucoup plus grands et dangereux, de sorte que l'on nous traite généreusement et non pas cruellement, comme eux ; mais nous ne sommes pas plus libres.

— Grand Dieu, ce n'est pas du tout cela ! se récria Laurence en se redressant, atterré, consterné, autant par cette remarque que par son propre aveuglement.

Rien d'étonnant à ce que Téméraire eût renâclé devant les chaînes de tempête s'il ruminait ce genre de pensées depuis un moment, car Laurence se doutait bien qu'elles n'étaient pas seulement liées au combat qui venait d'avoir lieu.

— Non, pas du tout, répéta Laurence, c'est totalement déraisonnable.

Il se savait mal placé pour débattre avec Téméraire sur un terrain hautement philosophique, mais l'idée lui paraissait si absurde qu'il devait être en mesure d'en convaincre Téméraire, si seulement il pouvait arriver à trouver les mots justes.

— Autant me considérer comme un esclave, parce que je suis soumis aux ordres de l'Amirauté : si je refusais d'obéir, on me casserait du service et on me pendrait vraisemblablement ; il n'en découle pas que je sois un esclave.

— Mais tu as choisi de t'engager dans la Navy et

dans les Corps, dit Téméraire. Tu pourrais démissionner, si tu le souhaitais, et aller t'installer ailleurs.

— Oui, mais dans ce cas il me faudrait trouver quelque autre profession, si je ne possédais pas suffisamment de capital pour vivre de mes intérêts. D'ailleurs, si tu refuses de servir dans les Corps, je suis suffisamment riche pour acheter un domaine quelque part dans le Nord, ou peut-être en Irlande, et y élever du bétail. Tu pourrais vivre là-bas exactement comme tu le souhaites, et personne n'y trouverait rien à redire.

Laurence se remit à respirer en voyant Téméraire ruminer la question ; la lueur militante s'estompa quelque peu dans les yeux du dragon, et sa queue cessa de fouetter l'air pour s'enrouler en spirale sur le pont, tandis que les cornes incurvées de sa collerette retombaient un peu sur son cou.

Huit coups sonnèrent à la cloche, et les marins abandonnèrent leurs parties de dés tandis que la bordée suivante montait sur le pont pour éteindre l'ultime poignée de lumières. Ferris grimpa sur le pont d'envol en bâillant, suivi de quelques hommes d'équipage qui se frottaient les yeux ; Baylesworth conduisit l'équipe précédente en bas, et chacun leur souhaita : « Bonne nuit, monsieur ; bonne nuit, Téméraire » en tapotant affectueusement le flanc du dragon au passage.

— Bonne nuit, messieurs, répondit Laurence, et Téméraire émit un grognement chaleureux.

— Les hommes peuvent dormir sur le pont s'ils le souhaitent, monsieur Tripp, dit Purbeck, dont la voix leur parvint depuis la poupe.

Tandis que la nuit s'installait sur le vaisseau, les

hommes se laissèrent volontiers tomber sur le gaillard d'avant, la tête sur un rouleau d'aussière ou leur chemise pliée ; il faisait entièrement noir à l'exception de la lanterne de poupe qui clignotait, solitaire, à l'autre bout du vaisseau, et de la lueur des étoiles ; on ne voyait pas de lune, mais les nuages de Magellan étaient particulièrement clairs, ainsi que la longue traîne de la Voie lactée. Le silence se fit ; les aviateurs s'étaient couchés à leur tour le long du bastingage, et Laurence et Téméraire se retrouvèrent de nouveau aussi seuls qu'il était possible de l'être à bord d'un navire. Laurence se rassit en s'adossant au flanc de Téméraire ; il percevait une sorte d'attente dans le mutisme du dragon.

Finalement, Téméraire reprit la parole :

— Mais si tu le faisais ? dit-il comme s'il n'y avait pas eu d'interruption dans leur conversation, avec toutefois moins de colère qu'auparavant. Si tu achetais un domaine pour moi, ce serait encore ta décision, et non la mienne. Tu m'aimes, tu ferais n'importe quoi pour assurer mon bonheur ; mais qu'en est-il des dragons comme le pauvre Levitas, avec un capitaine de la même espèce que Rankin qui se souciait comme d'une guigne de son bien-être ? Je ne comprends pas précisément ce qu'est le capital, mais je suis certain de ne pas en avoir, ni aucun moyen d'en obtenir.

Il ne semblait plus aussi violemment indigné que précédemment, mais plutôt las, et un peu triste. Laurence dit :

— Tu possèdes tes joyaux, tu sais ; le pendentif à lui seul vaut quelque dix milles livres, et c'était indubitablement un cadeau ; personne ne pourrait contester devant la loi qu'il est ta propriété.

Téméraire pencha la tête afin d'examiner le bijou, la plaque pectorale que Laurence lui avait achetée avec la plus grosse part de prise qu'il avait reçue pour sa capture de l'*Amitié*, la frégate qui transportait l'œuf de Téméraire. Le platine s'était légèrement rayé et bosselé au cours des aléas du voyage, et restait ainsi parce que Téméraire refusait de s'en séparer assez longtemps pour que l'on puisse le poncer. Quant à la perle et aux saphirs, ils étaient plus brillants que jamais.

— C'est donc cela, le capital ? Des joyaux ? Pas étonnant qu'il soit si désirable. Mais, Laurence, cela ne change rien : c'est toujours un cadeau de ta part, après tout, non quelque chose que j'ai gagné moi-même.

— Effectivement, je ne crois pas que personne ait songé à rémunérer les dragons avec un salaire ou une part de prise. Ce n'est pas par manque de respect, je te le promets ; seulement, il ne semble pas que l'argent soit d'une grande utilité pour des dragons.

— Il ne nous est d'aucune utilité parce que nous ne sommes autorisés à nous rendre nulle part, ni à agir selon notre guise, de sorte que nous ne pourrions pas le dépenser, dit Téméraire. Même si j'avais de l'argent, je suis sûr que je ne pourrais pas me rendre dans une boutique pour m'acheter d'autres bijoux, ou des livres ; on nous chicane même le fait de prendre notre nourriture dans l'enclos à notre convenance.

— Si tu ne peux pas aller où bon te semble, ce n'est pas parce que tu es un esclave, mais parce que les gens seraient effrayés à ta vue, et qu'il faut prendre le bien public en considération, dit Laurence. Il ne servirait à rien de te rendre en ville dans une boutique si le boutiquier avait fui avant ton arrivée.

— Il n'est pas juste que nous subissions ainsi les peurs des hommes, alors que nous n'avons rien fait qui les justifie ; tu dois certainement t'en rendre compte, Laurence.

— Non, ce n'est pas juste, admit Laurence à contrecœur. Mais les gens auront toujours peur des dragons, quoi qu'on leur dise ; c'est dans la nature humaine, si stupide que cela puisse paraître, et il n'y a pas à revenir là-dessus. Je le regrette autant que toi, mon ami. (Il posa la main sur le flanc de Téméraire.) Je voudrais avoir de meilleurs arguments à t'opposer ; je peux seulement ajouter que, quels que soient les désagréments que t'impose la société, je ne te considère pas plus comme un esclave que moi-même, et je serai toujours heureux de t'aider à composer avec les imperfections de notre monde, dans la mesure de mes moyens.

Téméraire soupira, mais poussa affectueusement Laurence du bout du nez et l'entoura plus étroitement avec son aile ; il n'ajouta rien de plus sur le sujet, mais réclama plutôt leur dernier livre, une traduction française des *Mille et Une Nuits* qu'ils avaient trouvée au Cap. Quoique soulagé, Laurence restait mal à l'aise : il n'était pas convaincu d'avoir vraiment réussi à réconcilier Téméraire avec une situation dont lui-même avait toujours donné l'impression de s'accommoder.

Livre III

11

Allegiance, *Macao*

Jane, je dois vous prier de pardonner la longue interruption de cette lettre, ainsi que les quelques mots hâtifs par lesquels je veux éviter de commettre la même négligence maintenant. Je n'ai pas eu le loisir de prendre la plume depuis trois semaines – depuis que nous avons franchi le détroit de Bangka, nous sommes assaillis par les fièvres paludéennes. J'ai personnellement échappé à la maladie, ainsi que la plupart de mes hommes. Keynes pense que nous en sommes redevables à Téméraire, dont la température du corps, selon lui, disperserait les miasmes responsables. Notre proximité avec lui nous offrirait donc une certaine protection.

Mais nous n'avons été épargnés que pour effectuer un surcroît de travail : le capitaine Riley est cloué au lit quasiment depuis le début, et lord Purbeck étant tombé malade, je partage les quarts avec les troisième et quatrième lieutenants du vaisseau, Franks et Beckett. Tous deux *sont des jeunes gens pleins de bonne volonté et Franks fait de son mieux, mais il n'est nullement préparé à commander un vaisseau aussi important que l'*Allegiance*, ni à maintenir la discipline au sein de son équipage – défauts qui s'ajoutent, je suis au regret de le dire, à son apparente grossièreté à table, que j'avais déjà mentionnée.*

Comme nous sommes en été, et que Canton proprement dite est interdite aux Occidentaux, nous ferons escale demain matin à Macao, où le chirurgien du bord espère trouver de l'écorce des jésuites afin de reconstituer notre réserve, et moi quelque marchand britannique, sa saison terminée, pour porter cette lettre en Angleterre et jusqu'à vous. Ce sera ma dernière occasion, car, par dispense spéciale du prince Yongxing, nous avons la permission de remonter au nord dans le golfe de Zhi-li de manière à pouvoir gagner Pékin par Tianjin. Le gain de temps sera énorme, mais comme aucun navire occidental n'est admis d'ordinaire au nord de Canton, nous ne pourrons plus espérer trouver de bâtiment britannique une fois que nous aurons quitté le port.

Nous avons déjà croisé trois marchands français lors de notre approche, beaucoup plus que j'étais accoutumé à en voir dans cette partie du monde, bien que sept ans se soient écoulés depuis ma dernière visite à Canton, et les vaisseaux étrangers de toute sorte sont plus nombreux que par le passé. À cette heure, un brouillard dense flotte sur le port et m'empêche *de voir à la lunette, de sorte que je ne peux pas en être certain, mais je crains qu'il y ait également un vaisseau de guerre, à moins qu'il ne soit hollandais plutôt que français ; en tout cas, ce n'est pas l'un des nôtres. L'*Allegiance *ne court aucun danger direct, bien sûr, étant d'une tout autre dimension et sous la protection de la Couronne impériale, que les Français n'oseraient pas braver dans ces eaux, mais nous redoutons que ceux-ci n'aient eux aussi une ambassade en cours, qui naturellement aurait ou formerait bientôt le projet de perturber notre propre mission.*

Concernant mes suspicions antérieures, je ne peux rien dire de plus. Aucune autre tentative n'a eu lieu, bien que la maladie qui nous frappe l'ait facilitée, et je commence à espérer que Feng Li agissait sous l'impulsion de quelque obscur motif personnel, et non sur ordre d'un supérieur.

On sonne la cloche, il me faut monter sur le pont. Permettez-moi de vous adresser toute mon affection et tout mon respect, et considérez-moi toujours comme,

Votre dévoué serviteur,
William Laurence
16 juin 1806

Le brouillard persista tout au long de la nuit, jusqu'à ce que l'*Allegiance* accomplît son approche finale du port de Macao. La longue plage de sable incurvée, bordée de jolis bâtiments carrés dans le style portugais et de jeunes arbres impeccablement alignés, dégageait une atmosphère familière ; la plupart des jonques, voiles ferlées, auraient presque pu passer pour des cotres à l'ancre dans la rade de Funchal ou de Portsmouth. Même les montagnes érodées couvertes de verdure que dévoilait le brouillard en se levant n'auraient pas paru déplacées au-dessus d'un port méditerranéen.

Téméraire s'était dressé sur son postérieur, tout excité ; il se laissa retomber sur le pont d'un air maussade.

— Ma foi, cela ne change guère de ce que nous connaissons, maugréa-t-il. Je n'ai pas aperçu de dragons, non plus.

L'*Allegiance* lui-même, venant de l'océan, se trouvait présentement masqué par le brouillard et sa silhouette ne fut pas immédiatement visible depuis le rivage ; elle devint de plus en plus distincte à mesure que le soleil dissipait paresseusement la brume et que le vaisseau s'avançait dans le port, poussé par une brise légère. Son apparition déclencha une réaction presque violente : Laurence avait déjà fait escale dans la colonie, auparavant, et il s'attendait que leur arrivée fît sensation, compte tenu de la taille démesurée du navire, tout à fait inhabituelle dans ces eaux. Mais il n'en fut pas moins abasourdi par la clameur qui monta du rivage.

— *Tien-Lung, tien-Lung* !

Le cri roula sur l'eau, et plusieurs petites jonques, plus agiles que les autres, se portèrent à leur rencontre, venant s'agglutiner les unes aux autres et contre la coque de l'*Allegiance*, malgré les cris et les gestes de l'équipage pour les faire s'écarter.

D'autres embarcations partirent du rivage alors qu'ils jetaient l'ancre, avec beaucoup de précautions en raison de leur encombrante escorte. Laurence fut stupéfait de voir des Chinoises descendre sur la plage, de leur étrange démarche faite de tout petits pas. Certaines portaient des robes élégantes et raffinées, d'autres étaient accompagnées d'enfants et même de nourrissons ; elles s'entassèrent dans la première jonque où il restait un peu de place, sans se soucier de mouiller leurs vêtements. Fort heureusement, la brise était douce et le courant faible, ce qui évita à ces embarcations surchargées de chavirer en entraînant des pertes effroyables. Elles parvinrent néanmoins à rallier l'*Allegiance* ; alors qu'elles s'approchaient, les femmes saisirent leurs enfants et les soulevèrent au-dessus de leurs têtes, en les agitant dans leur direction.

— Que diable signifie ceci ?

Laurence n'avait jamais assisté à une telle démonstration. Selon son expérience, les Chinoises prenaient un soin tout particulier à se cacher aux regards des Occidentaux ; il ignorait même qu'il y en eût autant à Macao. Leur manège attirait également l'attention des autres Occidentaux présents dans le port, aussi bien le long du rivage que sur le pont des navires qui mouillaient dans la rade. L'estomac de Laurence se serra en voyant qu'il ne s'était pas trompé de beaucoup la nuit précédente : en fait, il avait même péché par optimisme, car ce n'était pas un, mais deux vaisseaux de guerre français qui se trouvaient au port, fins et racés ; un deux-ponts de soixante-quatre canons et une puissante frégate de quarante-deux.

Téméraire observait la scène avec beaucoup d'intérêt, poussant de petits reniflements amusés devant certains bébés, particulièrement ridicules dans leurs robes brodées : on eût dit des saucisses emmaillotées dans de la soie cousue d'or, et ils pleuraient et braillaient d'être ainsi agités en l'air.

— Je vais leur demander, dit-il.

Et il se pencha par-dessus la rambarde afin d'interroger l'une des femmes les plus énergiques, qui n'avait pas hésité à renverser une rivale pour s'assurer une place juste au bord de la jonque. Son rejeton, un garçonnet grassouillet qui pouvait avoir deux ans, parvenait à conserver une expression de résignation flegmatique sur son visage poupin, bien que sa mère le fourrât pratiquement dans la gueule de Téméraire.

La réponse le fit cligner des paupières, et il s'assit sur son postérieur.

— Je ne suis pas formel, car son chinois ne ressemble pas tout à fait à celui que je connais, admit-il, mais je crois qu'elle a dit qu'ils sont là pour me voir.

Affectant l'indifférence, il détourna la tête et entreprit, avec ce qu'il devait prendre pour de la discrétion, de frotter du bout du nez quelques taches imaginaires sur sa peau ; il sacrifia encore à la vanité en prenant la pose, la tête dressée bien haut et les ailes secouées puis repliées plus lâchement contre son corps. Sa collerette se déployait largement sous l'excitation.

Lorsqu'on lui demanda une explication supplémentaire, Yongxing prit l'air surpris de celui qui se voit incité à énoncer une évidence :

— Cela porte chance de voir un Céleste. Ils n'auront jamais d'autre possibilité d'en voir un – ce ne sont que des marchands.

Il se détourna du spectacle avec dédain, puis :

— Liu Bao, Sun Kai et moi nous rendrons à Guangzhou, déclara-t-il en se servant du nom chinois de Canton, pour parler au surintendant et au vice-roi et faire prévenir l'empereur de notre arrivée.

Il attendit que Laurence se sentît obligé de lui proposer l'usage du deuxième canot.

— Permettez-moi de vous rappeler, Votre Altesse, que nous sommes en droit d'espérer atteindre Tianjin d'ici trois semaines, de sorte que vous pourriez peut-être réserver vos messages pour la capitale.

Laurence voulait simplement lui épargner de la peine ; la distance dépassait certainement le millier de miles.

Mais Yongxing fit savoir avec énergie qu'il considérait cette proposition comme rien de moins que scandaleuse eu égard au respect dû au trône, et Laurence fut contraint de s'excuser de l'avoir faite, en plaidant son ignorance des coutumes locales. Yongxing ne se laissa pas attendrir ; en fin de compte, Laurence fut heureux de le fourrer dans le deuxième canot avec les deux autres émissaires, même si cela ne leur laissait que le cotre, à Hammond et lui, afin de se rendre à leurs propres rendez-vous à terre : la chaloupe était déjà prise pour l'avitaillement en eau douce et en bétail.

— Puis-je vous rapporter quelque chose qui vous soulagerait, Tom ? s'enquit Laurence en passant la tête dans la cabine de Riley.

Ce dernier leva la tête des coussins où il était allongé devant les fenêtres et agita faiblement une main jaunâtre.

— Je vais déjà beaucoup mieux. Mais je ne dirais pas non à un bon porto, si vous parveniez à dénicher une bouteille correcte ; je n'arrive pas à me débarrasser de cet abominable goût de quinquina.

Rassuré, Laurence partit prendre congé de Téméraire, qui avait réussi à convaincre les enseignes et les cadets de le brosser – bien inutilement. Les visiteurs chinois s'enhardissaient et commençaient à jeter des fleurs à bord, ainsi que d'autres choses moins inoffensives. Accourant vers Laurence, le lieutenant Franks, très pâle, bredouilla :

— Monsieur, ils nous jettent de l'encens allumé ; faites-les cesser, je vous en prie.

Laurence grimpa sur le pont d'envol.

— Téméraire, veux-tu leur demander, s'il te plaît, de ne rien lancer qui soit en feu sur le navire ? Roland, Dyer, prenez garde à ce qu'ils envoient, et si vous apercevez quoi que ce soit qui risque de déclencher un incendie, rejetez-le à l'eau immédiatement. Espérons qu'ils ne vont pas se mettre à nous lancer des pétards, ajouta-t-il avec inquiétude.

— Je leur dirai d'arrêter s'ils le font, lui promit

Téméraire. Peux-tu essayer de voir s'il y a un endroit où je puisse atterrir ?

— Entendu, mais ne compte pas trop là-dessus ; l'enclave entière mesure à peine quatre miles carrés, et elle est densément construite, dit Laurence. Nous devrions au moins pouvoir la survoler, malgré tout, et peut-être même survoler Canton, si les mandarins n'y voient pas d'objection.

Le dépôt de la compagnie était construit directement face à la plage, de sorte qu'il ne fut pas difficile à trouver ; en fait, alertés par le brouhaha de la foule, les commissaires avaient envoyé un petit comité d'accueil les attendre sur la plage, sous la houlette d'un jeune homme de grande taille qui portait l'uniforme des forces privées de la Compagnie des Indes orientales. Ses impressionnants favoris et son nez aquilin lui donnaient un air de prédateur, accentué plutôt qu'atténué par la lueur alerte qui brillait dans ses yeux.

— Major Heretford, à votre service, se présenta-t-il en s'inclinant. Et, si vous me permettez, bougrement content de vous voir, monsieur, ajouta-t-il avec une franchise toute militaire une fois qu'ils se retrouvèrent à l'intérieur. Seize mois ; nous commencions à croire qu'il n'y aurait pas de réaction.

Avec un choc désagréable, Laurence se rappela la réquisition des navires de la compagnie par les Chinois, longtemps auparavant : tout à ses propres soucis concernant Téméraire, et distrait par le voyage, il avait complètement oublié l'incident ; mais, bien sûr, ce dernier n'avait pu échapper aux hommes basés sur place. Ils avaient dû passer les derniers mois sur des charbons ardents, impatients de répondre à l'affront.

— Aucune action n'a été entreprise, j'espère ? s'inquiéta Hammond, avec une anxiété qui renforça encore le mépris de Laurence à son égard : il y percevait une nuance de peur. Cela nous serait hautement préjudiciable.

Heretford lui jeta un regard en biais.

— Non. Étant donné les circonstances, les commissaires ont jugé préférable de jouer la carte de la conciliation en attendant un avis officiel, répondit-il sur un ton qui ne laissait guère planer le doute sur ses propres préférences en la matière.

Laurence ne put s'empêcher de le trouver sympathique, même si d'ordinaire il n'avait pas une haute opinion des forces privées de la compagnie. Mais Heretford avait l'air intelligent et compétent, et les quelques hommes qu'il avait sous ses ordres montraient les signes d'une excellente discipline : leurs armes étaient bien entretenues et leurs uniformes impeccables, en dépit de l'atmosphère étouffante.

On avait tiré les volets de la salle de réunion afin de repousser la chaleur de cette fin de matinée, et préparé des éventails pour brasser l'air moite et suffocant. Des verres de punch, rafraîchis avec de la glace remontée de la cave, furent apportés aussitôt les présentations terminées. Les commissaires acceptèrent de bonne grâce le courrier que leur confia Laurence, promettant de le faire parvenir en Angleterre ; cela venant en conclusion des amabilités d'usage, ils s'enquirent avec délicatesse mais fermeté de l'objet de leur mission.

— Nous nous réjouissons naturellement d'apprendre que le gouvernement a dédommagé les capitaines Mestis, Holt et Greggson, ainsi que la compagnie, mais je ne saurais trop souligner les ravages que cet incident a occasionnés à l'ensemble de nos opérations.

Sir George Staunton s'exprimait d'une voix douce, mais d'autant plus résolue ; en dépit de son jeune âge, il était le chef des commissaires en vertu de sa connaissance du pays. À douze ans, il avait accompagné l'ambassade Macartney dans la suite de son père, et il était l'un des rares Britanniques à maîtriser parfaitement le chinois.

Staunton leur décrivit plusieurs autres vexations similaires et conclut :

— Cette attitude est tout à fait caractéristique, je le crains. L'insolence et la rapacité de l'administration se sont singulièrement accrues, et uniquement à notre encontre ; les Hollandais et les Français ne subissent pas les mêmes affronts. Nos protestations, qui avaient été reçues jusqu'à présent avec un semblant de respect, sont désormais écartées avec mépris, et d'ailleurs ne font qu'empirer les choses.

— Nous redoutions presque quotidiennement que l'on nous ordonne de déguerpir, ajouta M. Grothing-Pyle (c'était un individu corpulent, dont les cheveux blancs étaient quelque peu en désordre sous l'effet du maniement vigoureux de son éventail). Sans vouloir offenser le major Heretford et ses hommes, fit-il en adressant un hochement de tête à l'officier, nous aurions bien du mal à nous opposer à une telle mesure, et vous pouvez être sûrs que les Français se feraient un plaisir d'aider les Chinois à l'appliquer.

— Et de s'approprier nos installations aussitôt que nous aurions levé l'ancre, acheva Staunton, recueillant l'assentiment général. L'arrivée de l'*Allegiance* nous place dans une tout autre situation, concernant nos possibilités de résistance...

Ici, Hammond l'arrêta :

— Monsieur, pardonnez-moi, mais il me faut vous interrompre. Engager l'*Allegiance* dans la moindre opération contre la Chine est inimaginable ; en aucune façon. Chassez cette idée de votre esprit.

Il s'exprimait avec beaucoup de détermination, bien qu'il fût certainement le plus jeune des hommes présents, à l'exception de Heretford ; d'où la froideur palpable qui accueillit ses propos, mais Hammond n'y prêta pas attention.

— Notre principal objectif consiste à restaurer la faveur de notre nation auprès de la cour afin d'empêcher une alliance des Chinois avec la France. Toute autre préoccupation n'a aucun lieu d'être.

— Monsieur Hammond, déclara Staunton, je ne crois pas à la possibilité d'une telle alliance ; comme je ne crois pas qu'elle représenterait une menace aussi grave que vous semblez l'imaginer. La Chine n'est pas une puissance militaire occidentale, si impressionnants que sa dimension et ses dragons puissent paraître aux yeux du néophyte (Hammond rougit sous cette pique, peut-être involontaire), et les Chinois ne s'intéressent en rien aux affaires européennes. Ils se font même un devoir de jouer l'indifférence, qu'elle soit ou non réelle, envers tout ce qui se déroule hors de leurs frontières ; c'est une politique qu'ils pratiquent depuis des siècles.

— Qu'ils aient cru bon de dépêcher le prince Yongxing en Grande-Bretagne vous montre bien, monsieur, qu'un changement de politique peut s'obtenir, pour peu que l'on y déploie suffisamment de volonté, rétorqua froidement Hammond.

Ils débattirent de ce point ainsi que de beaucoup d'autres en redoublant de courtoisie, au fil de nombreuses heures. Laurence devait lutter pour concentrer son attention sur la conversation, abondamment truffée de références à des noms, des incidents et des soucis dont il ne savait rien : quelque agitation locale parmi les paysans, l'état des affaires au Tibet, où une sorte de rébellion était apparemment en cours ; le déficit commercial et la nécessité d'ouvrir d'autres marchés chinois ; les difficultés avec les Incas sur la route de l'Amérique du Sud.

Mais, bien que Laurence se sentît incapable d'en tirer ses propres conclusions, la conversation ne fut pas totalement inutile pour lui. Il acquit ainsi la conviction que Hammond, s'il paraissait très bien informé, avait une vision de la situation en contradiction directe avec celle de tous les commissaires, sur quasiment tous les points. Quand la question de la prosternation fut soulevée, par exemple, Hammond la balaya d'un revers de main : ils accompliraient le rituel de génuflexion complet, espérant réparer ainsi l'affront infligé par lord Macartney lors de la précédente ambassade. Cela n'était pas discutable.

Pourtant, Staunton s'y opposa vigoureusement :

— Céder sur ce point sans obtenir de concessions en contrepartie ne pourrait que nous rabaisser encore à leurs yeux. Lord Macartney ne s'y est pas refusé sans raisons. La cérémonie concerne les émissaires des pays tributaires, vassaux de la Chine, et, après nous y être opposés sur ces bases, nous ne pouvons plus nous y soumettre sans donner l'impression de justifier le traitement scandaleux qu'on nous réserve. Cela nuirait gravement à notre cause, comme si nous les encouragions à continuer.

— Je vois mal ce qui pourrait nuire davantage à notre cause que de fouler au pied les coutumes d'une très ancienne et très puissante nation sur son propre sol, parce qu'elles ne correspondent pas à nos propres notions de l'étiquette, dit Hammond. La victoire ne saurait se remporter sur ce point qu'au prix d'une défaite sur tous les autres, ainsi que l'a démontré l'échec retentissant de l'ambassade de lord Marcatney.

— Permettez-moi de vous rappeler que les Portugais se sont prosternés non seulement devant l'empereur, mais également devant son portrait et ses lettres chaque fois que les mandarins l'exigeaient, et que leur ambassade fut tout aussi infructueuse, fit remarquer Staunton.

Laurence répugnait à l'idée de se prosterner devant qui que ce fût, empereur de Chine ou non ; mais ce n'était pas uniquement son point de vue personnel qui l'incitait à se ranger à l'opinion de Staunton. Une telle marque de sujétion, pensait-il, ne pouvait que leur attirer un traitement plus humiliant encore. Il s'assit à la gauche de Staunton lors du dîner, et, au fil de la discussion, fut de plus en plus convaincu de la pertinence de son jugement ; et de plus en plus sceptique sur celui de Hammond.

Enfin, ils prirent congé et regagnèrent la plage où leur canot les attendait.

— Plus que tout le reste, ce sont surtout les nouvelles concernant l'émissaire français qui m'inquiètent, dit Hammond, plus pour lui-même que pour Laurence. Ce de Guignes est dangereux ; comme j'aurais voulu que Bonaparte envoie quelqu'un d'autre !

Laurence ne répondit rien. Il avait douloureusement conscience d'éprouver la même chose vis-à-vis de Hammond : il l'aurait volontiers échangé contre un autre, s'il l'avait pu.

Le prince Yongxing et ses compagnons revinrent de leur mission dans l'après-midi du lendemain. Mais quand on lui demanda la permission de poursuivre le voyage, ou simplement de quitter le port, il refusa tout net, insistant pour que l'*Allegiance* restât à l'ancre en attendant de nouvelles instructions. De qui viendraient ces dernières, et quand, il ne le dit pas ; dans l'intervalle, les embarcations locales continuaient leurs navettes jusque tard dans la nuit, portant de grandes lanternes en papier à la proue pour s'éclairer.

Laurence fut tiré du sommeil de très bonne heure le lendemain matin, au bruit d'une altercation devant sa porte : Roland, d'un ton particulièrement farouche en dépit de sa voix claire de soprano, vitupérait dans un mélange d'anglais et de chinois, dont elle avait acquis quelques notions auprès de Téméraire.

— Quel est ce foutu boucan ? tonna-t-il.

Roland jeta un regard par la porte, qu'elle entrebâilla à peine, juste assez pour son œil et sa bouche ; par-dessus son épaule, Laurence aperçut l'un des serviteurs chinois qui s'agitait impatiemment et tentait d'attraper le bouton de la porte.

— C'est Huang, monsieur. J'ai eu beau lui dire que vous venez de vous coucher après le quart de nuit, il fait toute une histoire et prétend que le prince vous réclame en haut sur-le-champ.

Il soupira et se frotta le visage.

— Très bien, Roland ; dites-lui que j'arrive.

Il n'était pas d'humeur à se lever. Tard dans la soirée, une autre embarcation en visite, barrée par un jeune homme plus hardi que compétent, s'était fait prendre en travers par une vague. Son ancre, mal posée, avait volé et frappé l'*Allegiance* sous la ligne de flottaison, perçant un trou dans sa coque et noyant une bonne part du grain qu'ils venaient d'acheter. Simultanément, l'esquif s'était retourné et, bien que le port ne fût pas bien loin, ses passagers en lourdes robes de soie étaient incapables de nager jusqu'au rivage ; il avait fallu les repêcher un à un à la lueur des lanternes. Ç'avait été une longue nuit fatigante, et il avait enchaîné un quart après l'autre pour régler le problème avant de gagner finalement sa bannette dans les petites heures du matin. Il s'aspergea le visage avec l'eau tiède de la bassine et enfila sa veste avec réticence avant de monter sur le pont.

Il trouva Téméraire en pleine discussion ; Laurence dut y regarder à deux fois avant de s'apercevoir que son interlocuteur était un dragon comme il n'en avait encore jamais vu.

— Laurence, je te présente Lung Yu Ping, dit Téméraire quand Laurence posa le pied sur le pont d'envol. Elle nous a apporté le courrier.

En lui faisant face, Laurence s'aperçut que leurs deux têtes étaient presque au même niveau : elle était encore plus petite qu'un cheval, avec un large front incurvé, un long museau en pointe de flèche et une ample poitrine, loin des proportions de lévrier habituelles. Elle n'aurait pu prendre personne sur son dos, sinon un enfant, et ne portait d'ailleurs pas de harnais, mais uniquement un délicat collier d'or et de soie jaune, auquel s'accrochait une sorte de fine cotte de mailles qui lui couvrait joliment la poitrine, fixée à ses avant-bras et à ses griffes par des anneaux d'or.

Les mailles étaient plaquées d'or, du meilleur effet sur sa peau vert pâle ; ses ailes d'un vert plus foncé étaient zébrées de minces bandes jaunes. Leur apparence aussi était inhabituelle : étroites, effilées, plus longues que la dragonne elle-même ; bien qu'elles fussent repliées sur son dos, leurs longues pointes touchaient le pont derrière elle comme une traîne.

Lorsque Téméraire eut traduit les présentations en chinois, la petite dragonne s'assit sur son postérieur et s'inclina. Laurence s'inclina en retour, amusé de saluer un dragon de même taille que lui. Les formalités satisfaites, elle avança la tête pour l'examiner de plus près, de haut en bas et des deux côtés, avec un grand intérêt ; elle avait des yeux immenses, liquides, de couleur ambre et bordés de paupières épaisses.

Hammond discutait non loin de là en compagnie de Sun Kai et de Liu Bao. Les trois hommes étaient penchés sur une lettre étrange, épaisse et couverte de sceaux, où l'encre noire était généreusement mêlée de vermillon. Yongxing se tenait à l'écart, lisant une seconde lettre écrite en caractères énormes sur une longue feuille de papier déroulé ; il n'en fit pas profiter les trois autres, mais l'enroula de nouveau et la glissa dans sa manche avant de les rejoindre.

Hammond s'inclina vers eux et alla trouver Laurence pour l'informer de ce qui se passait.

— On nous commande de laisser le navire continuer jusqu'à Tianjin et de poursuivre par la voie des airs, dit-il. Et on insiste pour que nous partions immédiatement.

— *On* nous commande ? répéta Laurence, perplexe. Je ne comprends pas ; de qui émanent ces ordres ? Nous n'avons tout de même pas déjà reçu une réponse de Pékin. Le prince Yongxing a envoyé sa dépêche il y a trois jours seulement !

Téméraire adressa une question à Ping, qui inclina la tête et répondit d'une voix caverneuse, fort peu féminine.

— Elle dit arriver d'un relais à Heyuan situé à quatre cents *li* d'ici, ce qui lui a pris un peu plus de deux heures, dit-il. Mais je ne sais pas ce que cela représente en termes de distance.

— Un mile égale trois *li*, répondit Hammond, qui essaya aussitôt de faire la conversion dans sa tête, les sourcils froncés.

Laurence, plus rapide en calcul mental, écarquilla les yeux devant la dragonne : si elle avait dit vrai, cela signifiait que Yu Ping avait couvert plus de cent trente miles au cours de son vol. À une telle allure, avec des courriers qui se relayaient, le message avait fort bien pu venir de Pékin, distante de près de deux mille miles ; l'idée paraissait incroyable.

Surprenant leur conversation, Yongxing s'impatienta :

— Notre message est de la plus haute priorité, et il a été convoyé par des Dragons-de-Jade tout le long du trajet ; bien sûr que nous avons reçu la réponse de Pékin. Ne continuons pas à perdre notre temps ainsi alors que l'empereur a parlé. Dans combien de temps pouvez-vous être prêts à partir ?

Encore sous le choc, Laurence reprit ses esprits et protesta qu'il ne pouvait quitter l'*Allegiance* pour l'instant, tant que Riley n'était pas suffisamment remis pour se lever de son lit. En vain : ne laissant même pas à Yongxing le temps de répliquer, Hammond exposa son point de vue avec virulence :

— Il serait impensable de commencer par un affront envers l'empereur, dit-il. L'*Allegiance* peut certainement rester à l'ancre ici jusqu'à la guérison du capitaine Riley.

— Pour l'amour du ciel, cela ne ferait qu'aggraver la situation, s'impatienta Laurence. La moitié de l'équipage est déjà pris de fièvre ; nous n'allons pas les laisser tomber en les privant de l'autre moitié !

Mais l'argument de Hammond était de taille, en particulier lorsqu'il fut appuyé par Staunton, que Laurence et le diplomate avaient invité à prendre le petit déjeuner à bord avec eux.

— Quelle que soit l'assistance que pourront fournir le major Heretford et ses hommes, je vous la promets avec joie, dit Staunton. Mais je suis d'accord ; ils sont très stricts sur la cérémonie, par ici, et négliger une convocation directe serait une insulte délibérée : je vous implore de partir sans tarder.

Fort de cet encouragement, et après avoir consulté Franks et Beckett, qui se déclarèrent – avec plus de bravoure que de sincérité – prêts à assumer le commandement, Laurence alla trouver Riley dans sa cabine, puis finit par capituler.

— Après tout, nous ne sommes pas à quai à cause de notre tirant d'eau, et nous avons suffisamment avitaillé désormais pour que Franks puisse faire remonter les canots et garder tous les hommes à bord, fit observer Riley. Nous aurons du retard sur vous, c'est certain, mais je vais déjà beaucoup mieux, et Purbeck également ; nous hisserons les voiles dès que possible et vous retrouverons à Pékin.

Cela souleva toutefois une nouvelle série de difficultés : l'empaquetage était déjà bien avancé lorsque les prudentes questions de Hammond firent apparaître que la convocation chinoise n'était nullement une invitation générale. Laurence lui-même était inclus, accompagnant Téméraire, et Hammond était admis à contrecœur en tant que représentant du roi, mais il était apparemment hors de question que l'équipage de Téméraire vînt aussi, accroché à son harnais.

— Je n'irai nulle part sans l'équipage pour protéger Laurence, déclara tout de go Téméraire en apprenant le problème.

Et il le fit savoir à Yongxing en s'adressant à lui sur un ton soupçonneux. Afin de souligner son propos, il se coucha résolument sur le pont, la queue lovée autour de lui, affichant une expression inébranlable. Un compromis fut bientôt trouvé ; Laurence se vit proposer de choisir dix hommes au sein de son équipage, qui les suivraient sur d'autres dragons chinois dont la dignité aurait moins à souffrir d'un tel service.

— À quoi pourront servir dix hommes en plein Pékin, je me le demande, fit observer aigrement Granby lorsque Hammond leur eut rapporté la proposition dans la cabine de Laurence (il n'avait pas pardonné au diplomate son refus d'enquêter sur l'agression de Laurence).

— Et moi, je me demande à quoi vous serviraient une centaine d'hommes en cas de menace réelle de la part des armées impériales, rétorqua Hammond avec autant d'acrimonie. De toute manière, nous n'obtiendrons rien de plus ; j'ai déjà dû batailler ferme pour pouvoir emmener autant de monde.

— Dans ce cas, il faudra nous en contenter, dit Laurence sans lever la tête (il était en train de faire le tri dans ses affaires, écartant les vêtements trop fatigués par le voyage pour être présentables). Le plus important, en matière de sécurité, est de veiller à ce que l'*Allegiance* vienne jeter l'ancre à une distance que Téméraire puisse couvrir rapidement en cas de nécessité. Monsieur, dit-il en se tournant vers Staunton, venu s'asseoir avec eux à son invitation expresse, puis-je vous demander d'accompagner le capitaine Riley, si vos responsabilités l'autorisent ? Notre départ le privera d'un coup de tous ses interprètes, ainsi que de l'autorité des émissaires ; je m'inquiète des difficultés qu'il pourrait rencontrer durant son voyage vers le nord.

— Je suis entièrement à son service et au vôtre, répondit Staunton avec un hochement de tête.

Hammond ne parut pas ravi de cet arrangement, mais n'était guère en position de s'y opposer, vu les circonstances ; et Laurence se réjouit *in petto* d'avoir trouvé ce moyen de s'assurer les conseils de Staunton, quand bien même celui-ci n'allait pas les rejoindre tout de suite.

Granby serait du voyage, naturellement, de sorte que Ferris devrait rester pour commander les hommes qui ne viendraient pas ; le reste de la sélection fut plus délicat. Laurence ne voulait pas donner l'impression de faire du favoritisme, et ne tenait pas non plus à priver Ferris de tous les meilleurs hommes. Il finit par opter pour Keynes et Willoughby dans l'équipe au sol : il avait appris à se fier à l'opinion du chirurgien, et, bien qu'ils dussent laisser le harnais à bord, il estimait nécessaire d'emmener au moins l'un des hommes de harnais de manière à pouvoir, le cas échéant, équiper Téméraire avec un assemblage de fortune.

Le lieutenant Riggs interrompit les délibérations

qu'il menait avec Granby par un vibrant plaidoyer pour venir, ainsi que ses quatre meilleurs tireurs.

— On n'a pas besoin de nous ici ; il y a l'infanterie de marine, et des fusils vous seront bien utiles en cas de difficulté, vous verrez, argumenta-t-il.

Du point de vue tactique, il avait tout à fait raison ; las ! il était également vrai que les fusiliers comptaient parmi les plus turbulents de ses jeunes officiers, et Laurence hésitait à les emmener avec lui à la cour après quasiment sept mois de mer. La moindre offense envers une dame chinoise aurait probablement des conséquences gravissimes, et il n'aurait pas le temps de jouer les surveillants.

— Prenons MM. Dunne et Hackley, trancha finalement Laurence. Non ; j'entends vos arguments, monsieur Riggs, mais je veux pour ce travail des hommes ayant la tête sur les épaules, qui ne se laisseront pas distraire ; je pense que nous nous comprenons. Très bien. John, nous emmènerons Blythe également, ainsi que Martin parmi les hommes d'échine.

— Cela nous laisse deux places, dit Granby en ajoutant les noms à la liste.

— Je ne peux pas emmener Baylesworth ; Ferris aura besoin d'un second fiable, dit Laurence après avoir brièvement réfléchi au cas de son dernier lieutenant. Prenons plutôt Therrows, dans les hommes de ventre ; et enfin, Digby : il est un peu jeune, mais il s'est bien comporté jusqu'ici, et l'expérience lui sera profitable.

— Je les réunis sur le pont dans quinze minutes, monsieur, dit Granby en se levant.

— Oui, et envoyez-moi Ferris, dit Laurence, qui rédigeait déjà ses ordres. Monsieur Ferris, je m'en remets à votre jugement, annonça-t-il lorsque son deuxième lieutenant fut descendu. Il n'y a aucun moyen de prévoir le dixième de ce qui risque d'advenir, étant donné les circonstances. Je vous ai rédigé des ordres officiels, au cas où M. Granby et moi-même viendrions à disparaître. Si cela se présentait, votre premier souci serait la sécurité de Téméraire, puis celle de l'équipage, ainsi que leur retour sain et sauf en Angleterre.

— À vos ordres, monsieur, dit un Ferris maussade en prenant le paquet cacheté.

Il n'essaya pas de plaider afin qu'on l'emmène, mais quitta la cabine dépité, les épaules voûtées.

Laurence acheva de boucler ses affaires dans son coffre de marin : heureusement, il avait mis de côté dès le début du voyage ses meilleurs manteaux et chapeaux, enveloppés dans du papier et de la toile cirée au fond de son coffre, afin de les préserver en vue de l'ambassade. Il enfila maintenant le manteau de cuir et les pantalons de grosse toile qu'il portait pour voler ; ces vêtements n'étaient pas trop usés, grâce à leur bonne qualité et au fait qu'ils n'avaient guère servi durant la traversée. Seules deux de ses chemises valaient la peine d'être incluses, ainsi que quelques foulards ; il fit un petit paquet du reste, qu'il enferma dans le casier de sa cabine.

— Boyne ! appela-t-il, passant la tête par la porte et repérant un marin qui tuait le temps en fendant un bout de corde. Portez ceci sur le pont, voulez-vous ?

Une fois le coffre disparu, il griffonna quelques mots à l'intention de sa mère et de Jane et les porta à Riley. Ce petit rituel ne fit que renforcer encore la sensation, qui s'insinuait en lui, de se trouver à l'aube d'une bataille.

Les hommes étaient rassemblés sur le pont quand il monta, leurs coffres et leurs sacs déjà embarqués à bord de la chaloupe. Les bagages des émissaires resteraient à bord pour la plus grande part, Laurence ayant fait valoir qu'il faudrait quasiment une journée entière pour les décharger ; même réduites au strict nécessaire, leurs affaires dépassaient en volume celles de tout l'équipage. Yongxing se trouvait sur le pont d'envol, où il remettait une lettre cachetée à Lung Yu Ping ; il ne semblait rien trouver d'inhabituel au fait de la lui confier directement, malgré l'absence d'un pilote ; d'ailleurs, la dragonne la saisit avec une habileté consommée, en la tenant délicatement entre ses longues griffes, puis la glissa soigneusement sous son filet d'or contre sa poitrine.

Après quoi elle s'inclina devant le prince puis vers Téméraire et s'éloigna en se dandinant, quelque peu embarrassée par ses longues ailes. Mais, au bord du pont, elle les déploya brusquement, les secoua un peu puis, d'une détente prodigieuse, s'élança en battant déjà furieusement l'air. Un instant plus tard, elle n'était plus qu'un petit point dans le ciel.

— Oh ! fit Téméraire, frappé, en la regardant s'éloigner. Elle vole très haut ; jamais je ne suis monté aussi haut.

Laurence était impressionné, lui aussi, et la suivit

dans sa lunette pendant de longues minutes ; après quoi elle disparut complètement, bien que le ciel fût dégagé.

Staunton prit Laurence à l'écart.

— Puis-je émettre une suggestion ? Emmenez les enfants avec vous. Si je me fie à ma propre expérience, ils peuvent s'avérer utiles. Rien de tel qu'une présence enfantine pour affirmer vos intentions pacifiques, et les Chinois portent un respect tout particulier aux relations filiales, qu'elles découlent du sang ou de l'adoption. Vous pourrez sans mentir vous présenter comme leur tuteur, et je me fais fort de persuader les Chinois qu'ils n'entrent pas dans le décompte de votre escorte.

Roland entendit cet échange : aussitôt, Dyer et elle se présentèrent devant Laurence avec de grands yeux brillants d'espoir, vibrant d'une supplique silencieuse, et il répondit d'une voix hésitante :

— Ma foi, si les Chinois ne voient pas d'objection à ce que nous les rajoutions au groupe…

Ils n'eurent pas besoin de plus d'encouragements ; ils filèrent chercher leurs baluchons sous le pont et remontèrent avant même que Staunton eût fini de négocier leur participation.

— Je persiste à trouver cela ridicule, maugréa Téméraire d'un ton qui se voulait discret. Je pourrais facilement emporter tout le monde, y compris tout ce qu'il y a dans cette barque. Si je dois vous attendre, cela prendra sûrement plus longtemps.

— Tu n'as pas tort, mais ne rouvrons pas cette discussion, implora Laurence avec lassitude, en s'appuyant contre lui pour lui caresser le museau. *Cela* nous ferait perdre à coup sûr plus de temps que nous ne pourrions espérer en gagner.

Téméraire le poussa affectueusement du bout du nez, et Laurence ferma les yeux un bref instant ; après les trois heures frénétiques qu'il venait de vivre, ce moment de calme fit remonter toute la fatigue de la nuit précédente.

— Oui, je suis prêt, dit-il en se redressant.

Granby se tenait devant lui.

Laurence ajusta son chapeau et fit un signe de la tête à l'équipage en passant, tandis que les hommes se touchaient le front ; il entendit même certains lui murmurer : « Bonne chance, monsieur » ou « Bon vent, monsieur. »

Il serra la main de Franks et enjamba la coupée au son du sifflet et du tambour ; le reste du groupe attendait déjà à bord de la chaloupe. Yongxing et les autres émissaires s'étaient fait descendre par une chaise de bosco et se serraient à l'arrière sous un auvent pour se protéger du soleil.

— Très bien, monsieur Tripp ; en route, dit Laurence à l'aspirant.

Et ils furent partis, laissant s'éloigner derrière eux le flanc majestueux de l'*Allegiance* tandis qu'ils mettaient à la voile et suivaient le vent du sud au-delà de Macao, pour s'enfoncer dans l'immense delta tentaculaire de la rivière des Perles.

12

Ils ne remontèrent pas la courbe habituelle du fleuve vers Houang-pou et Canton, mais suivirent une branche plus à l'est vers la ville de Dongguan : tantôt suivant le sens du vent, tantôt ramant contre le courant indolent, passant de grandes rizières en damier sur les deux berges, verdoyantes avec les jeunes pousses qui affleuraient à la surface. La puanteur du fumier s'accrochait au-dessus du fleuve comme un nuage.

Laurence somnola pendant presque tout le trajet, vaguement conscient des vaines tentatives de l'équipage pour faire le moins de bruit possible ; leurs chuchotements obligeaient à répéter trois fois la moindre instruction, d'une voix qui retrouvait progressivement le volume habituel. Le moindre incident, rouleau de corde lâché trop lourdement ou trébuchage contre un banc de nage, suscitait un flot d'invectives et d'injonctions à faire silence, considérablement plus fort que le bruit incriminé. Néanmoins il dormit, ou presque ; de temps à autre il ouvrait un œil vers le ciel, afin de s'assurer que Téméraire les survolait toujours.

Il s'éveilla d'un sommeil plus profond après la tombée de la nuit : on ferlait la voile, et, quelques instants plus tard, la chaloupe cognait doucement contre un quai ; s'ensuivirent les jurons habituels à mi-voix des marins à l'amarrage. La seule lumière à proximité provenait des fanaux de la chaloupe et suffisait tout juste à éclairer un escalier qui descendait jusqu'à l'eau, les dernières marches s'enfonçant sous la surface ; de part et d'autre, on ne distinguait que des silhouettes de jonques tirées sur la berge.

Un cortège de lanternes vint à leur rencontre le long de la rive, grandes sphères lumineuses de soie orange foncé, tendues sur de minces cadres en bambou, dont les flammes se reflétaient dans l'eau : de toute évidence, on attendait leur arrivée. Les porteurs de lampes se déployèrent le long des murs en procession puis, soudainement, de nombreux Chinois grimpèrent à bord de la chaloupe, s'emparant des bagages et commençant à les débarquer sans même demander la permission, en s'interpellant joyeusement dans leur langue.

Laurence fut d'abord tenté de protester, mais il n'y avait aucune raison : l'opération était menée avec une efficacité admirable. Un clerc s'était assis au pied des marches avec une sorte d'écritoire en travers des genoux, tenant le compte des différents coffres et paquets au fur et à mesure sur un rouleau de papier, tout en marquant simultanément chaque bagage. Laurence se leva et s'efforça de chasser subrepticement la raideur de son cou par de petits mouvements de chaque côté, sans s'étirer vulgairement. Yongxing avait déjà mis pied à terre avant de passer dans un pavillon sur la berge ; de l'intérieur, on entendait déjà

Liu Bao réclamer à grands cris ce que même Laurence avait appris à reconnaître comme le mot chinois pour « vin », tandis que Sun Kai restait sur la berge à discuter avec le mandarin local.

— Monsieur, dit Laurence à Hammond, voudriez-vous avoir la bonté de demander aux responsables locaux où s'est posé Téméraire ?

Hammond se renseigna auprès des hommes sur la berge, fronça les sourcils et répondit à mi-voix :

— Ils me disent qu'on l'a emmené au pavillon des Eaux Calmes, et que nous devons aller ailleurs pour la nuit ; protestez vigoureusement, s'il vous plaît, que je puisse avoir un prétexte pour m'y opposer ; nous ne devons pas créer un précédent en les laissant nous séparer de lui.

Laurence, qui aurait tempêté tant et plus si on ne lui avait rien demandé, se trouva décontenancé par cette incitation à faire semblant ; il bredouilla un peu, puis déclara d'une voix mal assurée :

— Je dois voir Téméraire sur-le-champ, et vérifier qu'il va bien.

Hammond se retourna aussitôt vers les responsables, écartant les mains en un geste d'excuse, et leur parla avec empressement ; sous leurs regards noirs, Laurence fit de son mieux pour paraître sévère, inébranlable ; il se sentait à la fois ridicule et furieux, mais Hammond finit par se retourner avec une expression de satisfaction et lui dit :

— Excellent ; ils acceptent de nous emmener jusqu'à lui.

Soulagé, Laurence acquiesça et se retourna vers l'équipage de la chaloupe.

— Monsieur Tripp, suivez ces messieurs qui vont vous montrer où dormir avec les hommes ; je vous verrai demain matin, avant que vous ne retourniez à l'*Allegiance*, dit-il à l'aspirant, qui toucha son chapeau.

Puis il gravit l'escalier.

De lui-même, Granby disposa les hommes en formation autour de lui tandis qu'ils s'engageaient dans de larges rues pavées, suivant la lanterne vacillante de leur guide ; Laurence apercevait fugitivement de nombreuses petites maisons de chaque côté, et de profondes empreintes de roues étaient creusées dans les pavés, aux arêtes adoucies par de longues années. Il se sentait pleinement réveillé après sa longue journée à dormir, et pourtant, il avançait comme en rêve à travers cette nuit étrangère ; le doux grincement des bottes noires de leur guide sur les pierres le précédait, des fumées de cuisine s'échappaient des maisons environnantes, une lumière tamisée filtrait des paravents et des fenêtres et, une fois, il entendit une voix de femme fredonner une chanson inconnue.

Ils parvinrent enfin au bout de la grand-rue, et leur guide les conduisit dans un pavillon par un escalier entre deux énormes colonnes de bois peint ; le toit s'élevait si haut que sa forme se perdait dans l'obscurité. Des ronflements sourds de dragons résonnaient dans l'espace clos environnant, et la lumière fauve de la lanterne faisait scintiller des écailles dans toutes les directions, comme des monceaux de trésors accumulés de part et d'autre de la travée centrale. Hammond se rapprocha instinctivement du centre de leur groupe ; lorsqu'une fois la lanterne se refléta dans l'œil entrouvert d'un dragon, le transformant en disque d'or étincelant, on le sentit retenir son souffle.

Ils franchirent d'autres colonnes et débouchèrent dans un jardin à ciel ouvert, avec un bruit de ruissellement quelque part dans l'obscurité et des bruissements de feuilles au-dessus de leurs têtes. D'autres dragons dormaient là, l'un d'eux étendu en travers du chemin ; leur guide le piqua avec le bâton de sa lanterne jusqu'à ce qu'il s'écarte à contrecœur, sans même ouvrir les yeux. Ils gravirent d'autres marches menant à un deuxième pavillon, plus petit que le premier, où ils retrouvèrent enfin Téméraire, couché tout seul au milieu d'un terrain si vaste qu'on y percevait de l'écho.

— Laurence ? dit Téméraire, qui leva la tête en les voyant entrer et vint le pousser affectueusement du bout du nez. Tu restes avec moi ? Ça fait bizarre de dormir de nouveau sur la terre ferme. J'ai presque l'impression de sentir le sol tanguer.

— Bien sûr, répondit Laurence.

L'équipage s'installa à même le sol sans maugréer : la nuit était agréablement tiède, et le plancher, en carreaux de bois polis par les ans, ne paraissait pas excessivement dur. Laurence s'installa comme à son habitude au creux de la patte avant de Téméraire ; après s'être reposé toute la journée, il ne se sentait pas fatigué et annonça à Granby qu'il prendrait le premier quart.

— T'a-t-on offert quelque chose à manger ? demanda-t-il lorsque tout le monde fut allongé.

— Oh ! oui, répondit Téméraire d'une voix somnolente. Un cochon rôti, énorme, avec des champignons marinés. Je suis repu. Le vol n'a pas été trop fatigant, en fait, ni très intéressant non plus ; si ce n'est que ces champs que nous avons passés semblaient étranges, complètement inondés.

— Les rizières, dit Laurence.

Mais Téméraire dormait déjà et se mit bientôt à ronfler : le bruit était nettement plus fort sous le toit du pavillon, malgré l'absence de murs. La nuit était très calme, et les moustiques demeurèrent discrets, fort heureusement ; à l'évidence, ils n'appréciaient pas la chaleur sèche dégagée par le corps d'un dragon. Le ciel étant masqué par le toit, Laurence ne pouvait guère estimer le passage du temps, et il perdit le compte des heures. Rien ne vint troubler le calme de la nuit, sinon un bruit léger dans la cour, une fois, qui retint son attention : un dragon venait de se poser. La créature tourna vers eux ses prunelles nacrées, où la lueur de la lune se reflétait comme dans les yeux d'un chat ; mais elle ne s'approcha pas du pavillon, et s'enfonça dans les ténèbres.

Granby se réveilla pour prendre son quart ; Laurence s'efforça de s'endormir : lui aussi éprouvait cette impression familière de sentir le sol bouger sous lui, son corps se rappelant le mouvement de l'océan qu'ils avaient laissé derrière eux.

Il se réveilla en sursaut : la débauche de couleurs qui le surplombait l'égara, jusqu'à ce qu'il comprenne qu'il regardait les décorations du plafond, dont la moindre parcelle de bois était laquée de couleurs chatoyantes ou dorée à l'or fin. Il s'assit et jeta un coup d'œil autour de lui avec un intérêt tout neuf : les colonnes rondes étaient peintes en rouge vif, fichées dans des socles de marbre blanc, tandis que le plafond se dressait à plus de trente pieds du sol : Téméraire n'avait pas dû avoir la moindre difficulté à se glisser dessous.

Le pavillon s'ouvrait sur une cour qu'il trouva plus intéressante que belle, pavée de pierres grises bordant un sentier sinueux de dalles rouges, remplie d'arbres et de rochers aux formes surprenantes, et, bien sûr, de dragons : on en voyait cinq étendus à même le sol dans différentes postures de repos, sauf un, déjà debout, qui se lavait méticuleusement au bord de l'immense bassin dans le coin nord-est. Le dragon était d'un gris bleuté assez proche du ciel actuel, et, curieusement, les bouts de ses quatre griffes étaient laqués de rouge ; tandis que Laurence l'observait, il acheva ses ablutions matinales et prit son envol.

La plupart des dragons présents semblaient appartenir à la même race, bien qu'on remarquât chez eux une grande diversité de tailles, de couleurs et de cornes ; parmi ces dernières, certaines étaient parfaitement lisses, d'autres crantées. Bientôt, un dragon très différent des autres sortit du grand pavillon au sud : plus grand, rouge cramoisi, avec des griffes dorées et une crête jaune vif courant de sa tête abondamment cornue jusqu'à l'extrémité de sa queue. Il but dans le bassin puis poussa un énorme bâillement, dévoilant une double rangée de dents, petites mais redoutables, autour de quatre longs crocs incurvés. Des bâtiments latéraux plus étroits, aux murs percés de portes voûtées, occupaient les côtés est et ouest de la cour, reliant les deux pavillons ; le dragon rouge s'approcha de l'une des portes et cria quelque chose à l'intérieur.

Quelques instants plus tard, une femme en sortit d'une démarche titubante, se frottant le visage en grommelant. Laurence ouvrit de grands yeux, puis détourna la tête, gêné ; elle était nue jusqu'à la ceinture. Le dragon lui administra une bourrade du bout du nez qui la fit basculer dans le bassin. Cela eut un effet pour le moins vivifiant : elle en émergea en crachant, le regard furibond, puis entreprit de houspiller copieusement le dragon hilare avant de retourner d'où elle venait. Elle ressortit après quelques minutes, vêtue cette fois d'une sorte de blouse matelassée en coton bleu foncé, bordée de bandes rouges, aux manches amples, portant un harnais en tissu également : de la soie, songea Laurence. Elle le jeta sur le dragon et le noua elle-même, sans cesser un instant de récriminer et de maugréer ; quelque chose dans l'espièglerie de leur relation évoqua à Laurence le « couple » Berkley – Maximus, quoique Berkley n'eût sans doute jamais prononcé autant de mots en si peu de temps.

Le harnais solidement fixé, l'aviatrice grimpa à bord et les deux compères s'envolèrent sans plus de cérémonie, quittant le pavillon pour vaquer à leurs devoirs du jour, quels qu'ils fussent. Les autres dragons commençaient tous à se réveiller ; trois nouveaux écarlates sortirent du pavillon, tandis que d'autres aviateurs arrivaient dans la cour : les hommes venaient de l'aile est, les femmes de l'aile ouest.

Téméraire lui-même s'agita au-dessus de Laurence, puis ouvrit les yeux.

— Bonjour, dit-il en bâillant. Oh ! s'exclama-t-il aussitôt, les yeux écarquillés, en regardant autour de lui, embrassant d'un seul regard la décoration opulente et l'activité dans la cour. Je ne me doutais pas qu'il y avait autant de dragons ici, ni que l'endroit était aussi grand. J'espère qu'ils sont amicaux.

— Je suis convaincu qu'ils seront très courtois, surtout quand ils sauront que tu viens d'aussi loin, lui assura Laurence, en se levant pour que Téméraire pût se redresser. (L'air était lourd, humide, le ciel gris et incertain ; ce serait sans doute une chaude journée, se dit Laurence.) Tu devrais boire autant que tu le peux ; j'ignore à quelle fréquence ils voudront s'arrêter pour se reposer, aujourd'hui.

— Tu as raison, concéda Téméraire en se dirigeant vers la cour.

Le brouhaha croissant s'interrompit brusquement : dragons et aviateurs chinois le fixèrent avec stupéfaction, puis s'écartèrent en un mouvement simultané de recul. Laurence en fut d'abord choqué et offensé ; puis il vit que tous, hommes et dragons, s'inclinaient très bas jusqu'au sol. Ils avaient seulement voulu lui dégager la voie jusqu'au bassin.

Le silence était total. Téméraire s'avança

timidement entre la double rangée de dragons, se dépêcha de boire, puis battit en retraite dans le pavillon ; ce n'est qu'ensuite que l'activité générale reprit, beaucoup moins bruyamment qu'avant, avec force regards en coin vers le pavillon.

— C'était très aimable à eux de me laisser boire, dit Téméraire à voix basse, mais je voudrais bien qu'ils cessent de me dévisager ainsi.

Les dragons semblaient enclins à s'attarder, mais ils s'envolèrent quand même l'un après l'autre, hormis quelques anciens aux écailles fanées qui retournèrent se chauffer au soleil sur les dalles. Granby et le reste de l'équipage s'étaient réveillés entre-temps et n'avaient pas perdu une miette du spectacle, aussi fascinés par ce qu'ils découvraient que les dragons l'avaient été par Téméraire. Ils se levèrent enfin et entreprirent de rectifier leur mise.

— Je pense qu'on enverra quelqu'un nous chercher, dit Hammond en brossant vainement ses pantalons froissés. Il portait ses vêtements officiels, au lieu de la tenue de vol adoptée par les aviateurs.

À cet instant précis, Ye Bing, l'un des jeunes Chinois de la suite de Yongxing, fit irruption dans la cour et leur adressa de grands signes.

Le petit déjeuner, totalement inhabituel pour Laurence, se composait d'une bouillie de riz mêlée de poisson séché et de tranches d'œufs affreusement décolorés, servie avec des bâtonnets huileux faits d'une sorte de pain croquant, très léger. Il laissa les œufs de côté et s'obligea à manger le reste, suivant en cela le conseil qu'il avait prodigué à Téméraire ; mais il aurait de loin préféré de bons œufs cuits normalement avec un peu de bacon. Liu Bao lui piqua ses baguettes dans le bras et indiqua les œufs avec une remarque en chinois : lui-même savourait les siens avec un plaisir évident.

— Que leur est-il arrivé, croyez-vous ? demanda Granby à voix basse, en soulevant ses propres œufs d'un air dubitatif.

Après avoir posé la question à Liu Bao, Hammond répondit sur le même ton :

— Il dit que ce sont des œufs de mille ans.

Plus courageux que ses compagnons, il piocha une tranche et la mit dans sa bouche ; il la mâcha, l'avala, et prit un air songeur tandis que les autres attendaient son verdict.

— Ils ont presque un goût de vinaigre, commenta-t-il. En tout cas, ils ne sont pas pourris.

Il goûta un autre morceau, puis finit par tout manger jusqu'au bout ; pour sa part, Laurence se refusa à toucher à ces tristes choses jaune et vert.

On les avait conduits dans une sorte de salle à manger commune, non loin du pavillon des dragons. Les marins les y attendaient et s'étaient joints à eux pour le petit déjeuner, non sans quelques sourires malicieux. De même que les aviateurs restés à bord de l'*Allegiance*, ils étaient contrariés de ne pas faire partie du voyage aérien, aussi ne se privèrent-ils pas d'émettre des remarques inquiétantes sur la nourriture à laquelle le groupe devait s'attendre pour la suite du voyage.

À la fin du repas, Laurence fit ses adieux à Tripp :

— Dites bien au capitaine Riley que tout se déroule joliment, dans ces termes précis, ordonna-t-il.

Ils étaient convenus entre eux que tout autre message, si rassurant fût-il, signifierait que quelque chose avait mal tourné.

Deux carrioles tirées par des mules les attendaient dehors, d'aspect rudimentaire et manifestement dépourvues de ressorts ; leurs bagages étaient partis devant. Laurence grimpa et s'agrippa au rebord tandis qu'ils s'ébranlaient. Les rues, au moins, n'étaient pas plus impressionnantes à la lueur du jour : très larges, mais pavées de gros galets arrondis dont le mortier s'était largement effrité. Les roues des carrioles suivaient des sillons profondément marqués dans la pierre, en cahotant et tressautant sur la surface inégale.

Une foule de gens s'affairaient de part et d'autre. Ils les dévisagèrent avec curiosité, et certains allèrent même jusqu'à interrompre leur travail pour les suivre sur une courte distance.

— Et ce n'est même pas une grande ville ? s'étonna Granby en regardant autour de lui, s'efforçant de compter les badauds. Cela fait beaucoup de monde pour une simple bourgade.

— Il y aurait deux cents millions de personnes dans le pays, d'après nos dernières estimations, dit machinalement Hammond, sans lever la tête de son journal où il prenait des notes.

Granby tressaillit devant ce chiffre ahurissant : plus de dix fois la population de l'Angleterre !

Laurence, pour sa part, fut plus impressionné de voir

arriver vers eux un dragon qui descendait tranquillement la rue. C'était un de ces dragons gris bleuté ; il portait un étrange harnais de soie avec une grosse plaque pectorale et, lorsqu'ils le croisèrent, Laurence aperçut trois petits dragonnets, deux de la même race et un troisième de couleur rouge, qui le suivaient en trottinant, attachés à son harnais par des sortes de laisses.

Ce dragon était loin d'être un cas isolé : ils passèrent bientôt devant une caserne, où une petite troupe de fantassins vêtus de bleu s'entraînaient dans la cour, et virent deux dragons rouges assis devant la porte, en train de bavarder et de commenter bruyamment une partie de dés qui se disputait entre leurs capitaines. Personne ne semblait leur prêter particulièrement attention ; les paysans pressés passaient devant eux sans un regard, courbés sous le poids de leurs récoltes, n'hésitant pas à enjamber une patte posée en travers du chemin lorsqu'ils ne pouvaient pas en faire le tour.

Téméraire les attendait dans un champ dégagé, en compagnie de deux autres dragons gris-bleu portant des harnais en filet où les suivants étaient en train de charger les bagages. Les dragons échangeaient des messes basses en regardant Téméraire par en dessous ; ce dernier ne semblait pas à son aise et parut grandement soulagé en voyant Laurence arriver.

Une fois chargés, les dragons s'accroupirent à quatre pattes afin que les suivants puissent grimper sur leur dos et y dresser de petits pavillons, très similaires aux tentes qu'utilisaient les aviateurs britanniques dans les longs vols. L'un des suivants dit quelques mots à Hammond en indiquant l'un des dragons bleus.

— Nous volerons sur celui-ci, dit Hammond à Laurence ; puis il posa une question à l'un des suivants, qui secoua la tête et répondit d'une voix ferme en montrant le deuxième dragon.

Avant même que la réponse ne fût traduite, Téméraire se redressa sur son postérieur avec indignation.

— Hors de question que Laurence monte sur un autre dragon, déclara-t-il, attirant son capitaine contre lui d'une patte possessive qui faillit le faire tomber à la renverse.

Hammond n'eut guère besoin de traduire sa réplique aux Chinois.

Laurence n'avait pas encore réalisé que ceux-ci voulaient interdire à quiconque, lui compris, de monter Téméraire. Il n'aimait pas l'idée de le laisser voler seul pour un si long voyage, et, cependant, la question lui paraissait d'une importance mineure ; ils voleraient de conserve, en vue l'un de l'autre, et Téméraire ne courrait aucun danger.

— Ce n'est que pour ce voyage, dit-il à Téméraire.

Il fut surpris de se voir désavoué non seulement par Téméraire, mais également par Hammond.

— Non ; cette proposition est inacceptable, inenvisageable, décréta Hammond.

— Absolument, confirma Téméraire, en parfait accord avec lui, et il se mit à gronder quand le suivant fit mine d'insister.

— Monsieur Hammond, dit Laurence, pris d'une inspiration subite, dites-leur s'il vous plaît que si c'est la question du harnais qui les choque, je peux me contenter de me tenir à la chaîne du pendentif de Téméraire ; dans la mesure où je n'ai pas à me déplacer sur son dos, cela suffit largement à ma sécurité.

— Je ne vois pas ce que l'on pourrait objecter à cela, dit Téméraire, enchanté.

Il interrompit aussitôt la discussion pour faire part de cette suggestion, qui fut acceptée de mauvaise grâce.

— Capitaine, puis-je vous toucher deux mots ? (Hammond l'entraîna à l'écart.) Cette tentative fait suite à la manœuvre de la nuit dernière. Je dois vous enjoindre, monsieur, de refuser absolument de continuer le voyage si jamais nous devions être séparés pour une raison ou une autre ; et gardez-vous de toute nouvelle mesure visant à vous séparer de Téméraire.

— Je vous entends, monsieur ; et je vous remercie de ce conseil, dit Laurence, la mine sombre.

Il plissa les paupières en direction de Yongxing ; quoique le prince ne se fût pas abaissé à intervenir directement dans ces manigances, Laurence soupçonnait sa main derrière chacune d'elles. Lui qui avait escompté que son échec à les séparer à bord de l'*Allegiance* l'en avait dissuadé définitivement !

Après ces tensions initiales, le trajet lui-même se déroula sans incident, à l'exception de quelques brèves frayeurs pour Laurence chaque fois que Téméraire piquait pour examiner le terrain de plus près : non seulement la plaque pectorale ne restait pas immobile pendant le vol, mais elle remuait beaucoup plus que le harnais. Téméraire était considérablement plus rapide et plus endurant que les deux autres dragons et, même lorsqu'il s'attardait une demi-heure afin d'admirer le paysage, il parvenait facilement à les rattraper. Le plus frappant, dans ce que pouvait observer Laurence, était la densité de la population : ils ne virent guère de parcelles de terre qui ne fussent cultivées d'une façon ou d'une autre, et le moindre cours d'eau grouillait d'embarcations qui allaient dans les deux sens. Et, bien sûr, l'immensité du pays : ils volaient du matin au soir, en ne s'arrêtant qu'une heure à midi pour déjeuner, et les journées étaient longues.

À l'étendue interminable de vastes plaines dégagées, découpées en damiers par les rizières et divisées par de nombreux ruisseaux, succédèrent après deux jours de voyage des collines, puis des montagnes de plus en plus abruptes. Bourgades et villages de tailles diverses jalonnaient le paysage en contrebas, et, de temps en temps, des paysans dans leurs champs cessaient de travailler et les regardaient passer, lorsque Téméraire volait suffisamment bas pour être identifié comme un Céleste. De loin, Laurence prit le Yangzi Jiang pour un lac, de taille respectable, mais pas extraordinaire, large de moins d'un mile, avec ses berges est et ouest voilées par la bruine ; ce n'est qu'une fois au-dessus qu'il put voir le fleuve majestueux s'étendre à l'infini, et distinguer la lente procession des jonques apparaissant et disparaissant dans la brume.

Après avoir passé deux autres nuits dans des

bourgades modestes, Laurence commençait à croire que leur première étape avait été une exception ; elle se révéla pourtant insignifiante en comparaison de la résidence qui les hébergea cette nuit-là dans la ville de Wou-tch'ang : huit grands pavillons disposés selon un plan octogonal, reliés par des ailes fermées, autour d'un espace qui tenait plus du parc que du jardin. Roland et Dyer s'amusèrent d'abord à recenser les dragons qui s'y trouvaient, mais durent renoncer peu après la trentaine ; ils avaient perdu le compte lorsqu'un petit groupe de dragons violets s'était posé devant le pavillon avant de se retirer dans un tourbillon d'ailes et de pattes, trop nombreux et rapides pour être comptés.

Téméraire somnolait ; Laurence repoussa son bol de côté : encore un dîner de riz et de légumes. Les hommes dormaient déjà, pour la plupart, enveloppés dans leurs manteaux ; les autres restaient silencieux. La pluie continuait à tomber en rideau régulier derrière les murs du pavillon, ruisselant en cascades depuis les coins recourbés du toit de tuiles. Sur les deux versants de la vallée, à peine visibles, de petits fanaux jaunes brûlaient sous des huttes à murs ouverts afin de baliser le chemin pour les dragons qui volaient de nuit. Des bruits de respirations émanaient des pavillons environnants, et, très loin, on entendit un cri perçant, haut et clair malgré le crépitement de la pluie.

Yongxing passait ses nuits à l'écart du reste de la compagnie, dans des quartiers privés, mais il sortit de sa retraite pour venir se planter au bord du pavillon, face à la vallée ; un instant plus tard, le cri retentit de nouveau, plus proche. Téméraire dressa la tête, la collerette hérissée autour de son cou ; puis Laurence entendit un froissement d'ailes, et une dragonne vint se poser, dans un jaillissement de brume et de vapeur montant des pierres – ombre blanche fantomatique surgie de la pluie argentée. Elle replia ses grandes ailes blanches et s'avança vers eux, faisant claquer ses griffes contre les dalles ; les serviteurs qui passaient entre les pavillons s'écartèrent, détournant la tête, pressant le pas, mais Yongxing descendit les marches sous la pluie et elle baissa sa grande tête à collerette dans sa direction, en prononçant son nom d'une voix suave et claire.

— Est-ce une Céleste, comme moi ? chuchota Téméraire sur un ton hésitant.

Laurence ne put que secouer la tête, incapable de répondre : elle était d'un blanc incroyablement pur, couleur qu'il n'avait encore jamais vue chez aucun dragon, pas même en taches ou en zébrures.

Ses écailles avaient l'éclat translucide d'un vieux vélin élimé, parfaitement incolore, et le bord de ses yeux était d'un rose vitreux, à ce point gorgé de vaisseaux sanguins qu'on les distinguait même à distance. Pourtant, elle avait la même grande collerette, les mêmes barbillons allongés le long des mâchoires que Téméraire : seule sa couleur ne semblait pas naturelle. Elle portait un lourd torque d'or incrusté de rubis à la base du cou, et sur chacune de ses griffes avant, des fourreaux d'or surmontés de rubis, d'un profond rouge assorti à ses yeux.

Elle repoussa tendrement Yongxing à l'abri sous le

temple et s'y glissa après lui, agitant brièvement ses ailes pour en faire tomber la pluie en cascade ; elle accorda à peine un regard aux personnes présentes, embrassant leur petit groupe d'un simple coup d'œil, avant de se lover jalousement autour de Yongxing et de bavarder discrètement avec lui dans le coin le plus éloigné du pavillon. Des serviteurs lui apportèrent à dîner en traînant les pieds, visiblement mal à l'aise. Ils n'avaient pas montré de telles réticences vis-à-vis des autres dragons, au contraire, ils avaient même manifesté beaucoup de satisfaction devant Téméraire. Leurs craintes ne semblaient guère justifiées ; la dragonne mangea rapidement, délicatement, sans renverser une goutte hors de son plat ni leur accorder la moindre attention.

Le lendemain matin, Yongxing leur présenta brièvement la dragonne sous le nom de Lung Tien Lien, puis partit avec elle prendre un petit déjeuner en privé. Hammond s'était renseigné discrètement et put leur en apprendre un peu plus au cours du repas :

— C'est bel et bien une Céleste, dit-il. Je suppose qu'elle souffre d'une forme d'albinisme ; en revanche, j'ignore complètement pourquoi elle rend tout le monde aussi nerveux.

— Elle est née avec la couleur du deuil, elle porte malheur, bien sûr ! s'exclama Liu Bao lorsqu'on lui eut posé prudemment la question, comme si la réponse allait de soi. L'empereur Qianlong voulait en faire cadeau à un prince de Mongolie, pour éviter que le mauvais sort ne frappe l'un de ses fils. Mais Yongxing a insisté pour l'avoir plutôt que de laisser partir une

Céleste loin de la famille impériale. Il aurait dû monter sur le trône un jour, mais, naturellement, un empereur ne saurait posséder un dragon maudit : ce serait une catastrophe pour l'État. De sorte qu'aujourd'hui c'est son frère Jiaqing qui règne. C'était la volonté du ciel !

Philosophe, il haussa les épaules et engloutit un autre morceau de pain frit. Hammond accueillit la nouvelle avec une grimace, et Laurence partagea sa consternation : la fierté était une chose ; des principes suffisamment inflexibles pour qu'on leur sacrifiât un trône en étaient une autre.

Les deux dragons qui les avaient amenés jusqu'ici furent remplacés par un autre bleu-gris et un deuxième légèrement plus grand, vert foncé avec des zébrures bleues et une tête fuselée sans cornes ; ils contemplaient Téméraire avec la même stupeur intimidée, Lien avec un respect nerveux, et gardaient soigneusement leurs distances. Téméraire s'était accoutumé à cette forme de solitude majestueuse, et de toute manière il était trop occupé à jeter des regards de curiosité fascinée en direction de Lien – jusqu'à ce que la dragonne blanche finît par le dévisager bien en face, ce qui lui fit baisser la tête d'un air penaud.

Elle portait ce matin-là une sorte de coiffe étrange, faite de soie fine tendue sur un cadre d'or, qui s'avançait au-dessus de ses yeux comme un auvent afin de les protéger ; Laurence se demanda à quoi cela lui servirait, alors que le ciel demeurait gris et lourd. Mais le temps s'éclaircit et se réchauffa brusquement dans les premières heures de leur vol, à travers des gorges qui serpentaient au milieu de très anciennes montagnes, au versant sud verdoyant et luxuriant et au versant nord quasiment aride. Un vent frais leur souffla au visage lorsqu'ils émergèrent au-dessus des collines, et le soleil perça les nuages avec une intensité presque douloureuse. Ils ne virent pas de nouvelles rizières, mais de vastes champs de blé mûr et, une fois, un immense troupeau de bœufs bruns dans une plaine herbeuse, la tête au ras du sol, en train de brouter.

Une petite cabane se dressait au sommet d'une colline, dominant le troupeau, et, à côté, plusieurs bœufs entiers étaient en train de rôtir à la broche, dégageant une savoureuse odeur de viande grillée.

— Cela m'a l'air délicieux, dit Téméraire avec une pointe d'envie.

Il n'était pas seul à le penser ; alors qu'ils approchaient, l'un de leurs dragons accompagnateurs accéléra soudainement l'allure et vint se poser sur la colline. Un homme sortit de la cabane et s'entretint avec lui, avant de retourner à l'intérieur ; il en ressortit avec une grande planche de bois qu'il déposa devant le dragon, lequel y grava quelques caractères chinois du bout de la griffe.

L'homme emporta la planche, et le dragon emporta une vache : de toute évidence, il venait de l'acheter. Il la souleva aussitôt dans les airs et rejoignit ses compagnons, mastiquant gaiement tout en volant : il ne jugeait visiblement pas nécessaire de déposer ses passagers pour si peu. Laurence crut voir le pauvre Hammond blêmir légèrement quand le dragon suça les intestins avec un plaisir manifeste.

— Nous pouvons essayer de t'en acheter une aussi,

s'ils acceptent les guinées, proposa Laurence à Téméraire, d'un ton dubitatif (il avait préféré emporter de l'or plutôt que du papier-monnaie, mais il ignorait si le bouvier l'accepterait).

— Oh ! je n'ai pas vraiment faim, répondit Téméraire, préoccupé par tout autre chose. Laurence, c'était de l'écriture, n'est-ce pas, ce qu'il a inscrit sur cette planche ?

— Je le suppose, bien que je ne sois pas un expert en caractères chinois, reconnut Laurence. Tu es plus apte que moi à les reconnaître.

— Je me demande si tous les dragons chinois savent écrire, dit Téméraire d'un air chagrin. On risque de me trouver stupide si je suis le seul à ne pas savoir. Il faut que j'apprenne ; j'ai toujours cru qu'il fallait une plume pour former les lettres, mais je suis sûr que je saurais graver ce genre d'inscriptions moi aussi.

Peut-être par courtoisie envers Lien, qui semblait mal supporter le soleil, ils s'arrêtaient désormais sous un pavillon de bord de route pendant la chaleur de midi, le temps de déjeuner et de laisser les dragons se reposer, et continuaient à voler jusque tard dans la soirée ; des feux au sol éclairaient leur chemin à intervalles irréguliers. Se repérant aux étoiles, Laurence savait quelle direction ils prenaient : ils avaient obliqué au nord-est, et les miles défilaient rapidement. Les journées restaient chaudes, mais moins humides, et les nuits étaient merveilleusement fraîches et agréables. Les signes de la rigueur des hivers septentrionaux devinrent apparents : les pavillons étaient murés sur trois côtés et rehaussés sur des plates-formes de pierre qui les isolaient du sol, sous lesquelles étaient installés des poêles destinés au chauffage.

Pékin s'étendait bien au-delà des murs de la ville, lesquels étaient immenses, grandioses, avec de nombreuses tours carrées et autres fortifications qui n'étaient pas sans rappeler le style des châteaux européens. De larges rues de pierre grise couraient en ligne droite jusqu'aux portes et au-delà, si encombrées de gens, de chevaux, de carrioles, le tout en mouvement perpétuel, que d'en haut elles ressemblaient à des rivières. Ils virent de nombreux dragons, également, aussi bien dans les rues que dans le ciel, bondissant dans les airs pour des petits vols d'un quartier à un autre, emportant parfois des grappes de gens agrippés à eux, qui avaient apparemment l'habitude de se déplacer de cette manière. La ville était divisée en sections carrées d'une extraordinaire régularité, à l'exception des abords arrondis de quatre petits lacs *intra-muros.* À l'est de ces lacs se dressait le grand palais impérial, composé non pas d'un bâtiment unique, mais de multiples pavillons, défendu par des remparts et ceint d'un fossé d'eau bourbeuse : dans le soleil couchant, tous les toits de l'enceinte impériale étincelaient comme de l'or, nichés entre les arbres dont le feuillage de printemps encore frais, jaune-vert, jetait des ombres immenses sur les places de pierre grise.

Un petit dragon vint les accueillir en plein ciel alors qu'ils approchaient. Noir avec des bandes jaune canari et un collier de soie vert foncé, il portait un pilote sur son dos, mais s'adressa directement aux autres dragons. Téméraire suivit le mouvement jusqu'à une petite île ronde au milieu du lac qui se trouvait le plus au sud, à moins d'un demi-mile des remparts du palais. Ils se posèrent sur une longue jetée de marbre blanc qui s'avançait dans le lac, manifestement réservée à l'atterrissage des dragons, car on n'apercevait aucune embarcation à proximité.

Au bout de la jetée, côté terre, se dressait un immense portail, construction rouge qui était plus qu'un rempart, mais moins qu'un bâtiment. Il était percé de trois portes voûtées dont les deux plus petites avaient plusieurs fois la hauteur de Téméraire et auraient pu laisser passer de front quatre dragons tels que lui ; la porte centrale était encore plus grande. Deux Impériaux imposants se tenaient au garde-à-vous de chaque côté. Ils ressemblaient beaucoup à Téméraire, quoiqu'ils fussent dépourvus de sa collerette distinctive. L'un était noir, l'autre bleu foncé. Derrière eux attendaient une file de soldats : des fantassins portant casques d'acier rutilants et robes bleues, et armés de longues lances.

Lien entra par la porte du milieu, tandis que les deux dragons accompagnateurs passèrent par les portes latérales ; mais le dragon à bandes jaunes empêcha Téméraire de les suivre : il s'inclina très bas et prononça quelques phrases sur un ton d'excuse en lui indiquant la porte centrale. Téméraire lui répondit sèchement, puis s'assit sur son postérieur d'un air résolu, la collerette raide et plaquée contre le cou en signe de mécontentement.

— Y aurait-il un problème ? s'enquit discrètement Laurence.

Il apercevait beaucoup de gens et de dragons réunis dans la cour de l'autre côté du portail ; à l'évidence, une sorte de cérémonie était prévue.

— On veut que tu descendes et que tu empruntes l'une des portes latérales tandis que je passerai par la grande, expliqua Téméraire. Mais il n'est pas question que je te laisse tout seul. En plus, je ne vois pas l'intérêt d'avoir trois portes, puisqu'elles mènent toutes au même endroit.

Laurence aurait eu désespérément besoin de l'avis de Hammond, ou de qui que ce fût, d'ailleurs ; le dragon rayé et son pilote étaient tout aussi désemparés face à la réaction de Téméraire, et Laurence regarda l'autre homme avec la même expression de confusion. Les dragons et les soldats postés devant le portail demeuraient aussi raides et immobiles que des statues, mais, au bout de quelques minutes, quelqu'un dut s'apercevoir que quelque chose n'allait pas. Un homme vêtu d'une robe bleue richement brodée sortit à grands pas de l'une des portes latérales et parla au dragon rayé ainsi qu'à son pilote ; puis il lança un regard de travers à Laurence et à Téméraire et s'empressa de retourner de l'autre côté.

Une conversation s'engagea à mi-voix, résonnant sous la voûte, avant de s'interrompre brusquement ; les gens s'écartèrent de part et d'autre, et une dragonne sortit par le grand portail et se dirigea vers eux. Elle était d'un noir brillant très proche de la couleur de Téméraire, avec les mêmes yeux bleus, les mêmes marques bleu foncé sur les ailes, et une grande collerette noire translucide tendue entre des cornes vermillon : encore une Céleste. Elle s'arrêta devant eux et dit quelque chose d'une voix basse et caverneuse. Laurence sentit Téméraire se raidir, puis trembler, tandis que sa collerette se redressait lentement ; il finit par lui expliquer d'un ton mal assuré :

— Laurence, c'est ma mère.

13

Laurence apprit plus tard par Hammond que ce passage à travers la porte centrale était exclusivement réservé à la famille impériale, ainsi qu'aux dragons de race Impérial ou Céleste, d'où le refus de laisser Laurence en faire usage. Sur l'instant, toutefois, Qian conduisit simplement Téméraire de l'autre côté en volant par-dessus, tranchant joliment le nœud gordien.

Ce problème d'étiquette résolu, on les entraîna vers un énorme banquet préparé à l'intérieur du plus grand pavillon des dragons, où deux tables avaient été dressées. Qian elle-même prit place au bout de la première table, avec Téméraire à sa gauche et Yongxing et Lien à sa droite. Laurence dut s'asseoir un peu plus loin, avec Hammond en face, quelques sièges plus bas ; le reste des Britanniques furent placés à la seconde table. Laurence ne jugea pas opportun de protester : ils ne se trouvaient même pas séparés de la longueur d'une pièce, et de toute manière l'attention de Téméraire était entièrement tournée ailleurs. Il s'adressait à sa mère avec une timidité qui ne lui ressemblait pas, réellement impressionné : elle était plus grande que lui, et ses écailles légèrement translucides révélaient un grand âge, tout comme ses manières fastueuses. Elle n'avait pas de harnais, mais sa collerette était rehaussée d'énormes topazes jaunes fixées sur les pointes, et elle portait encore un collier d'une fragilité trompeuse, en filigrane d'or, incrusté d'autres topazes et de grosses perles.

Deux gigantesques plats en bronze furent déposés devant les dragons, contenant chacun un cerf entier rôti, auquel on avait conservé ses bois : des oranges plantées de clous de girofle étaient fichées dessus, dégageant un parfum agréable aux narines humaines, et chaque animal était farci d'un mélange de noix et de baies rouge vif. Les humains, pour leur part, se régalèrent avec une succession de huit plats, plus petits quoique également élaborés. Après la nourriture sommaire qu'on leur avait servie durant le voyage, ce repas des plus exotiques fut le bienvenu.

En prenant place à table, Laurence avait cru qu'il ne pourrait parler à personne (sauf à Hammond, à condition de crier par-dessus la table), car il n'apercevait aucun traducteur à proximité. À sa gauche était assis un très vieux mandarin. Il portait une coiffe surmontée d'un joyau blanc nacré avec une plume de paon sur la nuque, le long d'une natte véritablement impressionnante, encore très noire, bien que son visage fût creusé de rides profondes. Entièrement absorbé par la tâche de se nourrir et de s'abreuver, il n'essaya même pas de communiquer avec Laurence. Et lorsque son autre voisin se pencha pour lui crier quelque chose à l'oreille, Laurence réalisa que non seulement il ne parlait pas un mot d'anglais, mais en plus il était sourd.

Peu après, cependant, il eut la surprise d'entendre son voisin de droite lui adresser la parole dans un anglais teinté d'un fort accent français :

— J'espère que vous avez fait bon voyage, lui dit-il gaiement, avec un grand sourire.

C'était l'ambassadeur français, vêtu d'une longue robe chinoise au lieu de vêtements à l'européenne ; c'était la raison pour laquelle, en plus de la noirceur de ses cheveux, Laurence ne l'avait pas distingué du reste de la compagnie.

— Vous ne m'en voudrez pas de me présenter, je l'espère, malgré le triste état des relations entre nos deux pays, poursuivit de Guignes. C'est que nous avons une connaissance commune, voyez-vous ; mon neveu affirme qu'il doit la vie à votre magnanimité.

— Je vous demande pardon, monsieur, mais je n'ai pas la moindre idée de qui vous voulez parler, dit Laurence, décontenancé par cette introduction. Votre neveu ?

— Jean-Claude de Guignes ; il est lieutenant dans notre *armée de l'air* [1], dit l'ambassadeur en s'inclinant, souriant toujours. Vous l'avez rencontré en novembre dernier, au-dessus de la Manche, alors qu'il tentait de vous aborder.

— Grand Dieu ! s'exclama Laurence.

Se remémorant le jeune lieutenant qui avait combattu si vigoureusement lors de l'accrochage avec le convoi, il serra volontiers la main à de Guignes.

— Je me souviens poursuivit-il, un courage tout à

1. En français dans le texte. *(N.d.T.)*

fait extraordinaire. Je me réjouis d'apprendre qu'il s'est rétabli. N'est-ce pas ?

— Oh ! oui. Dans sa lettre, il me dit qu'il s'attend à quitter l'hôpital d'un jour à l'autre ; pour aller en prison, bien sûr, mais c'est préférable au tombeau, dit de Guignes, haussant les épaules avec prosaïsme. Il mentionne également votre intéressante expédition, sachant que l'on m'a envoyé ici au même endroit que vous ; je vous attendais avec beaucoup de plaisir, depuis un mois que sa lettre est arrivée, dans l'espoir de vous exprimer toute mon admiration pour votre générosité.

Après ce début heureux, la conversation se poursuivit sur des sujets neutres : le climat chinois, la nourriture, le nombre surprenant des dragons. Laurence ne pouvait se défendre d'éprouver une certaine proximité avec lui, en tant qu'Occidental perdu dans les méandres de l'enclave orientale, et bien que de Guignes ne fût pas lui-même un militaire, sa connaissance des forces aériennes françaises en faisait un agréable compagnon de table. Ils sortirent marcher un peu après le repas, suivant les autres convives dans la cour, d'où la plupart d'entre eux se firent emporter par des dragons, comme Laurence l'avait vu faire plus tôt dans la ville.

— Un mode de transport très astucieux, n'est-ce pas ? commenta de Guignes.

Laurence, qui observait la scène avec intérêt, approuva du fond du cœur : les dragons, presque tous de la race bleue qu'il considérait désormais comme la plus courante, portaient des harnais légers faits de nombreuses lanières de soie drapées sur le dos, auxquelles pendaient de nombreuses boucles tressées. Les passagers grimpaient jusqu'à un jeu de boucles vides, qu'ils faisaient passer par-dessus leurs bras et sous leurs fesses : ils pouvaient ainsi s'asseoir de manière relativement stable en s'accrochant à la lanière centrale, tant que le dragon volait droit.

Hammond les aperçut en sortant du pavillon, ouvrit de grands yeux et se hâta de les rejoindre ; de Guignes et lui se sourirent et discutèrent en toute amitié, mais à peine le Français eut-il pris congé d'eux et se fut-il éloigné en compagnie de deux mandarins que Hammond se tourna vers Laurence et lui demanda, sans la moindre vergogne, de lui dresser un compte rendu complet de leur conversation.

— Il nous attendait depuis un mois !

Hammond fut consterné de l'apprendre. Il réussit à sous-entendre, sans se montrer franchement insultant, que Laurence n'était qu'un benêt s'il avait cru de Guignes sur parole.

— Dieu sait ce qu'il a pu manigancer contre nous pendant tout ce temps ; ne tenez plus de conversation privée avec lui, s'il vous plaît.

Laurence retint la réplique qui lui brûlait les lèvres et alla rejoindre Téméraire. Qian fut la dernière à partir. Après avoir salué son fils en le poussant affectueusement du bout du nez, elle s'envola d'un bond ; sa longue silhouette noire se fondit bientôt dans la nuit sous le regard mélancolique de Téméraire.

L'île leur avait été réservée par mesure de compromis ; propriété de l'empereur, elle comportait plusieurs pavillons élégants pour les dragons, jouxtés de bâtiments à l'usage des humains. Laurence et son groupe furent autorisés à s'installer dans une résidence annexe du plus grand des pavillons, face à une vaste cour. L'endroit était charmant et spacieux, mais l'étage supérieur était occupé par une armada de serviteurs qui dépassait largement leurs besoins ; mais en les voyant s'insinuer partout dans la maison, Laurence commença à les soupçonner d'être également des gardes et des espions.

Son sommeil pesant fut interrompu avant l'aube par le manège des serviteurs qui venaient passer la tête par l'entrebâillement de sa porte afin de voir s'il était réveillé ; au bout de la quatrième tentative de ce genre en dix minutes, Laurence rendit les armes de mauvaise grâce et se leva, la tête encore douloureuse de tout le vin ingurgité la veille. Ne parvenant pas à faire comprendre qu'il désirait une cuvette d'eau fraîche, il finit par sortir dans la cour pour se laver dans le grand bassin. Cela ne présenta aucune difficulté, car une immense fenêtre circulaire s'ouvrait dans le mur de sa chambre, descendant presque au ras du sol.

Téméraire était voluptueusement couché à l'autre extrémité de la cour, à plat ventre, la queue allongée de tout son long, encore endormi et poussant à l'occasion de petits grognements de plaisir. Un système de tubes en bambou dépassait du pavement, servant manifestement à chauffer les dalles ; il déversait dans le bassin une eau chaude et fumante, de sorte que Laurence put procéder à des ablutions beaucoup plus agréables qu'il ne s'y attendait. Les serviteurs qui trépignaient à distance parurent scandalisés de le voir se dénuder jusqu'à la ceinture pour se laver. Lorsqu'il en eut enfin terminé, ils lui fourrèrent des vêtements chinois entre les mains : des pantalons amples, ainsi que la robe à col droit qui semblait quasiment universelle chez eux. Il résista dans un premier temps, mais un coup d'œil à ses propres habits lui montra à quel point ils avaient souffert du voyage ; au moins, la robe chinoise était propre, même si elle ne correspondait pas à ses habitudes, et plutôt confortable à porter, bien qu'il se sentît tout nu sans veste ni foulard approprié.

Une sorte de fonctionnaire était venu prendre le petit déjeuner avec eux et les attendait à table, ce qui expliquait l'impatience des serviteurs. Laurence s'inclina sèchement devant le nouveau venu, dénommé Zhao Wei, et laissa Hammond faire la conversation pendant qu'il savourait son thé : il était fort et parfumé, mais il n'y avait pas une tasse de lait en vue, et les serviteurs se bornèrent à ouvrir de grands yeux quand on leur traduisit ce qu'il voulait.

— Sa Majesté impériale a décrété, dans sa grande bienveillance, que vous résideriez ici le temps que durera votre visite, dit Zhao Wei. (Son anglais était rudimentaire, mais compréhensible ; il avait une allure guindée et affichait une expression dédaigneuse en regardant Laurence se débattre avec ses baguettes.) Vous êtes libres de vous promener dans la cour à votre guise, mais ne devez pas quitter la résidence sans en avoir fait la demande expresse et reçu la permission.

— Monsieur, nous vous sommes très reconnaissants, mais vous devez comprendre que, si l'on nous interdit toute liberté de mouvement durant la journée, la taille de cette maison ne saurait correspondre à nos besoins, dit Hammond. Voyons, seuls le capitaine Laurence et moi-même avons bénéficié de chambres individuelles la nuit dernière, étriquées et indignes de notre rang qui plus est, tandis que le reste de nos compatriotes ont dû s'entasser dans des quartiers communs.

Cette inadéquation n'avait pas choqué Laurence, qui trouva absurdes aussi bien les restrictions imposées à leurs déplacements que les revendications de Hammond ; d'autant qu'il apparaissait, d'après leur conversation, que l'île entière avait été évacuée par déférence envers Téméraire. L'ensemble aurait pu facilement héberger une douzaine de dragons dans le plus grand confort, et il y avait suffisamment d'habitations à taille humaine pour que chaque homme de l'équipage de Laurence pût occuper la sienne. Toutefois, la résidence qui leur avait été attribuée était parfaitement tenue, luxueuse, bien plus spacieuse que les cabines où ils avaient vécu durant les sept derniers mois ! Il ne voyait pas plus de raisons de réclamer davantage d'espace que de leur refuser la jouissance de l'île. Hammond et Zhao Wei continuèrent néanmoins à en débattre, avec politesse et une gravité compassée.

Zhao Wei finit par consentir à ce qu'ils se promènent dans l'île en compagnie des serviteurs, « à condition que vous ne vous approchiez ni des berges ni des quais, ni ne gêniez les patrouilles des gardes ». Sur quoi, Hammond se déclara satisfait. Zhao Wei sirota son thé, puis ajouta :

— Bien sûr, Sa Majesté souhaite offrir à Lung Tien Xiang un aperçu de la ville. Je l'emmènerai faire une visite dès qu'il aura mangé.

— Je suis certain que Téméraire et le capitaine Laurence trouveront cela hautement édifiant, répondit aussitôt Hammond, avant même que Laurence fît mine d'ouvrir la bouche. À ce propos, monsieur, c'est très aimable à vous d'avoir fourni des vêtements locaux au capitaine Laurence, afin qu'il n'ait pas à subir une curiosité excessive.

C'est alors seulement que Zhao Wei remarqua la façon dont Laurence était vêtu, avec une expression signifiant clairement qu'il n'y avait pris aucune part ; mais il accepta sa défaite avec élégance.

— J'espère que vous serez prêt à partir bientôt, capitaine, dit-il simplement, avec une brève inclinaison de la tête.

— Et nous pourrons vraiment nous promener en ville ? demanda Téméraire avec excitation, tandis qu'on s'affairait autour de lui pour le brosser et le lustrer après qu'il eut pris son petit déjeuner.

Il tendit ses pattes avant l'une après l'autre, griffes écartées, de façon qu'on les lui frotte vigoureusement avec de l'eau savonneuse. Ses dents bénéficièrent du même traitement, une jeune servante enfonçant la tête dans sa gueule afin de lui brosser celles du fond.

— Mais, naturellement, répondit Zhao Wei, affichant une perplexité sincère devant cette question.

— Peut-être verrez-vous quelque chose des terrains

d'entraînement des dragons, s'ils se trouvent dans les limites de la ville, suggéra Hammond. Je suis certain que cela t'intéressera, Téméraire.

— Oh ! oui, dit Téméraire (sa collerette dressée en frémissait déjà).

Hammond adressa un regard appuyé à Laurence, mais ce dernier choisit de l'ignorer : il n'avait aucun désir de jouer les espions ni de prolonger la visite, si captivante fût-elle.

— Es-tu prêt, Téméraire ? s'enquit-il à la place.

On les conduisit sur la rive du lac à bord d'une barge richement ornementée, mais peu stable, qui se ballottait sous le poids de Téméraire même sur ces eaux placides : Laurence demeura près de la barre en observant d'un œil sévère le maladroit qui la tenait. Le court trajet jusqu'à la rive fut deux fois plus long qu'il n'aurait dû. Une escorte conséquente avait été détachée des patrouilles de l'île pour les accompagner dans leur visite. La plupart des gardes se déployèrent en éventail devant eux pour leur ouvrir le passage dans la rue, mais une dizaine environ vinrent se ranger juste derrière Laurence, formant une véritable muraille humaine qui semblait surtout destinée à l'empêcher de trop flâner.

Zhao Wei les fit passer par un autre de ces splendides portails rouge et or, percé dans une muraille fortifiée, celui-ci, et qui donnait sur une vaste avenue. Il était gardé par plusieurs gardes en livrée impériale, ainsi que par deux dragons : l'un de la race rouge désormais familière, l'autre d'un vert brillant avec des taches rouges. Leurs capitaines, assis à boire le thé sous un auvent, avaient ôté leur veste capitonnée en raison de la chaleur, et Laurence s'aperçut que c'étaient des femmes.

— Je vois que vous avez des femmes capitaines, vous aussi, dit Laurence à Zhao Wei. Servent-elles auprès de races particulières ?

— Les femmes sont les compagnes des dragons qui servent dans l'armée, répondit Zhao Wei. Naturellement, seuls les dragons de basse extraction s'orientent vers une carrière militaire. Le vert que vous voyez ici est de la race dite Verre-d'Émeraude ; ils sont trop paresseux et trop lents pour réussir aux examens. Quant aux Fleurs-Écarlates, ils aiment trop se battre pour être bons à autre chose.

— Voulez-vous dire qu'il n'y a que des femmes dans vos forces aériennes ? demanda Laurence, convaincu d'avoir mal compris – pourtant, Zhao Wei le lui confirma d'un hochement de tête. Mais quelle raison peut bien motiver une telle politique ? J'espère que vous ne demandez pas aux femmes de servir dans votre infanterie ou votre marine ? protesta Laurence.

Son effarement était manifeste, et Zhao Wei, éprouvant peut-être le besoin de justifier cette surprenante coutume de son pays, entreprit de narrer la légende qui en expliquait l'origine. Les détails en étaient romancés, bien sûr : une fille se serait déguisée en homme pour combattre à la place de son père, serait devenue l'amie d'un dragon militaire et aurait sauvé l'empire en remportant une grande bataille ; en conséquence, l'empereur de l'époque aurait décrété que les filles pourraient désormais servir auprès des dragons.

Mais, toute exagération poétique mise à part, il semblait que cette histoire décrivît avec exactitude la politique du pays : en période de conscription, tout chef de famille s'était vu demander à un moment ou à un autre de servir ou d'envoyer un enfant à sa place. Les filles, ayant considérablement moins de valeur que les garçons, étaient tout naturellement choisies les premières pour remplir les quotas. Comme elles ne pouvaient servir que dans les forces aériennes, elles en étaient venues peu à peu à dominer cette branche de l'armée, jusqu'à en devenir les membres exclusifs.

Non seulement Zhao Wei lui narra cette légende, mais il la compléta par une récitation de sa version poétique traditionnelle – dont Laurence soupçonna qu'elle perdait beaucoup à la traduction. Tout en parlant, il franchirent le portail et parcoururent une bonne partie de l'avenue, jusqu'à une grande place aux dalles grises qui s'ouvrait sur un côté de la rue, pleine de garçons et de dragonnets. Les enfants étaient assis en tailleur au premier rang, à même le sol, les dragonnets sagement lovés derrière ; et tous, dans un curieux mélange de voix enfantines et de sons draconiques plus graves, reprenaient en chœur les paroles d'un professeur humain debout sur une estrade, qui lisait un grand livre à voix haute en faisant signe à ses élèves de répéter après chaque ligne.

Zhao Wei fit un geste de la main dans leur direction.

— Vous vouliez voir nos écoles. Il s'agit là d'une classe d'initiation, bien sûr ; ils commencent à peine à étudier les Analectes.

Laurence était secrètement stupéfait par cette idée

de faire la classe aux dragons et de les soumettre à des examens écrits.

— Ils ne semblent pas appariés, fit-il observer en contemplant le groupe.

Zhao Wei lui retourna un regard inexpressif, et Laurence clarifia son propos :

— J'entends par là que les garçons ne sont pas assis au côté de leur propre dragonnet. Ils paraissent bien jeunes pour cela, de toute façon.

— Oh ! ces dragonnets sont beaucoup trop jeunes pour avoir déjà choisi leur compagnon, dit Zhao Wei. Ils n'ont que quelques semaines. Lorsqu'ils auront quinze mois, ils seront prêts à se décider, et les garçons seront plus mûrs.

Laurence s'arrêta sous le coup de la surprise et se retourna de nouveau vers les dragonnets ; il avait toujours entendu dire que les dragons devaient être harnachés dès l'éclosion, sous peine de devenir sauvages et de s'enfuir dans la nature, mais cela semblait en contradiction totale avec l'exemple chinois. Téméraire intervint :

— Ils doivent se sentir très seuls. Je n'aurais pas aimé vivre sans Laurence les quinze premiers mois, certainement pas. (Il baissa la tête et poussa Laurence du bout du nez.) Et ce doit être épuisant de chasser sans arrêt, alors que l'on vient d'éclore ; je me rappelle que j'avais tout le temps faim, ajouta-t-il plus prosaïquement.

— Bien entendu, les dragonnets n'ont pas besoin de chasser eux-mêmes, dit Zhao Wei. Il leur faut étudier. Nous avons des dragons qui s'occupent des œufs et nourrissent les jeunes. C'est beaucoup mieux que de confier cette tâche à une personne à laquelle un dragonnet ne manquerait pas de s'attacher sans discernement avant d'être suffisamment sage pour juger convenablement du caractère et des vertus de ladite.

Il s'agissait d'une pique à peine déguisée, à laquelle Laurence répondit fraîchement :

— On doit se trouver face à ce genre de problème, en effet, lorsque l'on n'a pas pris soin auparavant de sélectionner rigoureusement les hommes à qui l'on offre une telle opportunité. Chez nous, un homme doit ordinairement servir dans les Corps pendant de nombreuses années avant d'être digne de se voir présenté à un dragonnet. Dans ces circonstances, il m'apparaît qu'un attachement précoce tel que vous le décrivez peut au contraire donner lieu à une amitié plus profonde et durable, plus gratifiante pour les deux parties.

Ils s'enfoncèrent encore dans la ville. En découvrant les quartiers sous une perspective plus habituelle que depuis le ciel, Laurence fut frappé par la largeur des rues, qui semblaient avoir été tracées pour tenir compte des dragons. Elles dégageaient une impression d'espace très différente de ce que l'on pouvait ressentir à Londres, bien qu'en nombre absolu les populations des deux villes fussent presque équivalentes, estima Laurence. Téméraire jetait plus de regards curieux qu'on ne lui en lançait ; la population de la capitale était manifestement accoutumée à côtoyer les races les plus prestigieuses, alors que lui ne s'était encore jamais promené dans une ville, et il ne cessait de se dévisser le cou pour tenter de regarder dans trois directions à la fois.

Des gardes écartaient brutalement les passants ordinaires qui se trouvaient sur le chemin des chaises à porteurs vertes transportant des mandarins en service officiel. Dans une avenue transversale, une procession de mariage où éclataient l'or et l'écarlate avançait lentement sous les cris et les applaudissements, suivie de musiciens et de feux d'artifice en queue de cortège. La mariée était dissimulée dans une chaise voilée : un beau parti, à en juger par la richesse de la cérémonie. Des mules peinaient ici et là sous le poids des marchandises, indifférentes aux dragons, faisant claquer leurs sabots sur les pavés ; mais Laurence n'aperçut dans les rues ni cheval ni chariot : sans doute était-il impossible d'habituer ces animaux à la présence d'autant de dragons. L'air avait une odeur particulière : on n'y sentait pas le crottin ni l'urine de cheval comme à Londres, mais plutôt le fumet légèrement soufré des déjections draconiques, plus prononcé lorsque le vent soufflait du nord-est ; de grandes fosses à purin devaient se trouver par-là, soupçonna Laurence.

Et partout, partout, des dragons : les bleus, les plus courants, se livraient à toutes sortes d'activités. Il y avait ceux qui transportaient des gens suspendus à leur harnais, comme Laurence l'avait déjà vu, et aussi d'autres qui convoyaient des marchandises ; mais la plupart des dragons se déplaçaient tout seuls, visiblement occupés à des affaires plus importantes, portant des colliers de différentes teintes qui ressemblaient fort aux joyaux colorés des mandarins. Zhao Wei leur confirma qu'il s'agissait d'insignes de rang et que ces dragons appartenaient à la fonction publique.

— Les *Sheng-lung* sont pareils aux gens : certains se montrent astucieux et d'autres paresseux, expliqua-t-il à Laurence, qui l'écoutait avec grand intérêt. Les dragons de haut rang sont généralement issus des meilleurs d'entre eux, et les plus sages se voient parfois même honorés par un accouplement impérial.

Des dizaines d'autres races étaient également représentées, avec ou sans compagnons humains, occupées à différentes tâches. Une fois, ils croisèrent deux Impériaux qui s'inclinèrent poliment devant Téméraire ; ils portaient des écharpes de soie rouge, cousues de fines perles et autour desquelles s'entortillaient des chaînes en or. Ils étaient très élégants, et Téméraire jeta sur eux un regard envieux.

Ils arrivèrent bientôt à un quartier commerçant, aux boutiques somptueusement décorées de bas-reliefs et de dorures, regorgeant de marchandises. Des soieries d'une couleur et d'une texture splendides, souvent de bien meilleure qualité que tout ce que Laurence avait jamais pu voir à Londres ; de grands écheveaux et rouleaux de fil ou d'étoffe de coton bleu, de diverses qualités et nuances ; et des porcelaines, qui retinrent toute l'attention de Laurence. Contrairement à son père, il n'était pas un amateur d'art, mais la finesse des dessins bleu et blanc qui les décoraient lui parut supérieure à tout ce qu'il avait vu jusque-là en matière de vaisselle d'importation, et les plats colorés étaient particulièrement ravissants.

— Téméraire, veux-tu lui demander s'il accepte l'or ? s'enquit-il.

Téméraire regardait la boutique avec beaucoup d'intérêt, ce qui rendait le marchand quelque peu nerveux ; voilà au moins un endroit où, même en Chine, les dragons n'étaient pas tout à fait les bienvenus. Le marchand se montra d'abord dubitatif et posa quelques questions à Zhao Wei ; après quoi, il consentit à examiner une demi-guinée. Il la cogna sur le côté de la table, puis fit venir son fils de l'arrière-boutique : étant lui-même pratiquement édenté, il lui confia le soin de mordre dedans. Une femme assise au fond passa la tête par l'ouverture, intriguée par le bruit, et se fit houspiller à grands cris sans résultat ; lorsqu'elle eut dévisagé Laurence tout son saoul, elle consentit enfin à battre en retraite, mais sa voix stridente leur parvint, de sorte qu'elle aussi semblait participer au débat.

Enfin, le marchand parut satisfait, mais quand Laurence voulut soulever le vase qu'il avait remarqué, le marchand bondit et le lui arracha des mains, sous un flot de paroles ; faisant signe à Laurence de l'attendre, il disparut dans l'arrière-boutique.

— Il dit que cela ne vaut pas autant, expliqua Téméraire.

— Mais je ne lui ai donné qu'une demi-livre, protesta Laurence.

L'homme revint en portant un vase beaucoup plus grand, d'un rouge foncé presque flamboyant qui passait progressivement au blanc le plus pur vers le haut, et dont l'émail brillait comme un miroir. Il le déposa sur la table et tous le contemplèrent avec admiration ; même Zhao Wei ne put retenir un murmure d'approbation, et Téméraire s'exclama :

— Oh ! c'est très joli.

Laurence insista pour donner quelques guinées supplémentaires au boutiquier, non sans difficultés, et se sentit coupable malgré tout en emportant son vase soigneusement emmailloté dans plusieurs épaisseurs de coton ; jamais il n'avait vu une pièce aussi magnifique, et il s'inquiétait déjà de sa survie au cours du long voyage de retour. Enhardi par ce premier succès, il fit d'autres acquisitions de soie et de porcelaine, puis acheta un pendentif de jade que lui avait indiqué Zhao Wei – dont le dédain affiché avait progressivement cédé la place à l'enthousiasme au cours de cette tournée des boutiques –, non sans lui expliquer que les symboles qui y étaient gravés correspondaient aux premiers vers du poème sur la légendaire femme soldat-dragon. Il s'agissait apparemment d'un porte-bonheur que l'on achetait fréquemment pour une fille sur le point d'embrasser cette carrière. Pensant que Jane Roland l'apprécierait, Laurence l'ajouta à ses emplettes ; bientôt, Zhao Wei dut détacher plusieurs de ses soldats pour porter les paquets ; ils semblaient moins s'inquiéter désormais de voir Laurence leur échapper que d'être transformés en mules de bât.

La plupart des prix semblaient incroyablement bas ; cela ne pouvait s'expliquer uniquement par le coût du transport. Le phénomène en soi n'était pas surprenant car Laurence avait entendu les commissaires de la compagnie à Macao se plaindre de la rapacité des mandarins locaux et des pots-de-vin qu'ils exigeaient, en plus des taxes d'État. Mais la différence était si importante que Laurence dut réviser significativement son estimation du degré d'extorsion.

— Quelle pitié, se désola Laurence auprès de Téméraire lorsqu'ils parvinrent au bout de l'avenue. Si seulement le commerce était libre, tous ces marchands vivraient sûrement beaucoup mieux, et les artisans également ; c'est le fait de devoir faire passer toutes leurs marchandises par Canton qui permet aux mandarins locaux de se montrer aussi déraisonnables. Il est probable qu'ils ne se donnent même pas la peine d'exporter ce qu'ils peuvent vendre ici, et que nous ne recevons que les rebuts de leur production.

— Peut-être ne tiennent-ils pas à envoyer leurs plus belles pièces si loin de chez eux. Cette odeur est très alléchante, ajouta Téméraire d'un air approbateur, alors qu'ils franchissaient un pont étroit vers un autre quartier, entouré d'un canal et d'un muret de pierres.

Des fossés remplis de braises rougeoyantes bordaient la rue de part et d'autre, et toutes sortes d'animaux y rôtissaient à la broche, arrosés avec de grandes louches par des hommes en sueur à demi nus : bœufs, porcs, moutons, cerfs, chevaux, ainsi que d'autres créatures plus petites, moins reconnaissables, que Laurence n'examina pas de trop près. Les jus gouttaient sur le sol, soulevant d'épaisses bouffées de fumée aromatique. Les acheteurs humains étaient ici minoritaires, obligés de se faufiler adroitement entre les dragons, qui composaient le gros de la clientèle.

Téméraire avait mangé de bon appétit, ce matin-là :

deux pièces de gibier, et en dessert quelques canards farcis. Il ne réclama rien, même s'il eut un regard envieux pour un petit dragon violet qui dévorait des cochons de lait rôtis empalés sur une broche. Mais, dans une ruelle attenante, Laurence vit un dragon bleu à l'air fatigué, la peau striée de plaies anciennes sous son harnais de transport, se détourner tristement d'une magnifique vache rôtie et demander un petit mouton à moitié brûlé que l'on avait laissé sur le côté : il l'emporta dans un coin et se mit à le manger très lentement, en faisant durer le plaisir, sans dédaigner les abats ni les os.

Il semblait naturel, les dragons étant supposés gagner leur pain, que certains fussent moins fortunés que d'autres ; néanmoins, Laurence trouvait criminel d'en voir un souffrir de la faim, en particulier lorsqu'il songeait au gaspillage extravagant qu'il avait pu constater dans leur résidence et ailleurs. Téméraire ne remarqua rien, le regard fixé sur les étals. Ils quittèrent le quartier par un autre pont qui les ramena sur la grande avenue du départ. Téméraire poussa un soupir de contentement, relâchant lentement l'arôme par ses narines.

Laurence, pour sa part, sombra dans le mutisme ; ce qu'il venait de voir avait dissipé sa fascination spontanée pour toutes les nouveautés environnantes ainsi que son intérêt naturel pour une capitale étrangère d'une telle étendue. Faute de distraction, il était bien forcé de constater les inégalités frappantes dans le traitement des dragons. Si les rues de cette ville étaient notablement plus larges que celles de Londres, ce n'était pas le fait du hasard, ni une simple question de goût ; ce n'était pas non plus pour le prestige ; non, le plan urbanistique était clairement conçu pour que les dragons puissent vivre en harmonie avec les hommes, et cet objectif était pleinement rempli, c'était incontestable. L'exemple de pauvreté dont il avait été témoin servait plutôt à interpeller sur la notion de bien général.

L'heure du déjeuner approchait, et Zhao Wei leur fit reprendre la direction de l'île. Téméraire aussi devint pensif tandis qu'ils laissaient les quartiers commerçants derrière eux, et ils marchèrent en silence jusqu'au portail ; s'arrêtant brièvement, Téméraire jeta un coup d'œil par-dessus son épaule vers la ville, dont l'activité se poursuivait sans ralentir. Zhao Wei suivit son regard et lui posa une question en chinois.

— C'est très joli, répondit Téméraire. Mais je ne saurais comparer : je ne me suis jamais promené à Londres ni même à Douvres.

Ils prirent congé de Zhao Wei devant le pavillon et rentrèrent ensemble. Laurence se laissa tomber lourdement sur un banc, tandis que Téméraire faisait les cent pas, fouettant l'air avec sa queue.

— C'est faux, c'est complètement faux, éclata-t-il enfin. Laurence, nous sommes allés partout où nous avons voulu ; j'ai visité des rues et des boutiques, et personne ne s'est enfui ni n'a montré la moindre frayeur : ni dans le Sud, ni ici. Les gens n'ont pas peur des dragons, pas le moins du monde.

— Je dois te demander pardon, dit Laurence d'une voix douce. J'avais tort, je l'avoue : apparemment, la cohabitation est possible. J'imagine qu'avec autant de dragons à proximité, à force de contacts quotidiens, les hommes se départissent de leurs appréhensions. Mais je t'assure que je ne t'ai pas menti délibérément : les choses sont différentes en Grande-Bretagne. C'est sans doute une question d'habitude.

— Si l'habitude permet de ne plus avoir peur, je ne comprends pas pourquoi on nous tient enfermés au lieu de nous laisser nous mêler aux hommes.

Laurence n'avait rien à répondre à cela, et n'essaya pas de le faire ; il se retira dans sa chambre pour prendre un repas léger. Téméraire s'allongea pour sa sieste coutumière de l'après-midi, d'humeur maussade et agitée. Laurence mangea seul, chipotant sans enthousiasme dans son assiette. Hammond vint lui demander ce qu'ils avaient vu ; Laurence lui répondit aussi succinctement que possible, sans chercher à masquer son irritation, et Hammond repartit bientôt, le visage rouge et les lèvres pincées.

— Vous aurait-il importuné ? demanda Granby en passant la tête par la porte.

— Non, reconnut Laurence d'un ton las, en allant se laver les mains dans la bassine qu'il avait remplie dans la cour. En fait, j'ai bien peur de m'être montré particulièrement grossier envers lui, alors qu'il ne le méritait pas : il désirait simplement savoir comment on élevait les dragons ici, afin de pouvoir plaider que le traitement reçu par Téméraire en Angleterre n'était pas si indigne.

— Ma foi, si vous voulez mon avis, il n'a pas volé sa rebuffade, dit Granby. J'ai bien cru m'arracher les cheveux quand il m'a annoncé, finaud comme un diacre, qu'il vous avait envoyé en reconnaissance tout seul en compagnie d'un Chinois ; non pas que Téméraire soit incapable de vous protéger, mais dans une foule il peut se produire n'importe quoi.

— Il n'y a eu aucune tentative de ce genre ; notre guide s'est montré plutôt désagréable au début, mais d'une parfaite courtoisie à la fin. (Laurence jeta un coup d'œil vers les paquets empilés que les hommes de Zhao Wei avaient déposés dans un coin.) Je commence à croire que Hammond avait raison, John, et que toute cette histoire n'était que le fruit de mon imagination.

Après leur longue visite de la matinée, il lui semblait que le prince n'avait nul besoin de recourir au meurtre, alors que les nombreux avantages offerts par son pays constituaient autant d'arguments, moins vils et beaucoup plus persuasifs.

— Je penserais plutôt que Yongxing a renoncé à ses tentatives à bord du navire, et qu'il attend simplement de vous voir baisser la garde, dit Granby avec pessimisme. C'est une jolie résidence que nous avons là, sans aucun doute, mais on voit bougrement trop de gardes rôder autour.

— Raison de plus pour ne pas s'inquiéter, dit Laurence. Si on voulait me tuer, on aurait déjà pu le faire une douzaine de fois.

— Téméraire n'accepterait jamais de rester si vous étiez assassiné par les propres gardes de l'empereur, alors qu'il a déjà des soupçons, dit Granby. Je pense plutôt qu'il s'efforcerait d'en massacrer le plus possible, avant, je l'espère, de retourner au vaisseau afin de rentrer chez nous ; à moins que, trop affecté par la perte de son capitaine, il n'abandonne tout et ne s'enfuie dans la nature.

— Cette discussion ne mène à rien, s'impatienta Laurence en levant les mains, avant de les laisser retomber. Aujourd'hui, en tout cas, la seule volonté que j'aie vue à l'œuvre était celle d'impressionner favorablement Téméraire.

Il n'ajouta pas que ce but avait été atteint, et qui plus est sans grand effort ; il ne voyait pas comment souligner le contraste avec le traitement des dragons en Occident sans paraître au mieux pleurnichard, au pire quasiment déloyal : bien conscient de ne pas être né aviateur, il rechignait à dire quoi que ce fût qui risquât de blesser Granby.

— Vous êtes bigrement réservé, dit Granby de but en blanc, et Laurence, qui était assis à ruminer en silence, sursauta d'un air coupable. Je ne m'étonne pas qu'il ait apprécié la ville, il s'enflamme toujours pour tout ce qui est nouveau ; mais est-ce si grave que cela ?

— Ce n'est pas seulement la ville, expliqua enfin Laurence. C'est le respect qu'on accorde aux dragons ; et pas uniquement à lui : ils semblent tous jouir d'une grande liberté, en fait. Je crois que j'ai dû voir au moins une centaine de dragons aujourd'hui, qui déambulaient dans les rues, sans que personne ne leur prête attention.

— Et dire que si nous osions seulement survoler Regent's Park, nous entendrions crier au meurtre, à l'incendie et à l'inondation tout à la fois, et recevrions une dizaine de mémorandums de l'Amirauté ! s'exclama Granby avec une brève bouffée de ressentiment. De toute façon, quand bien même nous en aurions l'autorisation, nous ne pourrions pas nous promener dans Londres : les rues sont trop étroites pour quoi que ce soit de plus imposant qu'un Winchester. D'après ce que nous en avons vu, Pékin est conçu avec beaucoup plus de bon sens. Rien d'étonnant à ce qu'ils aient dix fois plus de dragons que nous, voire davantage.

Laurence fut grandement soulagé de constater que Granby ne s'offensait pas et se montrait disposé au contraire à aborder le sujet.

— John, savez-vous qu'ici on n'assigne pas les pilotes aux dragons avant que ceux-ci aient atteint l'âge de quinze mois ? En attendant, ils sont élevés par d'autres dragons.

— Ma foi, c'est un sacré gaspillage que de demander à des dragons de jouer les nounous, dit Granby. Mais je suppose qu'ils peuvent se le permettre. Laurence, quand je pense à ce que nous pourrions faire avec une douzaine de ces grands gaillards écarlates que je vois assis à se faire du lard un peu partout ! C'est à vous donner envie de pleurer.

— Oui ; mais ce que je voulais dire, c'est qu'ils ne semblent pas connaître le problème des dragons sauvages, dit Laurence. Combien en perdons-nous ? Un sur dix ?

— Oh ! moins que cela à l'époque moderne, protesta Granby. Autrefois, les Longwings s'échappaient par dizaines, jusqu'à ce que la reine Élisabeth ait eu l'idée lumineuse d'assigner l'une de ses servantes à l'un d'entre eux, et que l'on découvre alors qu'ils suivaient les filles comme des moutons, et qu'il en allait de même pour les Xenicas. Et les Winchesters filaient souvent comme l'éclair avant que l'on puisse leur passer la première boucle de leur harnais, mais, aujourd'hui, nous les faisons éclore dans des lieux couverts et les laissons voleter un peu avant de leur apporter à manger. On n'en perd pas plus d'un sur trente, au pire, si l'on excepte les œufs que nous cachent parfois les dragons sauvages qui se trouvent dans les fermes de reproduction.

Leur conversation fut interrompue par l'arrivée d'un serviteur ; Laurence tâcha de le renvoyer, mais, en multipliant les courbettes et en tirant sur sa manche, l'homme lui fit comprendre qu'il souhaitait les conduire à la salle à manger commune : Sun Kai, inopinément, était venu prendre le thé avec eux.

Laurence n'était pas d'humeur à se montrer poli, et Hammond, qui les rejoignit pour faire office de traducteur, se montra raide et inamical. Ils constituèrent une compagnie maussade et peu diserte. Sun Kai s'enquit poliment de la manière dont ils étaient logés, puis leur demanda ce qu'ils pensaient du pays. Laurence répondit brièvement ; il ne pouvait s'empêcher d'y voir une manière de sonder l'état d'esprit de Téméraire. Il en fut persuadé quand Sun Kai en arriva enfin à l'objet de sa visite.

— Lun Tien Qian vous adresse une invitation, dit-il. Elle escompte que Téméraire et vous prendrez le thé avec elle demain au palais des Dix Mille Lotus, au matin, avant que les fleurs ne s'ouvrent.

— Merci, monsieur, d'avoir transmis le message,

dit Laurence, courtois mais sec. Téméraire est impatient de mieux la connaître.

Cette invitation pouvait difficilement se refuser, bien qu'il n'appréciât guère ces nouvelles manœuvres de séduction vis-à-vis de Téméraire.

Sun Kai hocha tranquillement la tête.

— Elle aussi est impatiente de connaître les conditions d'existence de son enfant. Son opinion a un grand poids auprès du Fils du Ciel.

Il sirota posément son thé avant d'ajouter :

— Peut-être voudrez-vous lui parler de votre nation, et du respect que Lung Tien Xiang a su acquérir.

Hammond traduisit ses paroles, puis ajouta, suffisamment vite pour que Sun Kai croie que cela faisait partie de la traduction :

— Monsieur, j'espère que l'allusion est suffisamment claire ; vous ne devrez négliger aucun effort pour la gagner à notre cause.

— Je ne vois pas pourquoi Sun Kai me donnerait le moindre conseil, dit Laurence après le départ de l'émissaire. Il a toujours été courtois, mais certainement pas ce que l'on pourrait appeler amical.

— Et quel conseil, de toute façon ! dit Granby. Il vous a seulement recommandé de dire à sa mère que Téméraire était heureux ; vous y auriez pensé tout seul, et cela lui permet de se montrer poli à peu de frais.

— Certes, mais nous n'aurions pas su l'importance qu'il convenait d'attacher à son opinion, ni même à cette entrevue, objecta Hammond. Non ; pour un diplomate, il en a dit beaucoup – autant qu'il pouvait en dire sans se compromettre ouvertement. C'est très encourageant.

Laurence crut distinguer dans ses propos un optimisme excessif, probablement engendré par la frustration : Hammond avait déjà écrit à cinq reprises aux fonctionnaires de l'empereur, afin de solliciter un entretien au cours duquel il souhaitait faire preuve de ses titres : on lui avait retourné chacune de ses lettres encore cachetées, et on lui avait catégoriquement refusé de quitter l'île pour aller rencontrer les quelques Occidentaux installés en ville.

— Elle ne doit pas être très maternelle, pour avoir accepté de l'envoyer aussi loin, confia Laurence à Granby le lendemain matin, peu après l'aube.

Il examinait son meilleur uniforme, qu'il avait suspendu en plein air la veille au soir : sa cravate avait besoin d'un coup de fer, et il crut remarquer quelques accrocs sur sa plus belle chemise.

— Les dragonnes le sont rarement, vous savez, dit Granby. Pas après l'éclosion, en tout cas, même si la ponte elle-même a tendance à les rendre mélancoliques. Non qu'elles n'aiment pas leurs petits, mais, après tout, un dragonnet est capable de décapiter une chèvre cinq minutes après avoir brisé sa coquille ; ils n'ont pas besoin d'être maternés. Là, donnez-moi cela. Je suis incapable de repasser une chemise sans la brûler, mais je sais au moins repriser.

Il prit la chemise et l'aiguille des mains de Laurence et se mit à raccommoder la déchirure au poignet.

— Tout de même, elle n'apprécierait pas

d'apprendre qu'on le néglige, j'en suis sûr, dit Laurence. Quoique, je me demande si elle est à ce point en grâce auprès de l'empereur. J'imagine que s'ils ont consenti à se séparer d'un œuf de Céleste, c'est qu'il devait s'agir d'une lignée inférieure. Merci, Dyer ; posez ça par ici, dit-il au cadet qui lui apportait le fer mis à chauffer sur le fourneau.

Tiré à quatre épingles autant qu'il était possible, Laurence rejoignit Téméraire dans la cour ; le dragon rayé était revenu afin de les escorter. Le trajet fut très bref, mais surprenant : ils volaient si bas qu'ils pouvaient apercevoir les amas de lierre et de racines qui s'étaient développés sur les tuiles jaunes des bâtiments du palais et distinguer la couleur des joyaux sur la coiffe des mandarins, tandis que les fonctionnaires se hâtaient dans les cours et les allées, en dépit de l'heure matinale.

Le palais lui-même se dressait dans l'enceinte de l'immense Cité interdite, aisément identifiable d'en haut : deux énormes pavillons de dragons de part et d'autre d'un long bassin littéralement submergé par les nénuphars, aux fleurs encore fermées. Des ponts larges et robustes enjambaient le bassin, recourbés très haut par souci décoratif, tandis qu'au sud s'étendait une cour dallée de marbre blanc, que les premiers rayons du soleil commençaient tout juste à effleurer.

Le dragon à bandes jaunes se posa là et leur fit signe de le suivre. Tandis que Téméraire volait derrière lui, Laurence put assister au réveil d'autres dragons sous le toit des grands pavillons. Un vieux Céleste s'extirpait avec raideur de la baie la plus au sud-est ; les longs barbillons de sa mâchoire tombaient comme des moustaches. Son énorme collerette était décolorée, et sa peau devenue si translucide que le noir en était désormais teinté de rouge par les vaisseaux sanguins qui y affleuraient. Un autre dragon à bandes jaunes l'escortait attentivement, le poussant de temps en temps vers la cour baignée de soleil ; les yeux du Céleste étaient d'un bleu laiteux, ses pupilles à peine visibles sous la cataracte.

Quelques autres dragons émergèrent à leur tour : des Impériaux plutôt que des Célestes, dépourvus de collerette et de barbillons, et avec des variations de teinte plus prononcées : certains aussi noirs que Téméraire, mais d'autres d'un bleu indigo intense ; tous étaient très foncés, à l'exception de Lien, qui sortit simultanément d'un pavillon séparé, à l'écart parmi les arbres, pour venir s'abreuver dans le bassin. Sa peau blanche lui donnait une allure presque fantomatique au milieu des autres ; Laurence comprenait qu'elle inspirât une crainte superstitieuse, et, de fait, les autres dragons reculaient tous sur son passage. Elle les ignora superbement, bâilla en ouvrant une grande gueule rouge, secoua vigoureusement la tête pour en faire tomber les dernières gouttes d'eau, puis s'éloigna, solitaire et digne, à travers les jardins.

Qian les attendait dans l'un des pavillons centraux, flanquée par deux Impériaux d'allure particulièrement gracieuse et couverts de bijoux raffinés. Elle s'inclina courtoisement puis, d'une chiquenaude sur une cloche accrochée à proximité, appela ses serviteurs ; ses compagnons se poussèrent pour faire de la place à sa droite aux nouveaux venus, tandis que les serviteurs humains apportaient un fauteuil confortable à Laurence. Qian n'engagea pas aussitôt la conversation, mais fit un geste en direction du lac ; la ligne de lumière y remontait rapidement vers le nord à mesure que le soleil s'élevait dans le ciel, et les boutons de lotus se dépliaient l'un après l'autre en un véritable ballet végétal. Se comptant par milliers, ils composaient un flamboiement de nuances de rose sur le fond vert foncé de leurs feuilles.

Tandis que les dernières fleurs déroulaient leur corolle, les dragons firent tinter leurs griffes contre les dalles, en manière d'applaudissements. On apporta ensuite une petite table devant Laurence, ainsi que de grands bols de porcelaine aux motifs bleu et blanc pour les dragons, et on leur servit à tous un thé noir et amer. Au grand étonnement de Laurence, les dragons burent avec plaisir, allant jusqu'à lécher les feuilles au fond de leur bol. Lui-même trouva ce thé curieux, un peu trop fort ; son arôme lui évoquait presque celui de la viande fumée. Néanmoins, il but poliment toute sa tasse. Téméraire vida son bol avec enthousiasme, très vite, puis s'assit en arrière avec une expression étrangement hésitante, comme s'il se demandait s'il avait ou non apprécié ce breuvage.

— Vous êtes venu de très loin, dit Qian en s'adressant à Laurence. (Un interprète s'était avancé discrètement auprès d'elle pour traduire.) J'espère que vous goûtez votre visite chez nous, même si votre foyer doit certainement vous manquer ?

— Un officier du roi est habitué à se rendre partout

où le service l'exige, madame, dit Laurence, en se demandant s'il fallait y voir une suggestion. Je n'ai jamais passé plus de six mois chez moi depuis mon premier embarquement, et je n'avais que douze ans à l'époque.

— Cela paraît très jeune, pour partir aussi loin, dit Qian. Votre mère devait beaucoup s'inquiéter pour vous.

— Elle avait rencontré le capitaine Mountjoy, auprès duquel je servais, et nous connaissions bien sa famille, dit Laurence, saisissant cette occasion pour ajouter : Vous-même n'aviez pas cet avantage, malheureusement, en vous séparant de Téméraire ; je me ferai une joie de répondre à toutes les questions que vous pourriez vous poser, même rétrospectivement.

Elle se tourna vers les dragons qui l'encadraient.

— Peut-être Mei et Shu pourraient-ils emmener Xiang voir les fleurs de plus près, suggéra-t-elle en utilisant le nom chinois de Téméraire.

Les deux Impériaux s'inclinèrent et se levèrent aussitôt, attendant Téméraire.

Ce dernier jeta un coup d'œil nerveux vers Laurence et dit :

— Elles sont très belles, même vues d'ici !

Laurence se sentait quelque peu anxieux lui-même à l'idée d'un entretien en tête à tête, sans la moindre idée de ce qui pourrait plaire ou déplaire à Qian, mais il se força à sourire et déclara :

— Je vais t'attendre ici avec ta mère ; je suis sûr que tu vas beaucoup les apprécier.

— Gardez-vous d'ennuyer Grand-Père ou Lien,

ajouta Qian à l'intention des Impériaux, lesquels acquiescèrent avant d'entraîner Téméraire.

Les serviteurs remplirent la tasse de Laurence et le bol de Qian, et la dragonne lapa son thé à un rythme plus mesuré. Puis elle lança :

— Je crois savoir que Téméraire sert dans votre armée.

On ne pouvait se tromper sur la note désapprobatrice dans sa voix, qui ne nécessitait pas de traduction.

— Chez nous, tous les dragons qui en sont capables combattent pour défendre leur pays : ce n'est nullement un déshonneur, mais l'accomplissement de notre devoir, dit Laurence. Je vous assure qu'il est tenu dans l'estime la plus élevée. Il y a fort peu de dragons chez nous : les plus modestes sont hautement prisés, et Téméraire est l'un des meilleurs qui soient.

Elle gronda sourdement, d'un air pensif.

— Pourquoi y a-t-il si peu de dragons chez vous, que vous soyez contraints d'envoyer les meilleurs au combat ?

— Notre nation est petite, contrairement à la vôtre, expliqua Laurence. On ne trouvait que quelques races de petite taille dans les îles Britanniques, lorsque les Romains sont arrivés et ont commencé à les dompter. Depuis lors, des croisements nous ont permis de multiplier les races et, grâce à un développement rigoureux de notre bétail, nous avons pu augmenter le nombre de nos dragons, mais nous restons néanmoins très loin de pouvoir en faire vivre autant que vous.

Elle baissa la tête et le dévisagea franchement.

— Et chez les Français, comment les dragons sont-ils traités ?

Par instinct, Laurence était convaincu que le traitement britannique des dragons était supérieur à ce qui se faisait dans toutes les autres nations occidentales ; mais il était douloureusement conscient qu'il l'aurait cru supérieur également à celui de la Chine, s'il n'était venu constater la réalité de visu. Un mois plus tôt, il aurait parlé avec fierté de la manière dont on s'occupait des dragons britanniques. Comme chacun d'entre eux, Téméraire avait été nourri de viande crue, logé dans une clairière à ciel ouvert et soumis à un entraînement permanent agrémenté de trop rares distractions. Décrire de telles conditions à cette élégante dragonne dans son palais fleuri équivalait à se vanter devant la reine d'élever un bébé dans une porcherie. Si les Français ne faisaient pas mieux, ils ne faisaient certainement pas pire, et Laurence avait trop d'amour-propre pour minimiser les fautes de son service en majorant celles d'un autre.

— D'une manière générale, les pratiques sont plus ou moins les mêmes en France et chez nous, je crois, admit-il enfin. J'ignore quelles promesses vous ont été faites dans le cas de Téméraire, mais je peux vous dire que l'empereur Napoléon est lui-même un soldat : il se trouvait en personne sur le champ de bataille au moment où nous avons quitté l'Angleterre, ce qui tend à prouver que, si l'empereur avait un compagnon dragon, celui-ci serait forcément de la partie lorsqu'il irait à la guerre.

— Je me suis laissé dire que vous-même

descendiez d'une famille de sang royal, déclara Qian en changeant brusquement de sujet.

Elle se tourna pour donner un ordre à l'un de ses serviteurs, lequel s'empressa d'avancer pour étendre sur la table un long rouleau de papier de riz ; stupéfait, Laurence reconnut la copie, dans une écriture beaucoup plus fine et élégante que la sienne, de l'arbre généalogique qu'il avait tenté d'établir si longtemps auparavant, au cours du banquet de nouvel an.

— Est-ce exact ? s'enquit-elle en remarquant sa surprise.

Il ne lui était pas venu à l'esprit que cette information remonterait jusqu'aux oreilles de Qian, ni qu'elle y trouverait le moindre intérêt. Mais il ravala aussitôt toute réticence à se montrer immodeste : il gonflerait sa propre importance, et plutôt deux fois qu'une, si cela suffisait à se gagner les faveurs de la dragonne.

— Ma famille est effectivement très ancienne, et fière de l'être ; vous voyez pourtant que je sers moi-même dans les Corps, et considère cela comme un honneur, dit-il, en éprouvant une pointe de culpabilité (il ne se trouverait sans doute personne dans le cercle de ses proches parents pour partager cette opinion).

Qian hocha la tête, apparemment satisfaite, et reprit une gorgée de thé pendant que le serviteur remportait l'arbre généalogique.

— Si je puis me permettre, je crois pouvoir vous assurer au nom de mon gouvernement que nous accepterions avec joie les conditions que vous aviez posées aux Français en leur envoyant l'œuf de Téméraire.

— Il reste de nombreuses considérations à prendre en compte.

Ce fut tout ce qu'elle répondit à cette ouverture.

Les deux Impériaux et Téméraire revenaient déjà de leur promenade, ce dernier ayant manifestement pressé le pas. Ils croisèrent Lien, la dragonne blanche, qui regagnait ses propres quartiers, accompagnée de Yongxing qui lui parlait à voix basse, une main affectueusement posée sur son flanc. Elle marchait lentement pour ne pas les distancer, lui et les serviteurs qui les suivaient à contrecœur, chargés de livres et de grands rouleaux de papier. Néanmoins, les Impériaux attendirent que passe ce cortège avant de retourner au pavillon.

— Qian, pourquoi est-elle de cette couleur ? demanda Téméraire en jetant un coup d'œil à Lien qui s'éloignait. Elle a l'air si étrange.

— Qui peut connaître les desseins du ciel ? répondit Qian avec sévérité. Ne sois pas irrespectueux. Lien est une grande érudite ; elle était *chuang-yuan* voici bien des années, bien qu'elle n'eût aucun besoin de se soumettre aux examens, en tant que Céleste ; elle est également ta cousine. Son père était Chu, né de Xian comme moi.

— Oh ! dit Téméraire, mortifié.

Il demanda plus timidement :

— Qui est mon père ?

— Lung Qin Gao, dit Qian en remuant la queue (il s'agissait visiblement d'un bon souvenir). C'est un Impérial qui se trouve actuellement dans le Sud, à Hangzhou ; il a pour compagnon un prince du troisième rang, et ils sont en train de visiter le lac de l'Ouest.

Laurence fut très surpris d'apprendre que les Impériaux pouvaient se reproduire avec les Célestes, mais lorsqu'il en demanda la confirmation de manière détournée, Qian la lui fournit :

— C'est ainsi que nous perpétuons notre lignée. Nous ne pouvons pas nous reproduire entre nous, dit-elle, sans réaliser à quel point elle le stupéfiait. Il ne reste plus que Lien et moi comme femelles, ajouta-t-elle. En dehors de Grand-Père et de Chu, il y a encore Chuan, Ming et Zhi, et nous sommes tous cousins.

— Huit Célestes, et pas un de plus ? dit Hammond en ouvrant de grands yeux avant de s'asseoir, abasourdi – et il y avait de quoi.

— Ils ne pourront pas continuer indéfiniment ainsi, dit Granby. Tiennent-ils à ce point à réserver ces dragons aux empereurs, au risque de voir s'éteindre toute la lignée ?

— Peut-être que, de temps en temps, deux Impériaux donnent naissance à un Céleste ? suggéra Laurence entre deux bouchées.

Il se retrouvait enfin attablé devant un dîner tardif, qu'il prenait dans sa chambre. Sept heures avaient sonné, il faisait nuit et, leur visite s'étant prolongée toute la journée, il avait bu du thé à s'en faire exploser la panse pour tromper la faim.

— C'est en tout cas de cette façon qu'est né le vieux dragon que nous avons vu ici ; et il est leur aïeul à tous, en remontant sur quatre ou cinq générations.

— Cela n'a aucun sens, poursuivit Hammond sans prêter attention au reste de la conversation. Huit Célestes ; pourquoi avoir donné Téméraire, au nom du ciel ? C'est insensé, ne serait-ce que dans un souci de reproduction… Non, c'est absolument impossible ; Bonaparte ne *peut pas* les avoir impressionnés à ce point, surtout par le truchement d'un émissaire et à un continent de distance. Il doit y avoir autre chose, une chose que je ne saisis pas encore. Messieurs, vous voudrez bien m'excuser, ajouta-t-il distraitement, avant de se lever et de les laisser seuls.

Laurence termina son repas sans grand appétit, puis posa ses baguettes.

— Elle ne s'est pas opposée à ce que nous le gardions, au moins, dit Granby pour rompre le silence.

Après un moment, Laurence répondit, pour faire taire ses voix intérieures :

— Je ne saurais me montrer égoïste au point de lui refuser le plaisir de faire la connaissance de ses parents ou d'en apprendre davantage sur son pays natal.

— Ce ne sont que des sornettes et vous le savez, Laurence, lui dit Granby en s'efforçant de le rassurer. Un dragon n'abandonnera jamais son capitaine pour tous les joyaux d'Arabie, pas plus que pour tous les agneaux de la chrétienté, d'ailleurs.

Laurence se leva et marcha jusqu'à la fenêtre. Téméraire s'était allongé pour la nuit dans la cour aux dalles chauffées, une fois de plus. La lune s'était levée et il était splendide à voir dans la lumière argentée, avec les arbres en fleurs qui retombaient au-dessus de lui de part et d'autre et les reflets de la lune dans le bassin, qui faisaient scintiller ses écailles.

— C'est vrai ; un dragon endurerait beaucoup de choses plutôt que de se séparer de son capitaine. Il ne s'ensuit pas qu'un homme honorable exige de lui un tel sacrifice, dit Laurence d'une voix sourde.

Et il laissa retomber le rideau.

14

Téméraire se montra étrangement calme le lendemain de leur visite. Laurence sortit s'asseoir avec lui, le dévisageant avec anxiété ; mais il n'osait pas lui demander ce qui le tourmentait, ni ne savait quoi lui dire. Si Téméraire était mécontent de son sort en Angleterre et désirait rester en Chine, il ne pouvait rien y faire. Hammond ne s'y opposerait pas, si cela lui permettait de mener à bien ses négociations ; il se souciait bien plus d'établir une ambassade permanente et de parvenir à une sorte de traité que de ramener Téméraire avec eux. Laurence ne voyait aucune raison de brusquer la décision.

La veille, au moment de prendre congé d'elle, Téméraire s'était vu convié par Qian à revenir au palais quand il le désirait, mais cette invitation n'avait pas été étendue à Laurence. Téméraire ne disait rien, mais il ne cessait de regarder l'horizon d'un air mélancolique, et de tourner en rond dans la cour, et refusa même qu'on lui fît la lecture. N'en pouvant plus, Laurence finit par lui dire :

— Aimerais-tu retourner voir Qian ? Je suis sûr qu'elle serait heureuse de ta visite.

— Elle ne t'a pas invité, dit Téméraire (mais déjà ses ailes se déployaient à demi, hésitantes).

— Il n'y a pas d'offense à ce qu'une mère veuille voir son enfant en privé, dit Laurence.

Cette excuse fut suffisante ; le visage de Téméraire s'illumina de plaisir et il s'envola aussitôt. Il ne revint que tard dans la soirée, jubilant et prévoyant déjà d'autres visites.

— Ils ont commencé à m'apprendre à écrire, annonça-t-il. J'ai déjà appris vingt-cinq caractères aujourd'hui ; veux-tu que je te les montre ?

— Certainement, répondit Laurence, et pas uniquement pour lui faire plaisir.

Il entreprit résolument d'étudier les idéogrammes que lui traça Téméraire, en les recopiant de son mieux avec une plume au lieu d'un pinceau, tandis que le dragon les lui lisait à voix haute ; Téméraire parut dubitatif devant ses tentatives de reproduire les sons, toutefois. Il ne fit pas beaucoup de progrès, mais ses efforts rendaient Téméraire si heureux qu'il ne voulut pas lui refuser ce plaisir, et ne dit rien de la tension extrême qui l'avait habité tout au long de cette journée interminable.

Le plus agaçant pour Laurence, néanmoins, ne fut pas de devoir prendre sur lui, mais de supporter les objections de Hammond.

— *Une seule* visite, en votre compagnie, pouvait rassurer sa mère et lui permettre de faire votre connaissance, dit le diplomate. Mais cette fréquentation solitaire et continue est inadmissible. S'il en venait à préférer la Chine et décidait de rester de son propre chef, nous perdrions tout espoir de succès : on nous congédierait immédiatement.

— Il suffit, monsieur, dit Laurence avec colère. Je n'ai nullement l'intention d'insulter Téméraire en lui suggérant que son besoin légitime de se rapprocher de sa famille puisse en quoi que ce soit constituer un manque de fidélité.

Hammond insista, et le ton monta. Laurence déclara pour finir :

— S'il me faut parler sans détours, soit : je ne me considère pas comme étant sous vos ordres. Je n'ai reçu aucune instruction en ce sens, et la manière dont vous tentez d'asseoir votre autorité sans fondement officiel est totalement déplacée.

Leurs relations avaient été raisonnablement froides jusqu'à présent ; elles devinrent glaciales, et Hammond ne vint pas dîner avec Laurence et ses officiers, ce soir-là. Le lendemain, en revanche, il se présenta de bonne heure au pavillon, avant que Téméraire ne partît en visite. Il était accompagné du prince Yongxing.

— Son Altesse nous fait la bonté de venir constater comment nous sommes logés ; je ne doute pas que vous vous joindrez à moi pour l'accueillir, dit-il, en insistant pesamment sur les derniers mots.

Laurence se leva à contrecœur et s'inclina de la manière la plus formelle.

— Vous êtes bien aimable, monsieur ; ainsi que vous le voyez, nous sommes très bien installés, dit-il avec une politesse guindée, sur la réserve (il n'avait toujours pas la moindre confiance dans les intentions de Yongxing).

Ce dernier inclina légèrement la tête, tout aussi raide et peu souriant, puis se retourna vers un jeune garçon qui l'accompagnait : âgé d'à peine treize ans, l'enfant portait des vêtements quelconques, de la couleur indigo habituelle. Levant la tête vers le prince, il hocha la tête puis dépassa Laurence pour s'avancer directement jusqu'à Téméraire, qu'il salua à la façon chinoise – les mains jointes à hauteur du menton, la tête inclinée –, tout en lui parlant dans sa langue. Téméraire parut perplexe, et Hammond lui souffla rapidement :

— Dis-lui oui, pour l'amour du ciel.

— Oh ! dit Téméraire, hésitant, avant de répondre au garçon, manifestement par l'affirmative.

Laurence fut surpris de voir le garçon grimper sur la patte avant de Téméraire et s'y installer. L'expression de Yongxing était toujours difficile à déchiffrer, mais on décelait comme une ombre de satisfaction au coin de sa bouche. Il déclara alors :

— Passons à l'intérieur prendre le thé.

Et il se détourna.

— Prends garde de ne pas le laisser tomber, glissa Hammond à Téméraire, avec un regard nerveux vers le garçon qui s'était assis en tailleur, parfaitement à l'aise, et semblait avoir autant de chance de tomber qu'une statue de Bouddha de se lever de son piédestal.

— Roland ! appela Laurence (Dyer et elle révisaient leur trigonométrie dans un coin). Allez donc lui demander s'il aimerait un rafraîchissement.

Elle hocha la tête et alla s'adresser au garçon dans son chinois balbutiant, tandis que Laurence suivait les deux autres à travers la cour pour regagner la résidence. Les serviteurs s'étaient déjà empressés d'arranger le mobilier : un fauteuil en tissu avec un marchepied à l'intention de Yongxing, et deux chaises placées à angle droit de part et d'autre pour Laurence et Hammond. Ils servirent le thé avec beaucoup de cérémonie et de précautions, et, pendant tout ce temps, Yongxing demeura parfaitement muet. Il ne dit rien non plus après le départ des serviteurs, mais savoura une gorgée de thé, très lentement.

Hammond finit par briser le silence par des remerciements polis pour le confort de leur résidence, ainsi que pour les attentions dont on les avait entourés.

— Cette visite de la ville, en particulier, était une grande bonté ; puis-je vous demander, monsieur, si c'est à vous que nous la devons ?

Yongxing rétorqua :

— C'était le souhait de l'empereur. Peut-être, capitaine, vous a-t-elle favorablement impressionné, ajouta-t-il.

Ce n'était pas une question, et Laurence répondit sèchement :

— En effet, monsieur ; votre ville est remarquable.

Yongxing sourit, d'une imperceptible torsion des lèvres, et n'ajouta rien de plus. Ce n'était pas nécessaire ; Laurence détourna la tête, trop conscient du contraste entre ce qu'il avait vu ici et les bases d'Angleterre.

Ils continuèrent un moment ce jeu de dupes ; Hammond se risqua à demander :

— Puis-je m'enquérir de la santé de l'empereur ? Nous sommes très impatients, monsieur, comme vous l'imaginez, d'adresser les respects du roi à Sa Majesté impériale, et de lui remettre les lettres qu'on m'a confiées.

— L'empereur est actuellement à Changzhou, dit Yongxing sur un ton sans appel. Il ne rentrera pas à Pékin avant longtemps ; vous allez devoir vous montrer patients.

Laurence commençait à s'échauffer. La tentative de Yongxing d'immiscer le garçon dans les bonnes grâces de Téméraire était aussi flagrante que ses manigances précédentes visant à les séparer, et pourtant Hammond n'émettait aucune objection et s'efforçait de poursuivre une conversation polie face à un comportement d'une grossièreté affichée. D'un ton mordant, Laurence dit :

— Le compagnon de Votre Altesse semble un jeune homme très aimable. Puis-je vous demander s'il s'agit de votre fils ?

Yongxing fronça les sourcils à cette question et répondit simplement :

— Non.

Percevant l'exaspération de Laurence, Hammond s'empressa d'intervenir avant qu'il ne puisse ajouter quoi que ce fût.

— Nous sommes bien sûr trop heureux de nous soumettre au bon vouloir de l'empereur ; mais j'espère que nous pourrions jouir de quelque liberté supplémentaire, si notre attente devait se prolonger un certain temps ; au moins d'autant de liberté qu'en a reçu l'ambassadeur français. Je suis certain, monsieur, que vous n'avez pas oublié leur attaque meurtrière contre nous, au début de notre voyage, et j'espère que vous me permettrez d'affirmer, une fois encore, que les intérêts de nos deux nations paraissent beaucoup plus étroitement liés que les vôtres avec les leurs.

Yongxing demeurant coi, Hammond poursuivit ; il s'attarda longuement et passionnément sur les dangers d'une domination de l'Europe par Napoléon et de l'étouffement du commerce qui priverait la Chine de grandes richesses, et sur la menace d'un conquérant insatiable qui étendrait son empire toujours plus loin – peut-être même, ajouta-t-il, jusqu'au seuil de leur propre pays.

— Car Napoléon a déjà essayé, monsieur, de s'en prendre à nous en Inde, et il ne fait pas mystère de ses intentions de surpasser Alexandre. S'il devait y parvenir, vous devez comprendre que sa rapacité ne s'arrêtera pas là.

L'idée que Napoléon puisse soumettre l'Europe, conquérir aussi bien la Russie que l'Empire ottoman, franchir la chaîne himalayenne, s'implanter en Inde et conserver encore suffisamment d'énergie pour faire la guerre à la Chine paraissait fort peu crédible à Laurence ; quant au commerce, il savait que cet argument n'aurait aucun poids auprès de Yongxing, qui avait vanté avec tant de fougue l'autosuffisance de la Chine. Néanmoins, le prince laissa parler Hammond sans l'interrompre du début à la fin, prêtant l'oreille à son monologue interminable en fronçant les sourcils ; puis, quand Hammond conclut par un appel renouvelé à bénéficier de la même autonomie que de Guignes, Yongxing l'accueillit en silence, marqua une longue pause et déclara simplement :

— Vous avez autant de liberté que lui ; vous en accorder davantage serait inopportun.

— Monsieur, protesta Hammond, peut-être ignorez-vous que l'on nous refuse le droit de quitter l'île, ou de communiquer avec le moindre responsable, ne serait-ce que par lettre.

— Tout comme à lui, dit Yongxing. Il n'est pas convenable que des étrangers puissent aller et venir à travers Pékin, en dérangeant les magistrats et les fonctionnaires : ces derniers sont très occupés.

Cette réponse laissa Hammond sans voix, totalement décontenancé ; Laurence, pour sa part, en avait suffisamment entendu. Il était clair que Yongxing leur faisait perdre leur temps tandis que le garçon flattait et cajolait Téméraire. Puisqu'il ne s'agissait pas de son fils, Yongxing l'avait sûrement choisi tout spécialement parmi ses relations pour sa séduction naturelle, en lui donnant pour instruction de plaire autant que possible au dragon. Laurence ne craignait pas véritablement que Téméraire succombât au charme du garçon, mais il n'avait pas l'intention de rester assis là, à jouer les imbéciles, en se prêtant aux petits jeux de Yongxing.

— Nous ne pouvons laisser les enfants ainsi sans surveillance, déclara-t-il abruptement. Excusez-moi, monsieur.

Et il se leva de table en s'inclinant.

Ainsi que Laurence le soupçonnait, Yongxing n'avait pas d'autre motif de converser avec Hammond que celui de laisser le champ libre au garçon, et il se leva lui aussi pour prendre congé. Ils regagnèrent la cour ensemble, où Laurence découvrit, avec une profonde satisfaction, que le garçon était descendu de la patte de Téméraire pour s'engager dans une partie d'osselets avec Roland et Dyer, tout en grignotant des biscuits avec ses compagnons. Téméraire, quant à lui, s'était éloigné jusqu'au quai pour mieux savourer la brise qui soufflait du lac.

Yongxing parla sèchement, et le garçon bondit sur ses pieds avec une expression coupable ; Roland et Dyer, également pris en faute, glissèrent un regard vers leurs livres abandonnés.

— Nous avons cru plus correct de nous occuper de notre hôte, se justifia Roland en regardant Laurence par-dessous pour jauger sa réaction.

— J'espère qu'il s'est bien amusé, déclara Laurence d'une voix neutre, à leur grand soulagement. Retournez à vos études, maintenant.

Ils se replongèrent aussitôt dans leurs livres tandis que Yongxing, le garçon sur les talons, partait d'un air maussade après avoir échangé quelques mots en chinois avec Hammond ; Laurence le regarda s'éloigner.

— Au moins avons-nous la satisfaction de savoir que de Guignes n'est pas plus libre de ses mouvements que nous, déclara Hammond après un moment. Je ne crois pas que Yongxing se donnerait la peine de mentir là-dessus, quoique je ne voie pas comment… (Il s'interrompit, perplexe, et secoua la tête.) Ma foi, peut-être en apprendrai-je un peu plus demain.

— Je vous demande pardon ? dit Laurence.

Hammond lui expliqua distraitement :

— Il a dit qu'il reviendrait demain, à la même heure ; il a l'intention de nous rendre visite régulièrement.

— Grand bien lui fasse, lança Laurence, furieux de voir Hammond se prêter aussi docilement à de nouvelles intrusions. Mais ne comptez pas sur moi pour l'accueillir à bras ouverts ; que vous choisissiez de perdre votre temps à cultiver l'amitié d'un homme dont vous savez parfaitement qu'il n'éprouve pas la moindre sympathie pour nous, cela me dépasse.

Hammond répondit en s'échauffant à son tour :

— Bien sûr que Yongxing n'a aucune sympathie pour nous ; pourquoi en aurait-il, lui ou tout autre Chinois ? Notre mission consiste précisément à les gagner à notre cause, et s'il est disposé à nous laisser une chance de le convaincre, notre devoir est d'essayer, monsieur ; je suis surpris que le simple effort de vous montrer courtois et de boire du thé soit une telle épreuve pour votre patience.

— Et moi, rétorqua Laurence d'un ton cinglant, je suis surpris que vous acceptiez si facilement sa nouvelle tentative de me supplanter, après toutes vos mises en garde.

— Quoi ? Par un garçon de douze ans ? s'étonna Hammond avec une incrédulité presque blessante. Je suis stupéfait moi aussi, monsieur, de vous voir vous inquiéter *maintenant* ; si vous aviez été moins prompt à rejeter mes conseils auparavant, peut-être auriez-vous moins à redouter aujourd'hui.

— Je ne redoute rien, dit Laurence, mais je ne suis pas pour autant disposé à tolérer une manœuvre aussi flagrante, ni à me soumettre passivement à une invasion quotidienne qui n'a pour seul but que de nous insulter.

— Je vous rappellerai, capitaine, comme vous l'avez fait pour moi il n'y a pas si longtemps, que, de même que vous n'êtes pas sous mon autorité, je ne suis pas sous la *vôtre*, dit Hammond. La conduite de notre diplomatie a très clairement été placée entre mes mains, grâce au ciel : si nous devions nous en remettre à vous, j'ose dire que vous seriez déjà en train de voler allègrement vers l'Angleterre, laissant la moitié de notre commerce dans le Pacifique couler au fond de l'océan derrière vous.

— Très bien ; agissez comme il vous plaira, monsieur, dit Laurence. Mais veillez à lui faire comprendre que je n'ai pas l'intention de laisser de nouveau son protégé seul avec Téméraire ; nous verrons s'il se montre toujours aussi disposé à se laisser *convaincre* après cela. Et n'imaginez pas, ajouta-t-il, que je laisserai quiconque faire venir le garçon dans mon dos.

— Puisque vous semblez disposé à me prendre pour un menteur et un manipulateur sans scrupules, je ne vois pas pourquoi je me fatiguerais à nier que je ferais une chose pareille, dit Hammond, rouge de colère.

Il partit sur-le-champ, laissant Laurence toujours furieux, mais honteux, conscient d'avoir été injuste ; il reconnaissait lui-même qu'il y avait là matière à une provocation en duel. Le lendemain matin, quand il vit depuis le pavillon que Yongxing repartait avec le garçon, ayant visiblement écourté sa visite lorsqu'on lui avait refusé l'accès à Téméraire, sa culpabilité fut suffisamment forte pour qu'il essayât de présenter des excuses. En vain : Hammond ne voulut pas en entendre parler.

— Que votre refus de vous joindre à nous l'ait offensé ou que vous ayez correctement décrypté ses intentions ne fait aucune différence à présent, dit froidement le diplomate. Si vous voulez bien m'excuser, j'ai des lettres à écrire.

Et il quitta la pièce.

Laurence renonça et alla plutôt saluer Téméraire ; hélas, sa culpabilité et sa détresse ne firent qu'augmenter lorsqu'il décela dans les manières du dragon une excitation presque furtive, une véritable impatience à partir. Hammond avait raison : les cajoleries d'un enfant n'étaient rien face aux dangers de la fréquentation de Qian et des Impériaux, quelque tortueuses que fussent les intentions de Yongxing, quelque sincères celles de Qian ; il avait simplement moins de bonnes raisons, honnêtement, de se plaindre de Qian.

Téméraire ne reviendrait pas avant plusieurs heures, mais la résidence étant petite et les chambres uniquement séparées par des cloisons en papier de riz, la présence furibonde de Hammond était presque palpable à l'intérieur. Si bien que Laurence demeura dans le pavillon après le départ du dragon, à s'occuper de sa propre correspondance : une activité bien futile, car il y avait cinq mois qu'il n'avait plus reçu aucune lettre et il ne s'était pas produit grand-chose d'intéressant depuis le dîner de bienvenue, lequel remontait maintenant à deux semaines ; il n'avait pas l'intention d'aborder le sujet de sa querelle avec Hammond.

Somnolant sur son écritoire, il s'ébroua brusquement quand Sun Kai se pencha sur lui pour le secouer :

— Réveillez-vous, capitaine Laurence, ordonna-t-il.

— Je vous demande pardon ; qu'y a-t-il ? demanda machinalement Laurence, avant d'écarquiller de grands yeux : Sun Kai venait de s'exprimer dans un excellent anglais, avec un accent plus proche de l'italien que du chinois. Grand Dieu, vous saviez parler anglais depuis le début ? s'exclama-t-il, se remémorant les innombrables occasions où Sun Kai s'était tenu sur le pont d'envol, entendant toutes leurs conversations, dont il apparaissait désormais qu'il comprenait le moindre mot.

— Je n'ai pas le temps de vous expliquer maintenant, dit Sun Kai. Vous devez me suivre immédiatement : des hommes vont venir pour vous tuer, ainsi que vos compagnons.

Il était presque cinq heures, et le lac et les arbres, cernés par les portes du pavillon, prenaient une couleur dorée à l'approche du soir ; les oiseaux chantaient par intervalles dans les poutres sur lesquelles ils étaient perchés. Cette déclaration, émise sur un ton parfaitement calme, était si insolite que Laurence ne la comprit pas immédiatement ; puis il se dressa en s'insurgeant :

— Je n'irai nulle part en réponse à une telle menace, avec si peu d'explications, dit-il. Granby ! appela-t-il d'une voix forte.

— Tout va bien, monsieur ? s'enquit Blythe, qui s'affairait dans la cour attenante, en passant la tête par la porte alors même que Granby arrivait au pas de course.

— Monsieur Granby, il nous faut, semble-t-il, nous attendre à une attaque, l'informa Laurence. Comme cette résidence ne se prête guère à la défense, nous nous installerons dans le petit pavillon sud, avec le bassin intérieur. Placez une sentinelle et faites changer les pierres de tous nos pistolets.

— Entendu, dit Granby, qui fila aussitôt.

Blythe, avec son flegme habituel, ramassa les sabres d'abordage qu'il était en train d'affûter et en tendit un à Laurence avant d'empaqueter les autres et de les emporter jusqu'au pavillon.

Sun Kai secoua la tête.

— C'est de la folie, dit-il en suivant Laurence. La plus dangereuse de toutes les bandes de *hunhun* se dirige par ici. J'ai un bateau qui nous attend ; vous avez encore le temps de réunir vos hommes et vos affaires et de vous enfuir.

Laurence inspecta l'entrée du pavillon ; ainsi qu'il s'en souvenait, ses colonnes étaient en pierre et non en bois, de près de deux pieds de diamètre, très résistantes, et les murs, en briques grises sous une couche de peinture rouge. Le toit était en bois, ce qui était bien regrettable, mais il se dit que les tuiles vernies ne s'enflammeraient pas facilement.

— Blythe, voulez-vous voir s'il est possible d'arranger une sorte de muret pour le lieutenant Riggs et ses fusiliers avec ces pierres dans le jardin ? Aidez-le, Willoughby, s'il vous plaît ; merci.

Se retournant, il dit à Sun Kai :

— Monsieur, vous ne m'avez pas dit où vous comptiez m'emmener, ni qui sont ces assassins, ni qui les a envoyés, et encore moins fourni la moindre raison de vous faire confiance. Vous nous avez bien trompés quant à votre connaissance de l'anglais. Quelles peuvent être les raisons de votre revirement, je l'ignore, mais, après le traitement que nous avons reçu, je n'ai nullement l'intention de m'en remettre à vous.

Hammond, l'air confus, arriva sur ces entrefaites avec le reste des hommes, et il s'approcha en saluant Sun Kai en chinois.

— Puis-je demander de quoi il retourne ? s'enquit-il avec raideur.

— Sun Kai est venu m'annoncer une nouvelle tentative d'assassinat, répondit Laurence. Voyez si vous parvenez à lui arracher plus de précisions ; dans l'intervalle, il me faut considérer que nous allons essuyer un assaut très prochainement, et j'ai des dispositions à prendre. Il parle parfaitement anglais, ajouta-t-il. Inutile de recourir au chinois.

Il laissa Sun Kai en compagnie d'un Hammond visiblement abasourdi, pour rejoindre Riggs et Granby dans l'entrée.

— Si nous pouvions percer quelques meurtrières dans cette façade, nous pourrions abattre quiconque essayerait de s'approcher, dit Riggs en tapotant les briques. Sinon, monsieur, le mieux serait d'ériger une barricade au milieu de la pièce, et de tirer au fur et à mesure qu'ils entreront ; mais dans ce cas, impossible de poster des hommes avec des sabres à l'entrée.

— Installez votre barricade, dit Laurence. Monsieur Granby, obstruez cette porte dans la mesure du possible, afin qu'on ne puisse pas y entrer à plus de trois ou quatre de front ; nous disposerons le reste des hommes de part et d'autre, hors de la ligne de tir, et tiendrons la porte au pistolet et au sabre d'abordage pendant que M. Riggs et ses hommes rechargeront.

Granby et Riggs hochèrent la tête.

— Le plan est bon, approuva Riggs. Nous avons un fusil de trop, monsieur ; vous nous seriez utile derrière la barricade.

La manœuvre était transparente, et Laurence la traita avec le mépris qu'elle méritait.

— Utilisez-le pour un deuxième tir chaque fois que vous le pourrez ; nous ne saurions nous permettre de gaspiller nos fusils entre d'autres mains que celles d'un tireur de métier.

Keynes arriva en trébuchant sous le poids d'un panier de draps, surmonté de trois magnifiques vases en porcelaine récupérés dans la résidence.

— D'ordinaire, mes patients sont un peu plus grands que vous, dit-il, mais je pourrai toujours bander les plaies et réduire les fractures. Je serai derrière, au bord du bassin. Et j'ai apporté cela pour transporter de l'eau, ajouta-t-il, sardonique, en indiquant les vases d'un coup de menton. J'imagine que chacune de ces pièces rapporterait au moins cinquante livres à la vente aux enchères, alors, que ce soit une incitation à ne pas les lâcher.

— Roland, Dyer ; lequel de vous deux recharge le plus rapidement ? demanda Laurence. Très bien ; vous aiderez tous les deux M. Riggs pour les trois premières salves, après quoi, Dyer ira prêter main-forte à M. Keynes et fera la navette avec les brocs à eau dans la limite de ses disponibilités.

— Laurence, dit Granby à mi-voix lorsque les autres furent partis, je ne vois aucun garde nulle part, alors que c'est habituellement l'heure où ils patrouillent ; on a dû les appeler autre part.

Laurence acquiesça en silence et le renvoya au travail.

— Monsieur Hammond, vous prendrez place derrière la barricade, ordonna-t-il en voyant s'approcher le diplomate en compagnie de Sun Kai.

— Capitaine Laurence, je vous supplie de m'écouter, lui dit Hammond d'une voix pressante. Nous ferions mieux de partir sur-le-champ avec Sun Kai. Ces assaillants qui vont venir sont de jeunes bandits, issus d'une tribu tartare, que la pauvreté et le manque d'occupation ont précipités dans une sorte de brigandage local ; et il se peut qu'ils soient fort nombreux.

— Auront-ils de l'artillerie ? demanda Laurence, sans prêter attention à cette tentative de persuasion.

— Des canons ? Non, bien sûr que non, dit Sun

Kai… Ils n'ont même pas de mousquets, mais quelle importance ? Ils seront peut-être une centaine, voire davantage, et il se raconte que certains d'entre eux auraient étudié en secret le *Shaolin quan*, bien que ce soit contraire à la loi.

— Et certains pourraient bien être apparentés, fût-ce de très loin, à l'empereur, ajouta Hammond. Si nous devions en tuer un, cela pourrait facilement lui donner prétexte à s'offenser et à nous chasser du pays ; vous voyez qu'il nous faut partir tout de suite.

— Monsieur, accordez-nous quelques instants en privé, dit sèchement Laurence à Sun Kai.

L'émissaire ne discuta pas, mais se contenta d'incliner la tête en silence avant de s'éloigner.

— Monsieur Hammond, dit Laurence en se tournant vers le diplomate, vous m'avez vous-même mis en garde contre toute tentative de me séparer de Téméraire. Réfléchissez : s'il devait revenir ici et découvrir que nous étions partis, sans explication et en emportant tous nos bagages, comment pourrait-il nous retrouver ? Peut-être même se laisserait-il convaincre qu'on nous a offert un traité et que nous l'avons abandonné délibérément, ainsi que Yongxing souhaitait que je le fasse.

— En quoi la situation sera-t-elle meilleure s'il revient et vous trouve mort, et nous tous avec vous ? s'impatienta Hammond. Sun Kai nous a déjà donné des raisons de lui faire confiance.

— J'accorde moins de poids que vous à un avis sans conséquence, monsieur, et plus à un long mensonge par omission ; il nous espionne incontestablement depuis le premier jour, dit Laurence. Non, nous n'irons pas avec lui. Téméraire sera de retour dans quelques heures, et je suis certain que nous pouvons tenir le temps qu'il faudra.

— À moins qu'ils n'aient trouvé un moyen de le distraire et de prolonger sa visite, fit valoir Hammond. Si le gouvernement chinois avait l'intention de nous séparer de lui, il aurait pu le faire par la force à n'importe quel moment durant son absence. Je suis sûr que Sun Kai pourra lui faire parvenir un message à la résidence de sa mère dès que nous serons en sécurité.

— Dans ce cas, qu'il l'envoie dès maintenant, s'il le souhaite, dit Laurence. Vous êtes libre de partir avec lui.

— Non, monsieur, dit Hammond, en rougissant, puis il tourna les talons pour aller parler à Sun Kai.

L'émissaire secoua la tête, puis partit, et Hammond alla prendre un sabre d'abordage sur la pile.

Ils travaillèrent encore pendant un quart d'heure, roulant à l'intérieur trois des gros rochers aux formes étranges afin de constituer la barricade des fusiliers, et traînant l'énorme divan pour dragon devant l'entrée pour l'obstruer en partie. Le soleil était couché, maintenant, mais on ne vit pas les lanternes habituelles apparaître dans l'île, et il n'y avait pas le moindre signe de présence humaine.

— Monsieur ! siffla soudain Digby en pointant le doigt. À deux points sur tribord, derrière les portes de la maison.

— Écartez-vous de l'entrée, dit Laurence (il ne voyait rien dans le crépuscule, mais les jeunes yeux de

Digby étaient meilleurs que les siens). Willoughby, mouchez cette lumière.

Le léger cliquetis des fusils qu'on chargeait, l'écho de son propre souffle à ses oreilles, le bourdonnement continu des mouches et des moustiques à l'extérieur furent les seuls bruits qu'il perçut, au début, jusqu'à ce que l'habitude les filtrât et qu'il entendît un trottinement à l'extérieur, produit par de très nombreux pieds, songea-t-il. Subitement, on entendit un craquement de bois, des cris.

— Ils ont pénétré dans la maison, monsieur, murmura Hackley d'une voix rauque depuis la barricade.

— Silence, là-bas, ordonna Laurence, et ils continuèrent à monter la garde dans un silence vigilant tandis que des bruits de meubles fracassés et de verre brisé leur parvenaient de la maison.

La lueur de plusieurs torches jeta des ombres dans le pavillon, qui dansaient et se recoupaient selon des angles étranges ; la fouille commençait. Laurence entendit des hommes s'interpeller dehors, avec des cris qui résonnaient sous l'avant-toit. Il jeta un coup d'œil par-dessus son épaule ; Riggs acquiesça, et les trois fusiliers épaulèrent.

Le premier homme apparut dans l'entrée et découvrit le canapé pour dragon qui l'obstruait.

— Il est à moi ! fit Riggs à haute voix.

Puis il tira : le Chinois s'écroula raide mort, la bouche ouverte pour crier.

Mais la détonation déclencha d'autres cris à l'extérieur, et des hommes firent irruption dans l'entrée, épées et torches à la main ; une salve crépita, tuant trois hommes de plus, puis un ultime coup avec le dernier fusil, et Riggs lança :

— Rechargez !

Voir leurs compagnons fauchés en quelques instants arrêta le gros des assaillants, qui se pressaient dans l'ouverture étroite. Aux cris de « Téméraire ! » et « Angleterre ! », les aviateurs jaillirent de l'ombre et les engagèrent au corps à corps.

L'éclat des torches leur blessait les yeux après la longue attente dans le noir, et la fumée du bois se mêlait à celle des fusils. La place manquait pour se battre vraiment ; ils se contentèrent de lier leurs épées, sauf lorsque l'arme d'un des Chinois se brisa – dégageant une odeur de rouille – et seuls quelques hommes tombèrent. Pour le reste, ils s'efforçaient simplement d'endiguer la pression de plusieurs douzaines de corps cherchant à forcer le passage par l'ouverture étroite.

Digby, trop fluet pour être d'une grande utilité dans ce rempart humain, décochait des coups de sabre aux assaillants entre leurs jambes, leurs bras, le moindre espace disponible.

— Mes pistolets ! lui cria Laurence.

Il n'avait aucune possibilité de les sortir lui-même : il tenait son sabre à deux mains, une sur la poignée et l'autre sur le dos de la lame, bloquant trois hommes. Ces derniers étaient si serrés qu'ils ne pouvaient pas s'écarter pour le frapper, mais seulement lever et abattre leurs armes en ligne droite, tâchant de briser sa lame sous leur poids.

Digby sortit l'un des pistolets de son étui et fit feu,

atteignant entre les deux yeux l'homme qui se trouvait directement face à Laurence. Ses compagnons eurent un mouvement de recul involontaire, et Laurence réussit à en poignarder un dans le ventre, puis saisit le troisième par le bras qui tenait l'épée et le jeta au sol ; Digby lui plongea son sabre dans le dos, et l'autre ne bougea plus.

— En joue ! cria Riggs à l'arrière.

Et Laurence rugit :

— Dégagez la porte !

Il entailla l'adversaire de Granby à la tête, le faisant reculer, et tous s'écartèrent précipitamment, en glissant sur les dalles déjà poissées de sang. Quelqu'un lui fourra un cruchon d'eau entre les mains ; il but deux gorgées et le fit passer, en s'essuyant la bouche et le front contre sa manche. Trois détonations éclatèrent ensemble, puis deux autres ; et ils se jetèrent de nouveau dans la mêlée.

Les assaillants avaient appris à craindre les fusils, et dégagé un petit espace autour de la porte, fourmillant à quelques pas sous les torches. Ils remplissaient quasiment toute la cour devant le pavillon ; Sun Kai n'avait pas exagéré dans son estimation. Laurence abattit un homme à six pas, puis empoigna son pistolet par le canon ; lorsqu'ils se ruèrent à l'assaut, il en assomma un d'un coup de crosse sur la tempe, et se retrouva une fois de plus en train de contenir la pression des épées, jusqu'à ce que Riggs ordonnât de mettre en joue.

— Joli travail, messieurs, dit Laurence en reprenant son souffle.

Les Chinois avaient battu en retraite en entendant

l'ordre et ne se trouvaient pas immédiatement devant la porte ; Riggs avait suffisamment d'expérience pour retenir la salve jusqu'à ce qu'ils avancent de nouveau.

— Pour l'instant, nous avons l'avantage. Monsieur Granby, nous allons nous répartir en deux groupes. Restez en arrière lors de la prochaine vague, puis nous alternerons. Therrows, Willoughby, Digby, avec moi ; Martin, Blythe et Hammond, avec Granby.

— Je peux aller avec les deux, monsieur, dit Digby. Je ne suis pas fatigué du tout, vraiment ; cela représente moins d'effort pour moi, puisque je ne peux pas vous aider à les repousser.

— Très bien, mais assurez-vous de boire entre deux assauts, et restez en arrière de temps en temps. Ils sont bougrement nombreux, ainsi que vous avez tous pu le voir, dit Laurence en toute candeur. Néanmoins notre position est solide, et je ne doute pas que nous puissions les retenir aussi longtemps que nécessaire, tant que nous resterons bien organisés.

— Et allez voir Keynes pour vous faire panser si vous êtes blessé. Nous ne pouvons pas nous permettre de perdre un homme qui se viderait de son sang, ajouta Granby, approuvé par Laurence. Appelez, et l'on viendra vous remplacer dans la ligne.

La clameur de nombreuses voix fébriles s'éleva soudain à l'extérieur, comme les hommes se donnaient du courage pour affronter la salve, puis on entendit un martèlement de pieds et Riggs cria :

— Feu !

Les bandits se ruèrent à l'assaut une fois de plus.

Le combat à la porte devint plus difficile, avec

moins d'hommes, mais l'ouverture était suffisamment étroite pour qu'ils pussent résister malgré tout. Les cadavres s'empilaient par deux ou trois, formant un obstacle macabre que certains assaillants étaient obligés d'enjamber pour combattre. Le rechargement des fusils parut prendre une éternité, simple illusion ; Laurence fut soulagé de pouvoir souffler quand la salve suivante fut enfin prête. Il s'adossa contre le mur, but à même le vase ; il avait les bras et les épaules douloureux, et les genoux également.

— Est-il vide, monsieur ? s'inquiéta Dyer.

Laurence lui tendit le vase : le cadet partit au petit trot vers le bassin, à travers le nuage de fumée qui masquait le centre de la pièce ; les volutes s'élevaient lentement, vers le vide caverneux du plafond.

Une fois encore, les Chinois ne se ruèrent pas immédiatement contre la porte, face à la salve qui les attendait. Laurence se recula un peu dans le pavillon et jeta un coup d'œil à l'extérieur, pour voir s'il pouvait distinguer quelque chose au-delà de la ligne d'affrontement. Mais les torches l'éblouissaient : il ne vit que des ténèbres impénétrables derrière la première rangée de visages scintillants braqués sur l'entrée, enflammés par la tension guerrière. Le temps lui semblait long ; il regrettait le sablier du vaisseau et le tintement régulier de la cloche. Il avait dû s'écouler une heure ou deux, déjà ; Téméraire ne tarderait plus.

Une clameur soudaine monta de l'extérieur, suivie d'applaudissements. Sa main se posa machinalement sur la poignée de son sabre ; la salve partit en crépitant.

— Pour l'Angleterre et pour le roi ! cria Granby en jetant son groupe dans la mêlée.

Mais les bandits s'écartèrent de part et d'autre, laissant Granby et ses hommes indécis dans l'entrée. Laurence se demanda s'ils n'avaient pas un canon, en fin de compte. Au lieu de quoi, un homme se précipita vers eux le long de l'allée, seul, comme s'il avait l'intention de se jeter sur leurs sabres : ils l'attendirent de pied ferme. À trois pas de distance, il s'élança dans les airs, prit appui sur le côté de la colonne et bondit littéralement par-dessus leurs têtes, puis plongea et se reçut joliment en un roulé-boulé sur le sol de pierre.

La manœuvre défiait la gravité, plus que toute autre acrobatie dont Laurence eût jamais été témoin ; un bond de dix pieds dans les airs, sans autre impulsion que celle de ses propres jambes ! L'homme se releva aussitôt, indemne, dans le dos de Granby désormais, tandis que la principale vague d'assaut chargeait de plus belle.

— Therrows, Willoughby ! gronda Laurence aux hommes de son groupe, inutilement : ils s'élançaient déjà.

L'homme n'avait aucune arme, mais son agilité dépassait l'entendement ; il bondit hors de portée de leurs sabres d'une manière qui les fit passer pour des partenaires de spectacle plutôt que pour de vrais adversaires résolus à l'éliminer ; et, de là où il se trouvait, Laurence vit qu'il les entraînait peu à peu en avant, vers Granby et ses hommes, où leurs lames ne pourraient que représenter un danger pour leurs camarades.

Laurence empoigna son pistolet et le dégaina ; ses

mains suivirent la séquence apprise par cœur malgré l'obscurité et le tumulte ; dans sa tête, il entendait le chant de l'exercice aux longs canons, si exactement semblable. Écouvillonner le canon avec un chiffon, deux fois, puis armer le chien à demi ; après quoi il tâtonna dans sa poche de hanche à la recherche de la cartouche en papier.

Therrows poussa un hurlement soudain et s'écroula, en se tenant le genou. Willoughby tourna la tête pour regarder ; il tenait son sabre de manière défensive, au niveau de sa poitrine, mais ce bref instant d'inattention suffit au Chinois pour sauter à une hauteur impossible et le frapper en pleine mâchoire avec les deux pieds. Son cou fit un bruit épouvantable en se brisant ; il décolla à un pouce au-dessus du sol, bras écartés, puis s'effondra en tas, la tête roulant sur le côté. Le Chinois retomba au sol, atterrit sur l'épaule, roula adroitement en arrière et se retourna vers Laurence.

Les mains de Laurence continuaient à s'activer : déchirer la cartouche de poudre noire avec ses dents – il sentit quelques grains rouler sur sa langue, comme du sable amer ; verser la poudre dans le canon, puis la balle ronde en plomb, le papier en guise de bourre, et enfin un bon coup d'écouvillon pour tasser le tout. Sans prendre le temps de vérifier l'amorce, il braqua le pistolet et fit sauter la cervelle de l'homme qui n'était plus qu'à une longueur de bras.

Laurence et Granby traînèrent Therrows derrière tandis que les Chinois reculaient avant la prochaine salve. Il sanglotait doucement, tenant sa jambe flasque.

— Je suis désolé, monsieur, répétait-il d'une voix étranglée.

— Pour l'amour du ciel, cessez de geindre, jeta sèchement Keynes lorsqu'ils lui amenèrent le blessé.

Il gifla Therrows avec un manque de sympathie évident. Le jeune homme déglutit, mais se tut, et s'essuya hâtivement le visage d'un revers de manche.

— La rotule est brisée, annonça Keynes après un moment. La fracture a l'air propre, mais il ne se lèvera pas avant un mois.

— Allez trouver Riggs quand on vous aura mis votre attelle, et aidez-les à recharger, dit Laurence à Therrows.

Puis Granby et lui retournèrent à l'intérieur au pas de course.

— Nous allons nous reposer à tour de rôle, dit Laurence, en s'agenouillant auprès des autres. Hammond, vous d'abord ; allez dire à Riggs de garder en permanence un fusil chargé sous la main, au cas où ils tenteraient de nous envoyer un deuxième gaillard du même acabit.

Hammond cherchait visiblement son souffle, les joues empourprées ; il hocha la tête et dit d'une voix rauque :

— Laissez-moi vos pistolets, je les rechargerai.

Blythe, qui buvait dans le vase, s'étrangla brusquement, cracha comme une fontaine et beugla un « Jésus Marie Joseph ! » qui fit sursauter tout le monde. Laurence regarda partout comme un fou : un poisson rouge de deux doigts de long se tortillait sur les dalles dans une flaque d'eau.

— Désolé, souffla Blythe, hors d'haleine. J'ai senti ce coquin tressauter dans ma bouche.

Laurence le dévisagea, puis Martin se mit à rire, et pendant un moment ils échangèrent tous de grands sourires ; puis les fusils crépitèrent, et ils repartirent à la porte.

Les assaillants n'essayèrent pas d'incendier le pavillon, ce qui surprit Laurence ; ils avaient des torches en abondance, et le bois ne manquait pas sur l'île. Ils tentèrent bien de les enfumer, en construisant de petits feux de part et d'autre de l'entrée, sous l'avant-toit, mais, par un effet de la conception du bâtiment ou simplement grâce au vent, un courant d'air emportait la fumée vers le haut, directement à travers le toit de tuiles jaunes. C'était désagréable, mais pas mortel, et l'air restait frais à côté du bassin. Celui dont c'était le tour de se reposer retournait là-bas, boire et se nettoyer les poumons, pendant que les petites plaies qu'ils commençaient tous à accumuler étaient tartinées d'onguent ou pansées lorsqu'elles saignaient encore.

Les bandits apportèrent un bélier, un arbre fraîchement abattu qui avait encore ses branches et ses feuilles, mais Laurence ordonna :

— Laissez-les venir et tranchez-leur les jambes.

Les porteurs se jetèrent au-devant des lames avec un grand courage, tâchant de forcer le passage, mais les trois marches qui menaient à la porte du pavillon suffirent à briser leur élan. Plusieurs de ceux qui venaient en tête tombèrent, le mollet entaillé jusqu'à l'os, pour être battus à mort à coups de crosse de pistolet, puis l'arbre lui-même bascula en avant et stoppa leur progression. Il y eut quelques instants frénétiques où les Britanniques tailladèrent les branches, afin de dégager la vue à l'intention des fusiliers. Quand enfin la salve suivante fut plus que prête, les assaillants renoncèrent.

Ensuite, la bataille prit une sorte de rythme macabre. Chaque salve était suivie d'une pause de plus en plus longue ; visiblement, les Chinois étaient démoralisés par leur incapacité à franchir le modeste barrage britannique, ainsi que par l'épouvantable massacre qu'ils subissaient. Chaque balle trouvait sa cible. Riggs et ses hommes étaient entraînés à tirer depuis le dos d'un dragon, évoluant à une trentaine de nœuds au cœur de la bataille ; à moins de trente yards de l'entrée, ils pouvaient difficilement mettre à côté. C'était un combat âpre, laborieux, où chaque minute semblait durer cinq fois plus longtemps ; Laurence commença à compter le temps en termes de salves.

— Nous ferions mieux de nous limiter à trois coups par salve à partir de maintenant, monsieur, lui dit Riggs en toussant, lorsque Laurence vint s'agenouiller près de lui pour lui parler lors de sa pause. Cela les retiendra tout autant, maintenant qu'ils y ont goûté, et bien que j'aie apporté toutes les cartouches en notre possession, nous ne sommes pas une foutue infanterie. J'ai chargé Therrows de nous en préparer d'autres, mais il nous reste tout juste assez de poudre pour une trentaine de coups, je crois.

— Il faudra que cela suffise, dit Laurence. Nous tâcherons de les retenir plus longtemps entre chaque salve. Commencez à laisser souffler vos hommes à tour de rôle, également.

Il vida sa propre boîte de cartouches ainsi que celle de Granby sur la pile commune : sept coups de plus seulement, mais cela signifiait deux salves supplémentaires au moins, et les fusils avaient plus d'efficacité que les pistolets.

Il s'aspergea le visage au bassin, souriant un peu aux poissons rouges qu'il apercevait plus clairement maintenant – peut-être ses yeux s'habituaient-ils à l'obscurité. Son foulard était trempé de sueur ; il l'ôta et le tordit au-dessus des pierres, mais ne put se résoudre à le remettre. Il le rinça, l'étala pour le laisser sécher, puis s'empressa de regagner son poste.

Un autre laps de temps s'écoula ; les visages des assaillants devenaient flous et indistincts. Laurence luttait pour repousser deux hommes, épaule contre épaule avec Granby, lorsqu'il entendit dans son dos Dyer crier d'une voix flûtée : « Capitaine ! Capitaine ! » Il ne se retourna pas pour regarder ; ce n'était pas le moment de faire une pause.

— Je m'occupe d'eux, haleta Granby.

Il décocha un grand coup de botte dans les parties intimes de l'homme en face de lui, puis croisa le fer avec l'autre, et Laurence put se dégager et se retourner vivement.

Deux hommes ruisselants se dressaient au bord du bassin, et un troisième était en train de se hisser hors de l'eau : d'une manière ou d'une autre, ils avaient trouvé le conduit qui alimentait le bassin et réussi à le remonter à la nage afin de franchir le mur. Keynes gisait sur le sol, immobile ; Riggs et ses fusiliers accouraient en rechargeant frénétiquement. Hammond, dont c'était le tour de repos, repoussait les deux hommes vers le bassin à grands coups de sabre, mais il n'avait guère de technique : ses adversaires tenaient des couteaux, et passeraient sous sa garde d'un instant à l'autre.

Le petit Dyer saisit l'un des grands vases et le lança, plein d'eau, sur l'homme muni d'un couteau qui se penchait au-dessus de Keynes ; le récipient se brisa contre son crâne et l'étendit au sol, étourdi, glissant dans l'eau. Roland, qui arrivait en courant, rafla au passage la tenaille de Keynes et en planta le bout crochu dans la gorge du malheureux avant que ce dernier n'eût le temps de se relever ; un jet de sang jaillit de l'artère sectionnée, entre ses doigts impuissants.

D'autres hommes émergeaient du bassin.

— Feu à volonté, cria Riggs, et trois d'entre eux tombèrent, l'un d'eux abattu alors que seule sa tête dépassait de l'eau, s'enfonçant sous la surface au milieu d'un nuage de sang.

Laurence se porta au secours de Hammond, et ensemble ils rejetèrent ses deux adversaires à l'eau ; tandis que Hammond continuait de frapper à l'aveuglette, Laurence en larda un avec la pointe de son sabre, et assomma l'autre avec le pommeau ; il s'écroula dans l'eau, inconscient, la bouche ouverte, et des bulles s'échappèrent à profusion de ses lèvres.

— Repoussez-les dans l'eau, dit Laurence. Nous devons bloquer le passage.

Il sauta dans le bassin, poussant les corps contre le courant ; il sentait une pression énorme de l'autre côté – d'autres assaillants s'efforçaient de passer.

— Riggs, ramenez vos hommes devant et soulagez Granby, ordonna-t-il. Hammond et moi pouvons suffire ici.

— Je peux aider, moi aussi, dit Therrows, qui s'approcha en boitillant.

C'était un grand gaillard, et lorsqu'il s'assit sur le bord du bassin, il repoussa la masse des corps avec sa jambe valide.

— Roland, Dyer, voyez s'il y a quelque chose à faire pour Keynes, lança Laurence par-dessus son épaule.

Ne recevant pas de réponse immédiate, il se retourna et vit les deux cadets en train de vomir silencieusement dans un coin.

Roland s'essuya la bouche et se releva ; elle ressemblait à un poulain nouveau-né tremblant sur ses jambes.

— À vos ordres, monsieur, dit-elle.

Dyer et elle trottinèrent jusqu'à Keynes. Il gémit quand ils le retournèrent : son front saignait abondamment au-dessus du sourcil, mais il ouvrit des yeux hagards tandis qu'ils le bandaient.

La pression faiblit de l'autre côté de la masse des corps, puis cessa graduellement ; derrière eux, les fusils parlèrent encore et encore à une cadence subitement accrue, Riggs et ses hommes tirant presque à la vitesse de manteaux rouges. Quand il voulut jeter un coup d'œil par-dessus son épaule, Laurence ne vit qu'un nuage de fumée.

— Therrows et moi nous débrouillerons. Allez-y ! souffla Hammond.

Laurence acquiesça et se hissa hors du bassin. Ses bottes pleines d'eau étaient plus lourdes que des pierres ; il dut s'arrêter et les vider avant de pouvoir regagner l'entrée au pas de course.

À son arrivée, la fusillade s'interrompit : la fumée était si dense, quoique étrangement claire, que l'on ne pouvait rien distinguer à travers, hormis le monceau de cadavres à leurs pieds. Ils attendirent un moment tandis que Riggs et ses hommes rechargeaient lentement, les doigts tremblants. Puis Laurence s'avança en s'appuyant sur la colonne pour garder l'équilibre : partout, l'on marchait sur des morts.

Ils sortirent de la fumée en clignant des yeux dans la lumière du petit matin. Dans la cour, une nuée de corbeaux perchés sur les cadavres prirent peur et s'envolèrent au-dessus du lac avec des cris rauques. Il n'y avait plus personne en vue : le reste des assaillants avaient fui. Martin tomba brusquement sur les genoux, faisant tinter bruyamment son sabre sur les dalles ; Granby voulut l'aider et finit par tomber lui aussi. Laurence trouva un banc de bois à tâtons avant que ses propres jambes ne se dérobent et s'y effondra sans s'inquiéter de le partager avec un mort – un jeune homme au visage lisse avec un filet de sang coagulé au coin des lèvres et une grande tache rouge autour de la blessure par balle dans sa poitrine.

On ne voyait aucun signe de Téméraire. Il n'était pas venu.

15

Sun Kai les retrouva ainsi plus morts que vifs, une heure plus tard ; il pénétra prudemment dans la cour, venant du quai à la tête d'un petit groupe d'hommes armés, une dizaine environ, en uniforme de gardes officiels, contrairement aux bandits vêtus de haillons. Les feux destinés à les enfumer s'étaient éteints tout seuls, faute de combustible ; les Britanniques étaient en train de traîner les corps à l'ombre, afin d'en retarder la décomposition.

Tous étaient à moitié aveugles, abrutis de fatigue, et ne purent offrir aucune résistance ; incapable de justifier l'absence de Téméraire et ne sachant que faire d'autre, Laurence se laissa entraîner jusqu'au bateau, puis dans un palanquin moelleux dont les rideaux se refermèrent autour de lui. Il s'endormit instantanément sur les coussins brodés, en dépit des cahots et des cris des porteurs, et n'eut plus conscience de rien jusqu'à ce que le palanquin s'immobilise et qu'on le secoue pour le réveiller.

— Passons à l'intérieur, lui dit Sun Kai, en le tirant pour l'aider à se lever.

Hammond, Granby et le reste de leur groupe

émergeaient d'autres chaises à porteurs derrière lui, dans le même état d'hébétude et d'épuisement. Laurence gravit machinalement quelques marches à la suite de son hôte et pénétra dans une maison divinement fraîche, où flottait un parfum d'encens ; puis il emprunta un long couloir étroit jusqu'à une pièce donnant sur un jardin intérieur. C'est alors qu'il s'élança et bondit par-dessus la rambarde de la terrasse : Téméraire se trouvait étendu dans la cour, endormi sur les dalles.

— Téméraire ! appela Laurence en s'approchant.

Sun Kai poussa une exclamation en chinois et le rattrapa en courant, lui retenant le bras à l'instant où il allait toucher le flanc de Téméraire ; le dragon leva la tête, les dévisagea d'un air curieux, et Laurence ouvrit de grands yeux : ce n'était pas du tout Téméraire.

Sun Kai essaya d'entraîner Laurence au sol, en s'agenouillant lui-même ; Laurence se dégagea d'une secousse, ne gardant l'équilibre qu'à grand-peine. C'est alors qu'il remarqua, assis sur un banc, un jeune homme d'une vingtaine d'années, vêtu d'une élégante robe de soie jaune foncé brodée de dragons.

Hammond, qui avait suivi Laurence, le tira par la manche.

— Pour l'amour de Dieu, murmura-t-il, agenouillez-vous. Il doit s'agir du prince Mianning, le prince héritier.

Lui-même mit les deux genoux au sol et pressa le front par terre, ainsi que le faisait Sun Kai.

Laurence les contempla stupidement, regarda le jeune homme, hésita ; puis il s'inclina profondément, jusqu'à la taille : il était mortellement certain de ne pas pouvoir plier un genou sans tomber aussitôt sur les deux, ou, plus ignominieusement, face contre terre, et il n'était toujours pas résolu à accomplir la génuflexion en présence de l'empereur, encore moins devant le prince.

Ce dernier ne parut pas s'en offenser, mais s'adressa en chinois à Sun Kai ; celui-ci se releva très lentement, imité par Hammond.

— Il dit que nous pouvons nous reposer en sécurité ici, traduisit Hammond pour Laurence. Je vous supplie de le croire, monsieur ; il n'a aucun besoin de nous mentir.

À quoi Laurence répondit :

— Voulez-vous lui demander où est Téméraire ? (Hammond jeta un regard déconcerté vers l'autre dragon.) Ce n'est pas lui. C'est un autre Céleste, mais ce n'est pas Téméraire.

Sun Kai intervint :

— Lung Tien Xiang s'est retiré dans le pavillon du Printemps Éternel. Un messager ira le prévenir dès qu'il en sortira.

— Va-t-il bien ? s'inquiéta Laurence, sans chercher à trouver un sens à tout cela : son principal souci était de comprendre ce qui avait pu retenir Téméraire.

— Il n'y a aucune raison de penser le contraire, répondit Sun Kai, d'une manière quelque peu évasive.

Laurence ne savait pas comment insister davantage ; il était trop assommé de fatigue. Mais Sun Kai eut pitié de sa confusion et ajouta, plus gentiment :

— Il va bien. Nous ne pouvons pas interrompre sa

retraite, mais il en sortira aujourd'hui et nous vous l'amènerons à ce moment-là.

Laurence ne comprenait toujours pas, mais ne vit rien d'autre à faire pour le moment.

— Merci, bredouilla-t-il. Remerciez Son Altesse pour son hospitalité, s'il vous plaît, en notre nom à tous ; dites-lui bien que nous lui sommes profondément reconnaissants. Et que j'implore son indulgence pour tout manquement éventuel de notre part au protocole.

Le prince hocha la tête et les congédia d'un geste. Sun Kai les reconduisit sur la terrasse, puis dans leurs chambres, en restant pour les surveiller jusqu'à ce qu'ils se fussent tous écroulés sur les lits en bois dur ; peut-être craignait-il qu'ils ne se relèvent et ne partent à la découverte de la résidence. Laurence faillit en rire ; il s'endormit au milieu de sa pensée.

— Laurence, Laurence, appela Téméraire, très anxieux.

Laurence ouvrit les yeux et vit le dragon passant la tête par les portes de la terrasse, tandis que le ciel s'assombrissait derrière lui.

— Laurence, tu n'es pas blessé ?

Hammond s'était réveillé, et il était tombé de sa couche sous la stupeur de se trouver nez à nez avec Téméraire…

— Oh ! Grand Dieu, fit-il en se relevant péniblement avant de s'asseoir sur le bord de son lit. Je me sens comme un vieillard de quatre-vingts ans avec de la goutte dans les deux jambes.

Laurence eut à peine moins de mal à se redresser lui-même ; chacun de ses muscles s'était raidi durant son sommeil.

— Non, je vais bien, dit-il, en allongeant le bras pour caresser affectueusement le museau de Téméraire et savourer le réconfort de sa présence. Tu n'étais pas malade ?

Il ne voulait pas prendre un ton accusateur, mais parvenait difficilement à imaginer une autre excuse à l'apparente désertion de Téméraire, et ce sentiment transparaissait peut-être dans sa voix ; en tout cas, Téméraire baissa la collerette.

— Non, fit-il misérablement. Non, je ne suis pas malade du tout.

Il n'en dit pas plus et Laurence n'insista pas, conscient de la présence de Hammond : la retenue de Téméraire ne présageait rien de bon concernant ses explications, et Laurence appréhendait suffisamment la discussion qui s'imposait pour éviter qu'elle eût lieu devant le diplomate. Téméraire retira sa tête pour les laisser sortir dans le jardin. Nul bond acrobatique cette fois-ci : Laurence s'extirpa de son lit et enjamba prudemment la rambarde de la terrasse. Hammond, qui le suivait, fut presque incapable de soulever le pied assez haut pour cela, bien que la rambarde fût à peine à deux pieds du sol.

Le prince était parti, mais le dragon, que Téméraire leur présenta sous le nom de Lung Tien Chuan, se trouvait encore là. Il les salua d'un hochement de tête poli, mais sans grand intérêt, puis se remit aussitôt au travail sur un large plateau de sable humide dans lequel il traçait des symboles du bout de la griffe ; il composait de la poésie, expliqua Téméraire.

S'étant incliné devant Chuan, Hammond gémit encore et se laissa tomber sur un tabouret, marmonnant dans sa barbe un chapelet de jurons qu'il avait dû entendre dans la bouche des matelots. L'attitude manquait d'élégance, mais Laurence se sentait enclin à lui pardonner cela et bien davantage, après son comportement de la veille. Il n'aurait jamais cru que le diplomate tiendrait sa place aussi bien, sans entraînement, sans jamais avoir été au feu, et en étant en désaccord complet avec toute l'affaire.

— Si je puis me permettre, monsieur, je vous conseillerais de vous promener un peu dans le jardin au lieu de vous asseoir, dit Laurence. Cela m'a souvent réussi en pareil cas.

— Je suppose que vous avez raison, dit Hammond.

Après quelques inspirations profondes, il se releva, sans repousser la main secourable que lui tendait Laurence, et se mit à marcher, d'abord très lentement. Mais Hammond était jeune : sa démarche était déjà beaucoup plus souple à mi-parcours. Le pire de la douleur étant passé, Hammond retrouva sa curiosité naturelle : tout en poursuivant son tour du jardin, il entreprit d'étudier les dragons de plus près, ralentissant l'allure tandis que son regard passait de l'un à l'autre. La cour était plus longue que large. De grands bambous et quelques sapins plus modestes en occupaient les deux extrémités, laissant le milieu largement dégagé de sorte que les deux dragons se tenaient face à face ; la comparaison était donc facile.

Ils auraient pu être le reflet l'un de l'autre, sans leurs bijoux pour les différencier. Chuan portait une résille d'or drapée autour de son cou en dessous de la collerette, constellée de perles : splendide, mais qui semblait peu appropriée aux exercices violents. Téméraire avait également des cicatrices de guerre, contrairement à Chuan : le nœud d'écailles sur sa poitrine, là où la balle à pointes l'avait atteint plusieurs mois plus tôt, et de nombreuses éraflures reçues à l'occasion d'autres combats. Mais elles se voyaient à peine, et, hormis cela, leur seule différence tenait à une certaine qualité indéfinissable dans la posture et l'expression, que Laurence aurait été bien en peine de décrire de manière adéquate.

— Est-ce le hasard ? dit Hammond. Tous les Célestes sont peut-être parents, mais un tel degré de similitude… Je suis incapable de les distinguer l'un de l'autre.

— Nous sommes issus d'œufs jumeaux, expliqua Téméraire, dressant la tête à cette question. L'œuf de Chuan est sorti le premier, et le mien ensuite.

— Oh ! j'ai été incroyablement lent, dit Hammond, en se laissant tomber sur le banc. Laurence, Laurence… (Son visage irradiait presque de l'intérieur, et il tendit les bras vers Laurence, lui saisit la main et la serra.) Bien sûr, *bien sûr* : ils ne voulaient pas établir un autre prince en tant que rival pour le trône, voilà pourquoi ils ont envoyé l'œuf au loin. Mon Dieu, comme je suis soulagé !

— Monsieur, je ne saurais contester vos conclusions, mais je ne vois pas ce que cela change à notre situation actuelle, avoua Laurence, décontenancé par cet enthousiasme.

— Ne comprenez-vous pas ? dit Hammond. Napoléon n'était qu'un prétexte, parce qu'il est empereur à l'autre bout du monde, aussi loin que possible de leur propre cour. Et moi qui me demandais depuis tout ce temps comment de Guignes avait réussi à les approcher, alors qu'ils me laissent à peine glisser mon nez hors de la porte. Ah ! Les Français n'ont aucune alliance, aucune espèce d'entente avec eux.

— Voilà sans doute une bonne nouvelle, admit Laurence, mais leur insuccès ne me paraît pas améliorer notre position ; il est clair que les Chinois n'ont pas changé d'avis et veulent le retour de Téméraire.

— Non, ne voyez-vous pas ? Le prince Mianning a toutes les raisons de vouloir éloigner Téméraire le plus loin possible, puisqu'il pourrait rendre un autre candidat éligible pour le trône, dit Hammond. Oh ! cela fait toute la différence du monde. Je progressais à tâtons dans le noir ; maintenant que je comprends enfin leurs motivations, tout s'éclaire. Dans combien de temps nous rejoindra l'*Allegiance* ? demanda-t-il soudain en levant les yeux vers Laurence.

— J'en sais trop peu sur les courants et les vents dominants dans la baie de Zhitao pour pouvoir vous fournir une estimation précise, repartit Laurence, pris de court. Une semaine au moins, je pense.

— Par Dieu, je voudrais que Staunton soit déjà là. J'ai un millier de questions, et pas suffisamment de réponses, dit Hammond. Mais au moins puis-je essayer d'obtenir plus d'informations auprès de Sun Kai : il devrait se montrer un peu plus franc, désormais. Je vais partir à sa recherche ; je vous prie de m'excuser.

Là-dessus, il tourna les talons et repassa dans la maison. Laurence le rappela avec un temps de retard :

— Hammond, vos vêtements !

Ses culottes étaient défaites au genou, affreusement tachées de sang, tout comme sa chemise, et ses bas complètement déchirés ; il offrait un bien triste spectacle. Mais trop tard : il était déjà parti.

Laurence se dit que personne ne saurait leur reprocher leur apparence, car ils étaient venus sans leurs bagages.

— Enfin, au moins est-il parti pour une bonne raison ; et nous ne pouvons que nous féliciter de savoir qu'il n'y a pas d'alliance avec la France.

— Oui, reconnut Téméraire sans enthousiasme.

Il était demeuré silencieux presque tout le temps, à broyer du noir allongé dans le jardin. Le bout de sa queue continuait à s'agiter nerveusement au bord du bassin le plus proche, projetant sur les dalles chauffées par le soleil de grosses flaques sombres qui séchaient presque aussi vite qu'elles apparaissaient.

Laurence ne lui demanda pas d'explications immédiatement, même après le départ de Hammond, mais vint s'asseoir près de sa tête. Il espérait de tout son cœur que Téméraire se justifierait spontanément, sans qu'il eût besoin de l'interroger.

— Le reste de mon équipage est-il indemne également ? s'enquit Téméraire après un moment.

Laurence répondit :

— Willoughby a été tué, je suis au regret de te l'apprendre. Quelques autres ont été blessés, mais pas mortellement, Dieu merci.

Téméraire frissonna et émit un petit gémissement funèbre du fond de la gorge.

— J'aurais dû être là. Si j'étais venu, jamais cela n'aurait pu se produire.

Laurence resta silencieux, songeant au malheureux Willoughby : un sacré gâchis.

— Tu as eu grand tort de ne pas nous prévenir, dit-il enfin. Je ne peux pas te tenir pour responsable de la mort de Willoughby. Il a été tué très tôt, avant l'heure où tu aurais dû être de retour. Par ailleurs, je ne crois pas que j'aurais agi différemment si j'avais su que tu ne revenais pas. Mais il est certain que tu as outrepassé ta permission.

Téméraire produisit un autre petit bruit malheureux et dit à voix basse :

— J'ai manqué à mon devoir, n'est-ce pas ? Tout est donc ma faute, et il n'y a rien à ajouter.

— Non, dit Laurence. Si tu nous avais prévenus, je n'aurais vu aucun inconvénient à t'accorder une absence prolongée. Pour être tout à fait juste, tu n'avais pas été officiellement instruit des règles de permission dans les Corps, puisqu'elles n'ont jamais été nécessaires pour un dragon, et il relevait de ma responsabilité de m'assurer que tu les connaisses. Je n'essaie pas de te consoler, ajouta-t-il en voyant Téméraire secouer la tête. Je veux seulement que tu saches bien en quoi tu as eu tort, sans te laisser ronger par une culpabilité mal placée concernant un événement sur lequel tu n'avais aucune prise.

— Laurence, c'est toi qui ne saisis pas, dit Téméraire. J'ai toujours parfaitement compris les règles ; ce n'est pas pour cette raison que je ne vous ai pas prévenus. Je n'avais pas l'intention de m'attarder si longuement. Seulement, je n'ai pas vu le temps passer.

Laurence ne sut que dire. L'idée que Téméraire ne remarque pas l'écoulement d'une nuit et d'un jour, alors qu'il avait toujours eu l'habitude de revenir avant le coucher du soleil, semblait difficile à accepter, sinon impossible. Si un homme lui avait présenté une excuse pareille, Laurence n'aurait pas hésité à le traiter de menteur ; en l'espèce, son silence trahissait ce qu'il en pensait.

Téméraire baissa les épaules et se mit à gratter le sol machinalement, avec un crissement de griffes sur les dalles qui fit lever la tête à Chuan et lui arracha un grognement de protestation. Téméraire cessa, puis, tout d'un coup, déclara :

— J'étais en compagnie de Mei.

— Qui cela ? demanda Laurence d'une voix neutre.

— Lung Qin Mei, répondit Téméraire. C'est une Impériale.

Le choc de la compréhension fut presque comme un coup de poing. Il y avait dans l'aveu de Téméraire un mélange d'embarras, de culpabilité et de fierté confuse qui rendait les choses parfaitement claires.

— Je vois, dit Laurence avec effort, en prenant sur lui comme il ne l'avait jamais fait de sa vie. Eh bien… (Il s'interrompit, et se domina.) Tu es jeune, et… et tu n'avais encore jamais été en compagnie d'une femelle ; tu ne pouvais pas savoir à quel point cela te ferait oublier tout le reste. Je suis heureux de connaître la raison ; c'est au moins une excuse.

Il s'efforça de croire ce qu'il venait de dire, il le croyait ; simplement, il aurait préféré avoir n'importe quel autre motif de pardonner l'absence de Téméraire. En dépit de sa querelle avec Hammond concernant la tentative de Yongxing de le supplanter par un jeune garçon, Laurence n'avait jamais vraiment redouté de perdre l'affection de Téméraire ; il lui était pénible d'apprendre aussi brutalement que, en fin de compte, il avait bel et bien des raisons d'être jaloux.

Ils inhumèrent Willoughby durant les heures grises du petit matin, dans un vaste cimetière en dehors des murs de la ville, où Sun Kai les avait conduits. Il y avait beaucoup de monde pour un lieu funéraire, même aussi grand, avec de nombreuses personnes en petits groupes venues rendre hommage à leurs défunts. L'intérêt de ces visiteurs fut aiguisé par la présence de Téméraire autant que par celle des Occidentaux, et bientôt une véritable procession leur emboîta le pas, en dépit des gardes qui s'efforçaient de repousser les badauds trop curieux.

Mais bien que la foule atteignît rapidement plusieurs centaines de personnes, ces dernières avaient une attitude respectueuse, et observèrent un silence total lorsque Laurence prononça sombrement quelques mots pour le défunt avant de réciter le *Notre Père* avec ses hommes. La tombe était construite au-dessus du sol, en pierre blanche, avec un toit retroussé qui la faisait ressembler aux maisons locales ; elle semblait d'excellente facture, même au regard des mausolées voisins.

— Laurence, si cela n'enfreint pas leurs coutumes, je crois que sa mère apprécierait un dessin, suggéra doucement Granby.

— Oui, j'aurais dû y songer moi-même, dit Laurence. Digby, pensez-vous être en mesure d'improviser quelque chose ?

— S'il vous plaît, permettez-moi de confier ce travail à un artiste, intervint Sun Kai. Je suis honteux de ne pas vous l'avoir proposé plus tôt. Et assurez sa mère que tous les sacrifices appropriés seront faits : un jeune homme de bonne famille a déjà été désigné par le prince Mianning pour accomplir les rites.

Laurence approuva ces arrangements sans chercher à en savoir plus ; Mrs Willoughby était, se souvenait-il, une méthodiste plutôt stricte, et il ne doutait pas qu'elle serait réconfortée de savoir la tombe de son fils élégante et bien entretenue.

Plus tard, Laurence retourna sur l'île avec Téméraire et quelques hommes afin de ramasser leurs affaires, qu'ils avaient laissées derrière eux dans la hâte et la confusion. Tous les cadavres avaient déjà été emportés, mais il restait des traces de fumée noire sur les murs extérieurs du pavillon où ils s'étaient retranchés, ainsi que du sang séché sur les dalles ; Téméraire les contempla un long moment, silencieusement, puis détourna la tête. À l'intérieur de la résidence, le mobilier était entièrement retourné, les cloisons en papier de riz déchirées, et la plupart de leurs coffres défoncés, leurs vêtements éparpillés au sol et piétinés.

Laurence passa d'une pièce à l'autre tandis que Blythe et Martin entreprenaient de rassembler tout ce qui valait la peine d'être sauvé. Sa propre chambre avait été pillée, le lit rejeté de côté contre le mur, comme si on avait cru qu'il pouvait se cacher dessous, et ses nombreux achats dispersés à travers la pièce ; un filet de poudre et des morceaux de porcelaine s'échappaient de certains paquets, tandis que des lambeaux de soie pendaient ici et là, de manière presque décorative. Laurence se pencha pour ramasser le gros colis informe contenant son vase rouge, qui avait roulé dans un coin, et défit lentement l'emballage ; il se vit en train de le contempler d'un œil brouillé : la surface étincelante miraculeusement préservée, sans même une rayure, faisait ruisseler entre ses mains une lumière écarlate d'une intensité et d'une richesse incomparables dans le soleil de l'après-midi.

La chaleur de l'été avait atteint la ville, désormais : les pierres chauffaient comme des enclumes toute la journée, et le vent brassait une fine pellicule de sable jaune venu des lointains déserts de Gobi à l'ouest. Hammond se livrait à un long ballet de négociations qui, pour autant que Laurence pût en juger, tournaient plus ou moins en rond : une succession de lettres cachetées à la cire qui arrivaient et repartaient de la maison, de petits cadeaux insignifiants reçus et adressés en retour, de vagues promesses et peu d'actions. Dans l'intervalle, tout le monde commençait à s'énerver et à s'impatienter, sauf Téméraire, occupé à parfaire son éducation littéraire et sentimentale. Mei venait quotidiennement à la résidence afin de lui donner des cours, très élégante avec son collier d'argent et de perles ; sa peau était d'un beau bleu foncé, avec des mouchetures violettes et jaunes sur les ailes, et elle portait de nombreuses bagues en or autour des griffes.

— Mei est tout à fait charmante, confia Laurence à Téméraire après sa première visite, décidé à boire le calice jusqu'à la lie.

Il n'avait pas échappé à son attention que la dragonne était délicieuse, pour autant qu'il fût bon juge en matière de beauté draconique.

— Je suis content que tu le penses aussi, dit Téméraire en s'illuminant (les pointes de sa collerette se dressèrent en frémissant). Elle a éclos il y a trois ans seulement, et vient de passer brillamment les premiers examens. Elle m'apprend à lire et à écrire avec beaucoup de bonté : elle ne s'est pas moquée de mon ignorance.

Elle n'aurait pas pu se plaindre des progrès de son élève, Laurence en était sûr. Téméraire avait déjà maîtrisé la technique de l'écriture avec les griffes sur les tablettes de sable, et Mei ne tarissait pas d'éloges sur sa calligraphie dans l'argile ; elle avait promis de lui enseigner bientôt les coups de griffes plus incisifs nécessaires pour graver dans le bois tendre. Laurence le regardait travailler avec application jusque tard dans l'après-midi, et lui servait souvent de public en l'absence de Mei : il appréciait sa voix mélodieuse et agréable, même s'il ne comprenait pas les paroles de sa poésie chinoise, sauf lorsque Téméraire s'arrêtait sur un passage particulièrement beau pour le traduire.

Le reste des hommes s'occupaient tant bien que mal : Mianning les invitait parfois à dîner. Un soir, il les convia à un spectacle composé d'un concert étonnamment peu musical suivi d'acrobates remarquables, dont la plupart n'étaient encore que des enfants, aussi agiles que des cabris. De temps à autre, ils s'entraînaient au maniement des armes dans la cour, mais ce n'était pas très agréable par cette chaleur, et ils étaient heureux de retrouver ensuite la fraîcheur des murs et des jardins.

Quelque deux semaines après leur repli dans le palais, Laurence se trouvait assis sur la terrasse dominant la cour, où somnolait Téméraire, tandis que Hammond écrivait sur sa table de travail à l'intérieur. Un serviteur arriva, porteur d'une lettre. Hammond rompit le sceau, parcourut le message et annonça à Laurence :

— Liu Bao nous invite à dîner.

— Hammond, croyez-vous qu'il y ait un risque qu'il soit de mèche avec nos agresseurs ? demanda Laurence avec réticence après un moment. Je n'aime pas cette idée, mais, après tout, nous savons qu'il n'est pas au service de Mianning, contrairement à Sun Kai. Se pourrait-il qu'il soit complice de Yongxing ?

— Il est vrai que nous ne pouvons pas écarter cette hypothèse, répondit Hammond. Étant lui-même tartare, Liu Bao aurait certainement pu organiser l'attaque contre nous. Néanmoins, j'ai appris qu'il est apparenté à la mère de l'empereur, et que c'est un haut dignitaire de la bannière blanche mandchoue ; son soutien nous serait précieux. J'ai peine à croire qu'il nous inviterait ouvertement s'il manigançait quoi que ce soit contre nous.

Ils se rendirent à l'invitation avec méfiance, mais leur réserve fut sérieusement entamée dès leur arrivée, lorsqu'ils furent accueillis aux portes par une appétissante odeur de bœuf rôti. Liu Bao avait ordonné à ses cuisiniers, désormais rompus aux nouvelles expériences, de préparer un dîner britannique traditionnel à leur intention, et s'il y avait un peu trop de curry dans les pommes de terre frites, ou si le pudding aux raisins était quasiment liquide, aucun des convives ne trouva à redire à l'énorme rosbif ni aux délicieuses côtelettes sur leur lit d'oignons entiers. Quand au Yorkshire pudding, il était irréprochable.

En dépit de tous leurs efforts, les dernières assiettes furent remportées quasiment pleines par les serviteurs – et sans doute certains invités auraient-ils dû se faire « remporter » chez eux de la même manière à la fin du dîner, y compris Téméraire ! On lui avait servi de la viande fraîchement abattue, à la mode britannique, mais les cuisiniers n'avaient pas pu se restreindre et lui avaient préparé deux vaches, deux moutons, un cochon, une chèvre, un poulet et un homard. Ayant tenu à faire honneur à tous les plats, il en fut réduit à se traîner en gémissant dans le jardin, où il s'écroula sur place.

— Cela ne fait rien, qu'il dorme ! dit Liu Bao, en écartant d'un geste les excuses de Laurence. Nous n'avons qu'à nous installer sur la terrasse et boire un peu de vin sous la lune.

Laurence se prépara au pire, mais, pour une fois, Liu Bao ne les força pas à boire avec trop d'enthousiasme. Il était agréable d'être assis là, baignant dans la chaleur diffuse de l'ébriété, tandis que le soleil s'enfonçait derrière les montagnes bleues et que Téméraire somnolait devant eux, auréolé de lumière. Laurence avait entièrement, quoique sans y avoir réellement réfléchi, abandonné l'idée d'une quelconque implication de Liu Bao dans l'attaque qu'ils avaient subie ; il lui était tout simplement impossible de soupçonner un homme alors que lui-même était confortablement installé dans son jardin, le ventre plein de son généreux dîner ; même Hammond se détendit à moitié malgré lui, clignant des yeux pour lutter contre le sommeil.

Liu Bao exprima une certaine curiosité concernant le fait qu'ils aient pris leurs quartiers chez le prince Mianning. Pour preuve supplémentaire de son innocence, il eut l'air sincèrement choqué en apprenant la nouvelle de l'attaque, et secoua la tête avec sympathie.

— Il va falloir faire quelque chose à propos de ces *hunhun*, ils deviennent de plus en plus hardis. L'un de mes neveux traînait avec eux voilà quelques années, et sa pauvre mère se faisait un sang d'encre ; mais elle a offert un grand sacrifice à Guanyin, fait construire un autel spécial dans la plus belle partie de son jardin du sud, et maintenant il s'est marié et suit des études. (Il enfonça son doigt entre les côtes de Laurence.) Vous devriez vous y mettre également ! Ce serait embarrassant pour vous que votre dragon réussisse les examens et pas vous.

— Grand Dieu, croyez-vous que cette situation puisse avoir une réelle importance aux yeux d'un dragon, Hammond ? s'inquiéta Laurence, alarmé.

En dépit de tous ses efforts, le chinois lui demeurait aussi incompréhensible que s'il était codé dix fois de suite, et quant à s'inscrire à des examens contre des candidats qui étudiaient depuis l'âge de sept ans…

— Je plaisantais ! s'esclaffa Liu Bao avec bonne humeur, au grand soulagement de Laurence. N'ayez pas peur. Je suppose que si Lung Tien Xiang tient à conserver pour compagnon un barbare illettré, personne n'a rien à y redire.

— Il plaisante en vous appelant ainsi, bien sûr, rajouta Hammond à la traduction, quoique d'un air dubitatif.

— Je *suis* un barbare illettré, selon leurs critères d'apprentissage, et pas assez stupide pour me prétendre autre chose, dit Laurence. Je voudrais bien que les négociateurs partagent votre point de vue, monsieur, ajouta-t-il à l'intention de Liu Bao. Mais ils semblent fermement convaincus qu'un Céleste ne peut avoir pour compagnon qu'un empereur ou un membre de sa famille.

— Ma foi, si le dragon ne veut pas en démordre, il leur faudra bien se faire à cette idée, repartit Liu Bao avec désinvolture. Pourquoi l'empereur ne vous adopterait-il pas ? Cela permettrait à tout le monde de sauver la face.

Laurence était enclin à considérer cela comme une nouvelle boutade de leur hôte, mais Hammond fixa Liu Bao avec une expression très différente.

— Monsieur, une telle suggestion est-elle sérieusement envisageable ?

Liu Bao haussa les épaules et remplit leurs coupes de vin.

— Pourquoi pas ? L'empereur a déjà trois fils capables d'accomplir les rites pour lui, il n'a pas besoin d'adopter ; mais en avoir un de plus ne peut pas lui faire de mal.

— Avez-vous l'intention de poursuivre dans cette voie ? s'enquit Laurence auprès de Hammond, incrédule, alors qu'ils regagnaient en titubant les chaises à porteurs qui devaient les ramener au palais.

— Avec votre permission, certainement, dit Hammond. L'idée paraît extraordinaire, je vous l'accorde, mais après tout, chacun comprendrait bien qu'il ne s'agît que d'une formalité. En fait, continua-t-il avec un enthousiasme croissant, je pense que cela répondrait à toutes nos préoccupations. Ils ne partiraient pas en guerre à la légère contre une nation à laquelle ils seraient liés aussi intimement, et envisagez seulement les avantages d'une telle parenté sur notre commerce avec eux !

Laurence imaginait plus facilement la réaction probable de son père.

— Si vous pensez que la question mérite d'être

approfondie, je ne m'y opposerai pas, dit-il à contrecœur.

Mais il ne pensait pas que le vase rouge, qu'il avait espéré offrir à son père en gage de paix, suffirait à calmer l'emportement de lord Allendale si celui-ci apprenait que son fils s'était fait adopter comme un orphelin, fût-ce par l'empereur de Chine.

16

— L'affaire était mal engagée avant notre arrivée, je peux vous l'assurer, dit Riley, en acceptant la tasse de thé qu'on lui tendait par-dessus la table du petit déjeuner plus volontiers qu'il ne l'avait fait pour son bol de bouillie de riz. Je n'avais jamais rien vu de semblable : une flotte de vingt vaisseaux, plus deux dragons en soutien. Bien sûr, ce n'étaient que des jonques, moitié plus petites que des frégates, mais les vaisseaux de la marine chinoise n'étaient guère plus imposants. Je ne comprends pas comment ils peuvent laisser la piraterie se développer à ce point.

— Leur amiral m'a impressionné, cependant ; il semblait parfaitement sensé, intervint Staunton. Un autre n'aurait peut-être pas apprécié qu'on vole à son secours.

— Il aurait été bien bête de préférer se faire couler, riposta Riley, moins généreux.

Ils étaient arrivés tous les deux le matin même, à la tête d'un petit détachement de l'*Allegiance* : après avoir écouté avec stupeur le récit de l'attaque des bandits, ils décrivaient maintenant les péripéties de leur propre traversée de la mer de Chine. Une semaine après avoir quitté Macao, ils avaient rencontré une flotte impériale aux prises avec une gigantesque bande de pirates, installée dans l'archipel Zhoushan pour s'en prendre aussi bien aux marchands du cru qu'aux petits navires du commerce occidental.

— La situation ne présenta guère de difficultés pour nous, bien entendu, poursuivit Riley. Les dragons des pirates n'avaient pas d'armement – leurs équipages ont tenté de nous tirer des flèches, si vous pouvez croire une chose pareille – et pas la moindre notion de portée ; ils plongeaient si bas que nous ne pouvions pas les rater au mousquet, et encore moins au canon à poivre. Ils s'écartèrent à tire-d'aile après en avoir tâté, et nous coulâmes trois pirates en une seule bordée.

— L'amiral vous a-t-il fait savoir en quels termes il comptait rapporter l'incident ? demanda Hammond à Staunton.

— Je peux seulement vous dire qu'il a scrupuleusement tenu à nous exprimer sa reconnaissance. Il est monté à notre bord, ce qui était, semble-t-il, une grande concession de sa part.

— Laquelle lui a permis d'examiner nos canons de près, dit Riley. Je crois qu'il lui importait plus de voir nos pièces que de se montrer poli ; quoi qu'il en soit, nous l'avons raccompagné jusqu'au port avant de venir ici. L'*Allegiance* est ancré à Tianjin maintenant. Y a-t-il une chance que nous repartions bientôt ?

— Je n'aime pas tenter le sort, mais je ne crois pas, répondit Hammond. L'empereur est toujours en expédition de chasse dans le Nord, et ne reviendra pas au Palais d'Été avant plusieurs semaines. Je suppose qu'à ce moment-là nous serons convoqués en audience officielle.

— J'ai avancé ce projet d'adoption dont je vous ai parlé, monsieur, ajouta-t-il à l'intention de Staunton. Nous avons déjà reçu quelques soutiens, et pas uniquement de la part du prince Mianning ; j'ai bon espoir que le service que vous venez de leur rendre puisse influer de manière décisive en notre faveur.

— Cela présente-t-il la moindre difficulté que le vaisseau doive rester là où il se trouve ? s'inquiéta Laurence.

— Pour l'instant, non, mais il est vrai que le ravitaillement se révèle plus coûteux que je ne voudrais, admit Riley. On ne trouve pas de viande salée sur le marché, et ils exigent un prix scandaleux pour leur bétail ; les hommes ne se nourrissent plus que de poisson et de poulet.

— Serions-nous à court d'argent ? (Laurence commençait à regretter ses achats.) Je me suis laissé aller à quelques extravagances, mais il me reste tout de même un peu d'or, et ils l'acceptent sans difficulté dès qu'ils se sont assurés de sa solidité.

— Merci, Laurence, mais je n'aurai pas besoin de vous voler ; nous n'en sommes pas encore réduits à cela, le rassura Riley. Je m'inquiète surtout pour le trajet du retour – avec un dragon à nourrir, j'espère ?

Laurence ne sut que répondre à cette question ; il s'en tint à des propos évasifs, puis se tut et laissa Hammond poursuivre la conversation.

Après leur petit déjeuner, Sun Kai vint les informer qu'un festin et un spectacle seraient donnés ce soir en l'honneur des nouveaux arrivants : une grande représentation théâtrale.

— Laurence, je vais aller rendre visite à Qian, annonça Téméraire en passant la tête dans la pièce tandis que Laurence réfléchissait à sa tenue. Tu n'as pas l'intention de sortir, n'est-ce pas ?

Il était devenu singulièrement protecteur depuis l'assaut, refusant de laisser Laurence tout seul. Les serviteurs subissaient sa surveillance et ses soupçons depuis des semaines, et il avait suggéré plusieurs mesures concernant la sécurité de Laurence, en élaborant notamment un emploi du temps qui garantirait qu'il soit entouré à toute heure d'une garde de cinq hommes, ou en réalisant, sur sa table de sable, la conception d'une armure qui aurait eu toute sa place sur un champ de bataille du temps des croisades.

— Non, sois tranquille ; je crains d'être suffisamment occupé ici à essayer de me rendre présentable, dit Laurence. Adresse-lui mes compliments, s'il te plaît. En auras-tu pour longtemps ? Nous ne devons pas être en retard, ce soir, cette réception est en notre honneur.

— Non, je reviendrai très vite, dit Téméraire.

Il fut de retour une heure plus tard, comme il l'avait promis, la collerette frémissante d'excitation contenue, en tenant délicatement un long paquet de forme allongée au creux de sa patte.

Laurence sortit dans la cour à sa demande, et Téméraire fit doucement rouler le paquet vers lui. Laurence en fut tellement surpris qu'il se contenta d'abord de le fixer, puis défit soigneusement l'emballage et ouvrit la boîte laquée : un somptueux sabre à garde lisse reposait à côté de son fourreau sur un coussin de soie jaune. Il le souleva : bien équilibré, large à la base, avec le bout incurvé affûté des deux côtés ; la surface miroitait comme du bon acier de Damas, avec deux cannelures évidées le long du dos pour alléger la lame.

La poignée était couverte de peau de raie noire, les clous de fer ornés de dorures et de petites perles. Une tête de dragon figurait à la base de la lame, avec deux petits saphirs pour les yeux. Le fourreau lui-même, en bois laqué noir, était également orné de larges ferrures plaquées or, renforcé par un épais cordon de soie : Laurence détacha de son ceinturon son sabre d'abordage, solide mais quelque peu minable, et ceignit le nouveau à la place.

— Te plaît-il ? s'enquit Téméraire d'un ton anxieux.

— Infiniment, dit Laurence, s'essayant à dégainer (la longueur de la lame convenait admirablement à sa taille). Mon cher, cela dépasse tout ; comment te l'es-tu procuré ?

— Oh ! ce n'est pas uniquement de mon fait, reconnut Téméraire. La semaine dernière, Qian a admiré ma plaque pectorale, et je lui ai raconté que tu me l'avais offerte ; c'est alors que j'ai pensé que j'aimerais bien t'offrir quelque chose, moi aussi. Elle m'a dit qu'il était de coutume pour les parents d'offrir un cadeau lorsqu'un dragon prenait un compagnon, et que je n'avais qu'à en choisir un parmi ses affaires ; ce sabre était le plus joli.

Il tourna la tête d'un côté, puis de l'autre, examinant Laurence avec une profonde satisfaction.

— Je veux bien te croire ; je ne peux pas en imaginer de meilleur, dit Laurence, tentant de se maîtriser.

Il éprouvait un bonheur un peu absurde, se sentait ridiculement rassuré, et en retournant à l'intérieur pour achever de s'habiller, il ne put s'empêcher de s'admirer dans le miroir.

Hammond et Staunton avaient tous deux opté pour la robe des érudits chinois ; les autres officiers étaient en veste et pantalons vert bouteille, avec des bottes polies jusqu'à briller, et foulard propre et repassé ; même Roland et Dyer étaient impeccables, s'étant vu ordonner de s'asseoir sur une chaise et de ne plus en bouger dès l'instant où ils avaient fini de se laver et de se préparer. Riley était tout aussi élégant en bleu de la Navy, bas-de-chausses et souliers à boucle, et les quatre fusiliers de marine en manteaux rouges, qu'il avait amenés du vaisseau, fermèrent la marche de leur petit groupe lorsqu'ils quittèrent la résidence.

Une scène curieuse avait été dressée au milieu de la place où devait se tenir la représentation : de taille modeste, mais merveilleusement peinte et dorée, avec trois niveaux différents. Qian présidait au centre à l'extrémité nord de la cour, le prince Mianning et Chuan à sa gauche, des places étant reservées à Téméraire et aux Britanniques à sa droite. En plus des Célestes, plusieurs Impériaux étaient présents, dont Mei, assise plus loin sur le côté et particulièrement ravissante avec son collier d'or incrusté de jade : elle adressa un hochement de tête à Laurence et Téméraire lorsqu'ils prirent place. La dragonne blanche, Lien, était là également, avec Yongxing assis à côté d'elle, un peu à part du reste des invités ; sa peau d'albinos offrait un contraste frappant avec les couleurs sombres des Impériaux et des Célestes qui l'entouraient, et sa collerette fièrement dressée était ornée ce jour-là d'une résille d'or fin, avec un énorme rubis en pendentif au-dessus de son front.

— Oh ! je vois Miankai, souffla Roland à Dyer.

Elle adressa un bref signe de main à un jeune garçon assis en face à côté du prince Mianning. Il portait une robe semblable à celle du prince héritier, dans la même teinte jaune foncé, ainsi qu'une coiffe élaborée ; il se tenait très droit. Apercevant le geste de Roland, il fit mine de lever la main pour lui répondre, puis la reposa hâtivement, en jetant un coup d'œil le long de la table vers Yongxing, pour voir s'il avait remarqué ; il parut soulagé de constater que l'autre n'avait rien vu.

— Comment diable connaissez-vous le prince Miankai ? Serait-il déjà venu à la résidence ? demanda Hammond.

Laurence aussi aurait bien voulu le savoir, car, sur son ordre, les cadets n'avaient jamais été autorisés à quitter leurs quartiers tout seuls, et n'auraient pas dû pouvoir rencontrer qui que ce soit, fût-ce un autre enfant.

Roland leva la tête vers lui, surprise.

— Mais vous nous l'avez présenté vous-même, sur l'île !

Laurence regarda mieux ; il pouvait s'agir du garçon qui était venu leur rendre visite une fois en compagnie de Yongxing, mais c'était difficile à dire. Engoncé dans sa robe officielle, il paraissait très différent.

— Le prince Miankai ? dit Hammond. Le garçon que nous avait amené Yongxing était le prince Miankai ?

Il ajouta peut-être quelque chose ; en tout cas, ses lèvres remuèrent. Mais on n'entendit rien par-dessus le brusque roulement de tambours : les instruments étaient manifestement cachés derrière la scène, mais le son leur parvint sans entrave, avec le volume d'une bordée de vingt-quatre pièces à bout portant.

La représentation fut déconcertante, naturellement, se déroulant intégralement en chinois, mais les mouvements de scène et les acteurs étaient remarquables : des personnages s'élevaient et descendaient entre les trois différents niveaux, des fleurs s'ouvraient, des nuages passaient en flottant, le soleil et la lune se levaient et se couchaient ; tout cela dans un ballet complexe de danses et de duels à l'épée. Laurence fut fasciné par le spectacle, malgré le vacarme inimaginable, qui ne tarda pas à lui donner mal à la tête. Il se demanda si les Chinois entendaient quoi que ce fût du texte, au milieu du fracas des tambours, des cymbales et des explosions de pétards.

Il ne pouvait s'adresser à Hammond ou à Staunton pour une explication : ces deux-là passèrent toute la représentation à s'efforcer de communiquer entre eux par pantomime, sans prêter la moindre attention à ce qui se déroulait sur la scène. Hammond avait apporté des jumelles d'opéra, dont ils se servaient pour surveiller Yongxing de l'autre côté de la cour, et les explosions de flammes et de fumée qui constituèrent l'extraordinaire final du premier acte leur arrachèrent seulement des exclamations agacées parce qu'elles leur bouchaient la vue.

Il y eut une courte pause dans le spectacle tandis qu'on préparait la scène pour le deuxième acte, et les deux en profitèrent pour discuter dans de meilleures conditions.

— Laurence, dit Hammond, je vous dois des excuses ; vous aviez tout à fait raison. Le prince Yongxing avait clairement l'intention de vous remplacer auprès de Téméraire par ce garçon, et maintenant je sais au moins *pourquoi* : il compte sans doute parvenir à le placer sur le trône et s'instituer lui-même régent.

— L'empereur serait-il malade, ou âgé ? s'étonna Laurence.

— Non, répondit Staunton d'un air entendu. Pas le moins du monde.

Laurence les dévisagea.

— Messieurs, on dirait que vous voulez accuser Yongxing de régicide et de fratricide ; vous n'êtes pas sérieux.

— Je voudrais bien, dit Staunton. S'il menait une tentative pareille jusqu'au bout, nous pourrions bien nous retrouver au beau milieu d'une guerre civile, au prix probable d'un désastre pour nous, quelle qu'en soit l'issue.

— Cela n'arrivera plus, maintenant, assura Hammond avec confiance. Le prince Mianning n'est pas un imbécile, et je ne pense pas que l'empereur le soit non plus. Yongxing ne nous a pas amené le prince incognito pour de bonnes raisons, et ils ne manqueront pas de le savoir, pas plus qu'ils ne manqueront de faire le lien avec ses autres agissements, une fois que je les aurai exposés en détail au prince Mianning. D'abord sa tentative de vous corrompre par des termes dont je me demande maintenant s'il avait vraiment autorité pour les offrir ; puis l'attaque de son serviteur contre vous à bord du vaisseau ; et rappelez-vous, les *hunhun* nous ont assaillis directement après que vous avez refusé de laisser Téméraire seul en compagnie du garçon ; tout cela forme un tableau très clair, et bougrement compromettant.

Il parlait un peu trop fort, exultant presque, et fut surpris lorsque Téméraire, qui avait tout entendu, demanda avec une colère sourde :

— Êtes-vous en train de dire que nous avons des preuves, maintenant ? Que Yongxing a tout manigancé – que c'est lui qui a tenté d'éliminer Laurence, et causé la mort de Willoughby ?

Sa grande tête se dressa et se braqua aussitôt vers Yongxing, tandis que ses pupilles fendues se réduisaient à de minces lignes noires.

— Pas ici, Téméraire, lui dit Laurence en toute hâte, posant une main apaisante sur son flanc. Ne fais rien pour l'instant, je t'en prie.

— Non, non, s'inquiéta Hammond à son tour. Je ne suis sûr de rien, naturellement ; tout cela n'est qu'hypothèse, et nous ne devons rien entreprendre par nous-mêmes – nous devons leur laisser le soin de…

Les acteurs se remirent en place sur scène,

interrompant la discussion ; néanmoins, Laurence sentait la poitrine de Téméraire vibrer sous sa main, comme un grondement sourd qui ne serait pas émis, mais réfréné juste avant de produire un son. Ses griffes se crispèrent sur les dalles, sa collerette se dressa à demi et ses narines frémirent ; il ne songeait plus au spectacle. Son attention était tout entière tournée vers Yongxing.

Laurence lui caressa le flanc de nouveau, tâchant de le distraire : l'endroit était rempli d'invités et d'éléments de décors, et il préférait ne pas imaginer ce qui se passerait si Téméraire cédait brusquement à la fureur, malgré la colère et l'indignation qu'il ressentait lui-même envers cet homme. Pire encore, Laurence ne voyait pas ce qu'il pourrait tenter contre Yongxing ; il s'agissait tout de même du frère de l'empereur, et le projet de complot que lui prêtaient Hammond et Staunton paraissait trop indigne pour être vraisemblable.

Un fracas de cymbales et de cloches au son grave retentit derrière la scène, et deux splendides dragons en papier de riz descendirent, crachant des étincelles par les narines ; derrière eux, la troupe théâtrale surgit presque au complet au pied de la scène, en brandissant des épées et des dagues ornées de joyaux, pour faire revivre une grande bataille. Les tambours lâchèrent un grondement de tonnerre, si fort que Laurence en éprouva comme un choc, qui expulsa l'air de ses poumons. Cherchant son souffle, il porta lentement la main à son épaule et sentit la poignée d'une petite dague fichée juste en dessous de sa clavicule.

— Laurence ! s'écria Hammond, tendant la main vers lui, tandis que Granby criait des ordres aux hommes et rejetait les chaises de côté : Blythe et lui vinrent se placer devant Laurence.

Téméraire tourna la tête pour le regarder.

— Je ne suis pas blessé, dit d'abord Laurence, confusément : il n'éprouvait curieusement aucune douleur, et il tenta de se lever, de bouger son bras, puis il sentit la blessure ; le sang se répandait en tache chaude autour du couteau.

Téméraire poussa un cri aigu, terrible, qui trancha sur le vacarme et la musique ; tous les autres dragons se dressèrent sur leur arrière-train pour le fixer, et les tambours s'interrompirent brusquement. Dans le silence soudain, Roland s'écria, en indiquant l'un des acteurs :

— C'est lui qui l'a lancé, là-bas, je l'ai vu !

L'homme avait les mains vides, au milieu de tous les autres qui portaient leurs armes de comédie, et ses vêtements étaient plus banals. Comprenant que sa tentative de se cacher parmi eux avait échoué, il essaya de fuir – trop tard ; la troupe s'égailla en hurlant dans toutes les directions tandis que Téméraire se jetait presque maladroitement au milieu de la place.

L'homme hurla, une seule fois, quand les griffes de Téméraire le saisirent et lui infligèrent des lacérations mortelles. Téméraire rejeta au sol sa dépouille sanguinolente déchiquetée et démembrée ; il s'attarda un instant au-dessus de lui, fulminant, le temps de s'assurer que l'homme était bien mort, puis releva la tête et se tourna vers Yongxing. Il dénuda les crocs et siffla un son meurtrier, puis s'avança lentement vers lui. Lien bondit aussitôt s'interposer entre lui et Yongxing ; elle repoussa les griffes de Téméraire d'un coup de patte, et gronda.

En réponse, Téméraire bomba le torse, et sa collerette se déploya étrangement, comme Laurence ne l'avait jamais vu faire auparavant : les cornes étroites se hérissant vers l'extérieur, tendant la membrane qui les reliait. Lien ne fléchit pas, mais poussa un grognement presque méprisant, déroulant largement sa propre collerette, blafarde comme un parchemin ; les vaisseaux sanguins de ses globes oculaires gonflèrent horriblement, et elle s'avança pour lui faire face.

Il y eut aussitôt un mouvement de panique générale hors de la cour. Tambours, cloches et cordes résonnèrent en une cacophonie épouvantable tandis que le reste des acteurs décampaient de la scène, empêtrés dans leurs costumes et leurs instruments ; les membres du public retroussèrent leurs robes et s'éloignèrent avec davantage de dignité, mais pas moins de promptitude.

— Téméraire, non ! cria Laurence, réalisant trop tard ce qui arrivait.

Toutes les légendes parlant d'affrontements entre dragons dans la nature s'achevaient invariablement par la mort d'au moins l'un des deux : en l'occurrence, la dragonne blanche était incontestablement la plus expérimentée et la plus imposante.

— John, retirez-moi cette saleté, dit-il à Granby, luttant pour dénouer son foulard d'une seule main.

— Blythe, Martin, maintenez-lui les épaules, ordonna Granby.

Puis il empoigna le couteau et tira, faisant racler la lame contre l'os ; le sang jaillit brièvement, Laurence fut pris de vertige, puis ils plaquèrent leurs foulards contre sa plaie et le bandèrent bien serré.

Téméraire et Lien continuaient à se défier, feintaient d'avant en arrière, à petits mouvements de tête quasiment imperceptibles. Ils n'avaient guère de place pour manœuvrer, la scène occupant la majeure partie de la cour, bordée de part et d'autre par les rangées de sièges. Ils ne se quittaient pas des yeux.

— Laissez tomber, déclara Granby en empoignant Laurence par le bras pour l'aider à se mettre debout. Une fois qu'ils sont engagés dans un duel de ce genre, vous ne réussiriez qu'à vous faire tuer en tentant de les séparer, ou à le distraire.

— D'accord, très bien, dit Laurence d'une voix rude en repoussant leurs mains.

Ses jambes étaient fermes, quoiqu'il eût comme un nœud à l'estomac ; la douleur n'était pas insoutenable.

— En arrière, tous, ordonna-t-il en se retournant vers l'équipage. Granby, retournez à la résidence avec deux hommes et ramenez nos armes, au cas où ce coquin prétendrait faire intervenir la garde.

Granby partit au pas de course avec Martin et Riggs, tandis que les autres escaladaient précipitamment les sièges et s'écartaient du combat. La cour était pratiquement déserte, maintenant, en dehors de quelques curieux plus courageux que sensés, et un public intimement concerné : Qian, qui observait la scène avec une expression d'angoisse et de désapprobation mêlées, et Mei, légèrement derrière elle, qui avait d'abord battu en retraite avant de se rapprocher un peu.

Le prince Mianning était resté également, se tenant prudemment à distance : mais même ainsi, Chuan semblait nerveux et inquiet. Mianning lui posa une main apaisante sur le flanc et parla à ses gardes : ceux-ci emmenèrent aussitôt le prince Miankai vers un lieu plus sûr, malgré ses cris de protestation. En voyant partir le garçon, Yongxing adressa un signe de tête froidement approbateur à Mianning ; lui-même ne daigna pas se lever de son siège.

Soudain, la dragonne blanche siffla et passa à l'attaque : Laurence frémit, mais Téméraire s'était cabré au dernier moment et les griffes au bout rouge passèrent à quelques pouces de sa gorge. Dressé sur ses pattes arrière, il s'accroupit et bondit, toutes griffes dehors ; Lien fut forcée de reculer en sautillant maladroitement. Elle ouvrit à demi les ailes pour garder l'équilibre, et s'envola lorsque Téméraire voulut presser son avantage ; il la suivit aussitôt.

Laurence arracha ses jumelles d'opéra à Hammond et s'efforça de suivre leurs évolutions. La dragonne blanche était plus grande, avec une envergure supérieure ; elle distança rapidement Téméraire et décrivit une courbe gracieuse, dans une intention évidente : elle comptait fondre sur lui d'en haut. Mais, passé les premiers instants de fureur guerrière, Téméraire avait reconnu la supériorité de son adversaire et fit appel à son expérience ; au lieu de la poursuivre, il obliqua et quitta la lumière des lanternes pour se fondre dans l'obscurité.

— Oh ! joli, approuva Laurence.

Lien voletait sur place, hésitante, dardant la tête à droite et à gauche, fouillant la nuit de ses étranges yeux rouges ; Téméraire piqua brusquement sur elle en rugissant. Mais elle se rejeta de côté à une vitesse incroyable. Contrairement à la plupart des dragons attaqués par au-dessus, elle ne perdit pas une seconde et parvint même à toucher Téméraire au passage : trois plaies sanglantes s'ouvrirent le long de sa peau noire. Des gouttes de sang éclaboussèrent la cour, brillantes et noires à la lueur des lanternes. Mei s'approcha avec un petit cri plaintif ; Qian pivota vers elle en sifflant, mais Mei se contenta de baisser la tête, soumise, et se recroquevilla craintivement contre un bosquet pour observer la suite.

Lien profitait de sa vitesse supérieure pour harceler Téméraire : son but était qu'il se fatigue rapidement à essayer vainement de la frapper. Mais Téméraire était malin : ses attaques à lui étaient tout juste un peu moins vives qu'elles ne l'auraient pu, légèrement ralenties. Du moins Laurence l'espérait-il, plutôt que de penser que ses blessures le faisaient trop souffrir. Mise en confiance par l'apparent affaiblissement de Téméraire, Lien s'approcha : alors, son adversaire détendit brusquement ses deux pattes avant et l'atteignit au poitrail et au ventre ; elle hurla de douleur et s'écarta à grands coups d'ailes.

Le fauteuil de Yongxing tomba à terre avec fracas ; le prince avait bondi sur ses pieds, renonçant à toute apparence de calme. Il se tenait debout, poings serrés contre les flancs. Les blessures de Lien n'avaient pas l'air trop profondes, mais la dragonne blanche semblait sous le choc ; elle geignait en léchant ses plaies. De fait, aucun des dragons du palais n'avait la moindre cicatrice ; Laurence prit subitement conscience qu'aucun d'eux ne s'était sans doute jamais battu.

Téméraire demeura suspendu dans les airs un moment, faisant jouer ses griffes. Mais voyant qu'elle ne revenait pas à la charge – lui laissant involontairement le champ libre –, il s'engouffra dans la brèche et plongea droit sur Yongxing, sa véritable cible. Lien tourna machinalement la tête ; elle hurla de nouveau et se lança à sa poursuite, de toutes ses forces, oubliant ses blessures. Elle le rattrapa au ras du sol, se jeta sur lui dans une confusion d'ailes et de corps et le fit dévier de sa course.

Ils roulèrent pêle-mêle dans la poussière, monstre à deux têtes qui sifflait furieusement en se déchiquetant lui-même. Aucun des deux ne prêtait attention à ses propres griffures ou lacérations, aucun ne parvenait à prendre une inspiration suffisante pour recourir au vent divin contre son adversaire. Leurs queues fouettaient l'air autour d'eux, renversant les arbres en pot, décapitant un mât en bambou d'un seul coup ; Laurence empoigna Hammond par le bras et le tira en arrière tandis que les troncs creux s'effondraient sur les chaises dans un fracas énorme.

Se débarrassant des feuilles tombées dans ses cheveux et sur le col de sa veste, Laurence s'arracha maladroitement au fouillis de branches en s'appuyant sur son bon bras. Dans leur furie, Lien et Téméraire venaient de faucher l'une des colonnes de la scène ; la structure grandiose s'inclinait tout entière, glissant graduellement vers le sol, presque dignement. Sa destruction imminente était inéluctable, mais Mianning n'y prit pas garde : le prince s'était avancé pour aider Laurence à se relever, et peut-être n'avait-il pas conscience du danger qu'il courait ; son dragon Chuan regardait ailleurs, lui aussi, s'efforçant de s'interposer entre Mianning et le duel.

En se redressant au prix d'un violent effort, Laurence parvint à jeter Mianning au sol alors même que le décor en dorures et bois peint s'écrasait sur les dalles de la cour, projetant des éclats d'un pied de long dans tous les sens. Il se coucha sur le prince afin de les protéger tous deux, se couvrant la nuque avec son bras valide ; des débris le cinglèrent douloureusement malgré l'étoffe épaisse de sa tunique. L'un d'eux vint se ficher dans sa cuisse, où il n'avait que ses pantalons, et un autre, tranchant comme un rasoir, lui entailla le cuir chevelu au-dessus de la tempe.

La grêle mortelle passa et Laurence se releva, le visage en sang, pour voir Yongxing s'écrouler avec une expression de profonde stupéfaction, un énorme éclat de bois fiché dans l'œil.

Lien et Téméraire se dégagèrent l'un de l'autre et s'écartèrent d'un bond, accroupis face à face, grognant toujours, agitant rageusement la queue. Téméraire jeta un coup d'œil par-dessus son épaule vers Yongxing dans l'intention d'essayer de le frapper, et se figea, surpris, la patte suspendue en l'air. Lien gronda et lui sauta dessus, mais il l'esquiva au lieu de l'affronter, et elle vit à son tour.

Pendant un moment, elle resta parfaitement immobile ; seuls les barbillons de sa collerette s'agitaient dans la brise, tandis que quelques filets de sang noir coulaient le long de ses pattes. Elle s'avança très lentement jusqu'au corps de Yongxing et courba la tête, le poussant doucement du bout du nez, comme pour se confirmer ce qu'elle savait déjà.

Il n'y eut aucun mouvement, pas même un dernier tressaillement du corps, ainsi que Laurence en avait vu parfois sur une personne tuée brutalement. Yongxing gisait de tout son long ; son expression de surprise s'était effacée avec l'ultime relâchement des muscles et son visage apparaissait détendu, sans sourire, une main écartée et légèrement ouverte, l'autre posée sur sa poitrine, sa robe ornée de joyaux continuant à scintiller à la lueur vacillante des torches. Personne d'autre ne s'approcha ; les quelques gardes et serviteurs qui n'avaient pas abandonné les lieux demeuraient prudemment aux abords de la cour, pétrifiés, tandis que les autres dragons observaient le silence.

Lien ne hurla pas à la mort, ainsi que Laurence l'avait redouté ; elle ne proféra aucun son, pas plus qu'elle ne se retourna contre Téméraire. Mais, très délicatement, du bout des griffes, elle brossa les esquilles qui recouvraient la robe de Yongxing, les morceaux de bois, quelques feuilles de bambou ; puis elle souleva son corps dans ses pattes avant, et s'envola sans un mot dans la nuit.

17

Laurence se tortilla sous les mains importunes qui ne le laissaient pas en paix, d'abord dans un sens, puis dans l'autre, mais en vain : il ne pouvait ni les fuir ni échapper au poids écrasant de sa robe jaune, chargée d'or et de fil vert, alourdie par les yeux de pierres précieuses de tous les dragons brodés dessus. Son épaule lui faisait souffrir le martyre sous un tel fardeau, même une semaine après la blessure, et l'on ne cessait de lui faire bouger le bras afin d'ajuster les manches.

— N'êtes-vous pas encore prêt ? demanda anxieusement Hammond en passant la tête par la porte.

Il admonesta les tailleurs en chinois ; et Laurence retint une exclamation quand l'un d'eux réussit à le piquer avec une aiguille trop empressée.

— Ne me dites pas que nous sommes en retard ; n'étions-nous pas attendus pour deux heures ? s'enquit Laurence.

Il commit l'erreur de se retourner vers l'horloge, ce qui lui valut de se faire crier dessus de trois directions différentes.

— Il est de coutume d'arriver plusieurs heures à

l'avance lorsque l'on a rendez-vous avec l'empereur, et, dans ce cas précis, mieux vaut être trop ponctuel que pas assez, répondit Hammond, ramassant sa propre robe bleue en prenant un tabouret. Êtes-vous certain de bien vous rappeler les phrases, et dans le bon ordre ?

Laurence se prêta une fois de plus à l'exercice ; au moins, cela lui faisait oublier l'inconfort de sa position. On le libéra enfin, mais l'un des tailleurs le suivit jusqu'au milieu du couloir pour procéder à une ultime retouche des épaules, tandis que Hammond s'efforçait de lui faire presser l'allure.

Le témoignage innocent du jeune prince Miankai avait été accablant pour Yongxing : le garçon s'était vu promettre son propre Céleste, et on lui avait demandé s'il aimerait devenir empereur lui-même, quoique sans entrer dans les détails sur la manière dont cela pourrait se produire. Tous les partisans de Yongxing, qui estimaient comme lui que tout contact avec l'Occident devait être rompu, étaient tombés en disgrâce, plaçant le prince Mianning en position dominante à la cour : en conséquence, l'opposition à la demande d'adoption déposée par Hammond s'était effondrée. L'empereur avait envoyé un édit approuvant l'arrangement, ce qui équivalait pour les Chinois à un ordre formel. Leurs démarches avaient alors progressé aussi rapidement qu'elles avaient été laborieuses. À peine les termes du contrat avaient-ils été fixés qu'une horde de serviteurs envahit leurs quartiers dans le palais de Mianning, emballant rapidement tous leurs biens dans des coffres et des paquets.

L'empereur avait établi sa résidence au Palais d'Été dans le Yuanmingyuan, le Jardin de la Perfection et de la Clarté, à une demi-journée de Pékin à dos de dragon. On les avait donc convoyés presque pêle-mêle. La chaleur d'étuve qui régnait dans les cours de la Cité interdite sous le soleil implacable de l'été était moins forte dans le Yuanmingyuan, grâce à la verdure abondante ainsi qu'aux lacs soigneusement entretenus ; Laurence comprit pourquoi l'empereur s'était installé dans ce domaine plus confortable.

Seul Staunton fut autorisé à accompagner Laurence et Hammond lors de la cérémonie d'adoption proprement dite, mais Riley et Granby menaient le reste des hommes à titre d'escorte : leur nombre avait été substantiellement gonflé par des gardes et des mandarins fournis par le prince Mianning, afin d'octroyer à Laurence une suite qui parût convenable. Ils quittèrent ensemble le bâtiment complexe dans lequel on les avait logés, et entamèrent le long trajet jusqu'à la salle d'audience où devait les retrouver l'empereur. Après avoir marché une heure et franchi quelque six rivières et étangs, tandis que leurs guides marquaient une pause à intervalles réguliers pour attirer leur attention sur quelque élément particulièrement élégant du parc, Laurence commença à craindre qu'ils se fussent effectivement mis en route un peu tard. Enfin, ils parvinrent devant la salle, où on les conduisit dans une cour intérieure afin d'y attendre le bon plaisir de l'empereur.

L'attente elle-même fut interminable : ils restèrent assis dans cette cour étouffante, à tremper lentement leurs robes de sueur. On leur apporta des coupes de glace et de nombreux plats épicés – que Laurence dut se forcer à goûter –, des bols de lait et de thé, ainsi que des cadeaux : une grosse perle au bout d'une chaîne en or, d'une perfection remarquable, des rouleaux de littérature chinoise, et pour Téméraire un jeu de capuchons de griffes en or et en argent comme sa mère en portait quelquefois. Téméraire était le seul à n'être pas incommodé par la chaleur ; ravi, il enfila ses capuchons sur-le-champ et s'amusa à les faire miroiter au soleil, tandis que le reste du groupe s'enfonçait dans la léthargie.

Les mandarins finirent par ressortir et, avec de profondes courbettes, invitèrent Laurence à entrer avec Hammond et Staunton, ainsi que Téméraire. La salle d'audience était à ciel ouvert, tendue de draperies légères et délicates. Un parfum de pêches montait d'une corbeille de fruits dorés. On ne voyait aucun siège, hormis la couchette de dragon au fond de la salle, sur laquelle un grand Céleste mâle se prélassait, et le fauteuil en bois de rose, simple mais magnifiquement poli, où se tenait l'empereur.

C'était un homme trapu, à la mâchoire carrée, très différent de Mianning, avec son visage mince et ses épaules étroites ; il portait une petite moustache taillée aux coins de la bouche, sans le moindre poil blanc, bien qu'il eût près de cinquante ans. Ses vêtements étaient somptueux, de la même couleur jaune éclatante qu'ils n'avaient vue que sur sa garde personnelle en dehors du palais, et il les portait sans la moindre affectation ; Laurence se dit que même le roi n'avait pas l'air aussi naturel en habits de cour, lors des rares occasions où il l'avait aperçu.

L'empereur fronçait les sourcils, d'un air songeur plutôt que contrarié, et acquiesça en les voyant entrer ; Mianning, debout au milieu d'une foule d'autres dignitaires placés de part et d'autre du trône, inclina très légèrement la tête. Laurence prit une grande inspiration et mit lentement les deux genoux à terre, écoutant le mandarin décompter à mi-voix chaque génuflexion. Le sol était en bois verni recouvert de tapis épais, et l'acte en lui-même n'avait rien de pénible ; derrière lui, Hammond et Staunton l'imitaient chaque fois qu'il s'inclinait au ras du sol.

Laurence le faisait malgré tout à contrecœur, et il fut content de pouvoir enfin se relever, cette formalité terminée ; heureusement, l'empereur n'eut pas de geste de condescendance malvenu, mais cessa simplement de froncer les sourcils : l'atmosphère générale s'allégea sensiblement. L'empereur se leva de son fauteuil et conduisit Laurence jusqu'au petit autel à l'extrémité est de la salle. Laurence alluma les bâtonnets d'encens et répéta les phrases que Hammond lui avait si laborieusement apprises, soulagé par le petit signe d'approbation du diplomate : il n'avait donc pas commis d'erreur, en tout cas pas d'erreur impardonnable.

Il dut s'agenouiller une fois de plus, mais devant l'autel cette fois, ce qui lui parut, à sa grande honte, beaucoup moins difficile, bien qu'il s'agît là presque d'un acte d'apostasie ; il murmura en hâte un *Notre Père*, en espérant que cela montrerait clairement qu'il n'avait pas véritablement l'intention d'enfreindre le commandement. Le pire fut enfin derrière lui : on appela Téméraire pour la cérémonie qui les lierait officiellement l'un à l'autre, et Laurence put prononcer les vœux nécessaires d'un cœur léger.

L'empereur s'était rassis pour observer la procédure ; il acquiesça vigoureusement, et adressa un signe à l'un de ses suivants. Aussitôt, l'on apporta une table dans la salle (mais pas la moindre chaise), et l'on servit de nouvelles glaces, tandis que l'empereur interrogeait Laurence sur sa famille par l'entremise de Hammond. L'empereur fut stupéfait d'apprendre qu'il n'était pas marié et n'avait pas d'enfants ; Laurence dut se soumettre à un long sermon à ce sujet, et reconnaître, très sérieusement, qu'il avait négligé ses devoirs familiaux. Il s'en moquait, trop heureux qu'il était de ne pas avoir commis d'impair, et que l'épreuve fût presque terminée.

Hammond lui-même était pâle de soulagement au moment de partir, et il dut s'arrêter pour faire une pause sur un banc avant qu'ils ne regagnent leurs quartiers. Un couple de serviteurs lui apporta un peu d'eau et l'éventa jusqu'à ce qu'il retrouvât des couleurs et pût repartir en titubant.

— Je vous félicite, monsieur, dit Staunton au diplomate en lui serrant la main devant la porte de sa chambre. Je ne suis pas fier de l'admettre, mais je n'aurais jamais cru cela possible.

— Merci, merci, ne put que répondre Hammond, profondément touché, en vacillant sur ses jambes.

Hammond n'avait pas seulement obtenu

l'intégration en règle de Laurence dans la famille impériale, mais également un domaine à l'intérieur de la ville tartare. Si ce n'était pas tout à fait une ambassade officielle, d'un point de vue pratique, cela revenait au même, car Hammond pouvait désormais y séjourner indéfiniment sur invitation de Laurence. Même la question de la génuflexion avait été traitée à la satisfaction de tous : aux yeux des Britanniques, Laurence n'avait pas effectué ce geste en tant que représentant de la Couronne, mais en tant que fils adoptif, tandis que les Chinois se réjouissaient que l'usage eût été observé.

— Nous avons déjà reçu plusieurs messages très amicaux de la part des mandarins de Canton, Hammond vous l'a-t-il dit ? demanda Staunton à Laurence, alors que chacun s'apprêtait à entrer dans sa propre chambre. L'exonération de taxes que l'empereur a accordée aux navires britanniques pendant un an représentera bien sûr un bénéfice énorme pour la compagnie, mais, à long terme, ce nouvel état d'esprit nous sera encore plus profitable. Je suppose… (Staunton hésita ; il avait déjà la main sur la poignée de sa porte, prêt à entrer.) Je suppose que votre devoir ne vous permet pas de rester… Je n'ai pas besoin de vous dire que vous nous seriez d'une aide inestimable, ici. Mais, naturellement, je n'ignore pas le grand besoin que nous avons de dragons dans notre pays.

Enfin seul, Laurence se débarrassa avec soulagement de ses vêtements pour enfiler une robe de coton toute simple. Puis il sortit rejoindre Téméraire à l'ombre parfumée d'un bosquet d'orangers. Téméraire avait déployé un rouleau sur son lutrin, mais au lieu de lire il contemplait l'étang voisin. Un pont gracile à neuf piliers le franchissait, qui se reflétait comme dans un miroir sur l'eau colorée en jaune orangé par les derniers feux du couchant, au milieu des fleurs de lotus qui se refermaient pour la nuit.

Il tourna la tête et accueillit Laurence d'une légère bourrade du bout du nez.

— Je regardais : Lien est là-bas, indiqua-t-il d'un coup de menton en direction de l'étang.

La dragonne blanche passait le pont en compagnie d'un homme de haute taille, aux cheveux noirs, en robe bleue d'érudit, qui avait une drôle d'allure ; après l'avoir observé un moment en plissant les yeux, Laurence réalisa que l'homme n'avait pas le front rasé ni de queue-de-cheval. Lien s'arrêta au milieu du pont et se tourna pour les regarder : Laurence posa la main sur le cou de Téméraire, par instinct, face à ces yeux rouges qui les fixaient sans ciller.

Téméraire renifla, et sa collerette commença à se redresser, mais la dragonne repartit ; hautaine, le cou fièrement dressé, elle se détourna et poursuivit sa route, disparaissant entre les arbres.

— Je me demande ce qu'elle va devenir, dit Téméraire.

Laurence se le demandait également ; elle ne retrouverait certainement pas un autre compagnon, alors qu'elle passait déjà pour porter malchance avant même son récent malheur. Il avait d'ailleurs entendu plusieurs courtisans dire qu'ils la tenaient pour responsable du sort de Yongxing – propos cruels, si elle les avait surpris –, et une opinion circulait, encore moins indulgente, selon laquelle il faudrait la bannir de la cour.

— Peut-être se retirera-t-elle dans une ferme de reproduction coupée du monde.

— Je ne crois pas qu'ils aient d'endroits particuliers pour la reproduction, ici, dit Téméraire. Mei et moi n'avons pas eu besoin de… (Il s'interrompit, et si les dragons avaient pu rougir, il l'aurait fait sans aucun doute.) Mais je me trompe peut-être, s'empressa-t-il d'ajouter.

Laurence déglutit.

— Tu éprouves beaucoup d'affection pour Mei.

— Oh ! oui, avoua Téméraire à regret.

Laurence se tut ; ramassant l'un des petits fruits jaunes qui étaient tombés avant d'être mûrs, il le fit rouler entre ses mains.

— L'*Allegiance* repartira à la prochaine marée favorable, si le vent le permet, dit-il enfin, très bas. Préférerais-tu rester ?

Devant la surprise de Téméraire, il ajouta :

— Hammond et Staunton affirment que notre présence ici servirait grandement les intérêts de la Grande-Bretagne. Si tu désires rester, j'écrirai à Lenton et lui ferai valoir que nous serons plus utiles ici.

— Oh ! fit Téméraire en baissant la tête sur le lutrin (il ne prêtait pas attention au rouleau, mais réfléchissait simplement). Tu aimerais mieux rentrer, cependant, n'est-ce pas ?

— Je mentirais si je te disais le contraire, admit Laurence, le cœur lourd. Mais le plus important pour moi est de te voir heureux ; et je ne sais pas comment je pourrais te rendre heureux en Angleterre, maintenant que tu as vu comment les dragons sont traités dans ce pays.

Cette duplicité manqua le faire s'étrangler ; il ne put ajouter un mot.

— Les dragons d'ici ne sont pas tous plus intelligents que les dragons britanniques, dit Téméraire. Il n'y a aucune raison que Maximus ou Lily ne puissent pas apprendre à lire ou à écrire, ou à exercer n'importe quelle autre profession. Ce n'est pas juste que nous soyons parqués comme des animaux, sans que l'on nous enseigne autre chose que l'art de la guerre.

— Non, admit Laurence. Non, ce n'est pas juste.

Il n'y avait rien à objecter à cela ; sa défense des coutumes britanniques se trouvait entièrement balayée par les exemples qu'il avait vus aux quatre coins de la Chine. Et qu'importe si quelques dragons souffraient de la faim ; lui-même se serait laissé mourir plutôt que de renoncer à sa propre liberté, et il n'insulterait pas Téméraire en faisant mention de cette réalité, fût-ce pour le consoler.

Ils restèrent silencieux pendant un long moment, regardant les serviteurs allumer les lampes ; la lune au premier quartier se mirait dans l'étang, flaque d'argent lumineuse, et Laurence jeta distraitement quelques galets dans l'eau afin de briser le reflet en ondes scintillantes. Il lui était difficile d'imaginer ce qu'il ferait lui-même en Chine, sinon servir d'homme de paille. Il lui faudrait apprendre le chinois, en fin de compte ; au moins à le parler, sinon à l'écrire.

— Non, Laurence, cela n'ira pas. Je ne peux pas rester ici et prendre du bon temps alors que chez nous on est encore en guerre et qu'on a besoin de moi, déclara finalement Téméraire. Et puis, en Angleterre, les dragons ne savent pas qu'il existe une autre manière de mener leur vie. Mei et Qian me manqueront, mais je ne serai pas heureux ici en sachant comment Maximus et Lily sont traités là-bas. Il est de mon devoir de rentrer et de faire en sorte d'améliorer les choses.

Laurence ne sut que dire. Il avait souvent repris Téméraire pour ses idées révolutionnaires, sa tendance à la sédition, mais seulement sur le mode de la plaisanterie ; il n'avait jamais cru qu'un jour Téméraire les mettrait à exécution, délibérément. Il ignorait quelle serait exactement la réaction des autorités, mais il savait déjà qu'elle ne serait pas favorable.

— Téméraire, tu ne peux pas… commença-t-il, avant de s'interrompre devant les grands yeux bleus braqués sur lui. Mon cher, reprit-il doucement après un moment, tu me fais rougir. Certainement, nous ne pouvons pas laisser la situation en l'état, maintenant que nous savons qu'il existe une meilleure manière de faire.

— Je pensais bien que tu serais d'accord, se réjouit Téméraire. Par ailleurs, ajouta-t-il plus prosaïquement, ma mère me dit que les Célestes ne sont pas censés se battre, jamais, et passer tout mon temps à étudier ne me paraît pas très excitant. Il vaut beaucoup mieux rentrer. (Il hocha la tête, puis se pencha sur sa poésie.) Laurence, crois-tu que le charpentier du bord pourrait me fabriquer d'autres lutrins tels que celui-ci ?

— Mon cher, si cela peut te faire plaisir, il t'en fera une douzaine, promit Laurence.

Il s'appuyait contre lui, débordant de gratitude en dépit des soucis, et fixa la lune afin de déterminer quand la prochaine marée les ramènerait chez eux.

Morceaux choisis tirés de
Bref discours sur les races orientales,
et réflexions sur l'art de l'administration draconique,
présenté devant la Royal Society, juin 1801
par Sir Edward Howe, F. R. S.

Les « vastes hordes serpentines déchaînées » de l'Orient sont devenues un lieu commun en Occident, redoutées et admirées à la fois, principalement grâce aux récits de voyage de pèlerins d'une ère antérieure plus crédule, lesquels, quoique d'une valeur inestimable à l'époque de leur publication au regard de la lumière qu'ils jetaient sur l'ignorance absolue les ayant précédés, ne sont plus d'aucune utilité pour le savant moderne, car ils souffrent, hélas, de ce défaut d'exagération regrettable qui était en vogue autrefois, soit par l'effet d'une croyance sincère de la part de l'auteur, soit sous l'impulsion d'un désir moins innocent et néanmoins compréhensible de satisfaire le public le plus large, friand des monstres et autres délices dont regorge tout récit de l'Orient.

Une succession de rapports, hélas incohérents, a pu ainsi nous parvenir, certains n'étant que pure fiction et les autres de grossières déformations de la vérité. Le lecteur ferait mieux de les rejeter en bloc plutôt que de se demander auxquels il peut se fier. Je n'en mentionnerai qu'un exemple imagé : Sui-Riu du Japon, connu des adeptes du savoir draconique par les rapports datés de 1613 du capitaine John Saris, dont les lettres décrivaient comme un fait avéré la capacité à déclencher un orage sous un magnifique ciel bleu. Or, cette affirmation remarquable, qui attribuait ainsi les pouvoirs de Jupiter à une créature mortelle, est réfutée par mes propres observations : j'ai vu de mes yeux un Sui-Riu et assisté à sa faculté réelle d'engloutir d'énormes quantités d'eau avant de les recracher violemment, don qui le rend particulièrement précieux non seulement au combat, mais également pour la protection des constructions japonaises en bois contre les dangers de l'incendie. Le voyageur non averti pris dans un tel torrent pourrait effectivement s'imaginer que les écluses du ciel viennent de s'ouvrir au-dessus de sa tête, mais un tel déluge ne s'accompagne d'aucune manifestation de foudre ni de nuages, ne dure que quelques instants et, faut-il le préciser, n'a rien de surnaturel.

Je tâcherai d'éviter à mon tour de telles erreurs, en me fiant plutôt aux faits, décrits sans ornementation excessive, pour combler les attentes d'un public plus exigeant…

Nous pouvons considérer sans hésitation comme fantaisiste l'estimation communément avancée selon laquelle, en Chine, on trouverait un dragon pour dix habitants : un chiffre qui, s'il approchait un tant soit peu de la vérité et si notre compréhension de sa population humaine n'était pas totalement erronée, rendrait cette grande nation à ce point submergée par ces créatures que l'infortuné voyageur qui nous rapporte cette information aurait eu les plus grandes difficultés à seulement y poser les pieds. Le tableau saisissant brossé par le frère Mateo Ricci – les jardins du temple remplis de corps serpentins lovés les uns sur les autres –, qui a si longtemps dominé l'imagination occidentale, n'est pas entièrement dénué de fondement ; toutefois, il faut bien comprendre que, chez les Chinois, les dragons vivent plus souvent dans les villes qu'à la campagne, de sorte que leur présence est d'autant plus palpable et qu'ils peuvent par conséquent aller et venir avec une liberté beaucoup plus grande, si bien que le dragon rencontré au marché dans l'après-midi est souvent le même aperçu au matin en train de faire ses ablutions au temple, quelques heures plus tard, de dîner dans les pâtures aux abords de la ville.

En ce qui concerne l'estimation globale de la population, nous ne disposons, je suis au regret de le dire, d'aucune source à laquelle je sois prêt à me fier. Néanmoins, les lettres du feu père Michel Benoît, astronome jésuite ayant servi à la cour de l'empereur Qianlong, rapportent que, à l'occasion d'un anniversaire de l'empereur, deux compagnies de leurs forces aériennes avaient survolé le Palais d'Été en accomplissant diverses acrobaties, et qu'il avait pu y assister personnellement, en compagnie de deux autres jésuites.

Ces compagnies, composées d'une douzaine de dragons chacune, correspondent grossièrement aux formations occidentales les plus importantes, et chacune d'elles est assignée à une compagnie de trois cents hommes. Vingt-cinq de ces compagnies forment chacune des huit bannières des forces aériennes tartares, ce qui nous amènerait à un total de deux mille quatre cents dragons agissant de concert avec soixante mille hommes : un chiffre déjà plus que respectable, et pourtant le nombre de ces compagnies a significativement grossi depuis la fondation de la dynastie, et l'armée serait à présent plus proche du double de cette taille. D'où nous pouvons conclure avec assurance qu'il y a quelque cinq mille dragons au sein de l'armée chinoise ; nombre à la fois plausible et tout à fait extraordinaire, qui nous donne une petite idée de leur population globale.

Les graves difficultés inhérentes à la gestion d'une seule centaine de dragons engagés dans une même opération militaire sont bien connues en Occident, et restreignent grandement, pour des raisons pratiques, la taille de nos propres forces aériennes. On ne saurait déplacer le bétail à la même vitesse que les dragons, pas plus que les dragons ne peuvent transporter leur nourriture avec eux. L'approvisionnement d'un si grand nombre de dragons pose un problème d'organisation de grande envergure ; au point que les Chinois ont dû créer un ministère entièrement dévolu aux Affaires draconiques…

[…] Il se peut que la très vieille coutume chinoise de conserver les pièces de monnaie en ligatures remonte à l'ancienne nécessité de remettre de l'argent aux dragons ; toutefois, il s'agirait là d'un vestige d'un passé révolu, et depuis au moins la dynastie des Tang, voici en quoi consiste le système en place. On fournit au dragon, lorsqu'il atteint sa pleine maturité, une marque héréditaire individuelle, comportant le nom de ses deux parents ainsi que son propre rang ; cette marque étant inscrite auprès du ministère, tous les gains du dragon sont versés au Trésor général et déboursés à réception des tablettes que le dragon remet aux marchands, principalement des bergers, dont il acquiert les produits.

Ce système pourrait sembler de prime abord parfaitement abscons ; on peut imaginer le résultat si un gouvernement devait gérer ainsi les salaires de ses administrés. Pourtant, si curieux que cela puisse paraître, il ne vient pas à l'idée des dragons de contrefaire une marque en procédant à leurs achats ; ils accueillent cette suggestion avec surprise et un profond dédain, même s'ils ont faim et se trouvent à court de fonds. L'on peut y voir la preuve de l'existence d'une sorte de code de l'honneur entre dragons, ou tout au moins d'une certaine fierté familiale ; simultanément, ils ne montrent pas la moindre hésitation ni le plus mince scrupule à profiter d'un troupeau ou d'un enclos laissés sans surveillance, et n'envisagent pas de laisser le moindre paiement dans ces cas-là ; ils ne considèrent pas cela comme un vol, et de fait, on peut très bien retrouver le coupable en train de dévorer sa proie mal acquise juste à côté du lieu où il l'a capturée, ignorant superbement les récriminations du berger arrivé trop tard pour défendre son troupeau.

Parfaitement scrupuleux dans l'usage de leurs propres marques, les dragons sont rarement victimes de personnes indélicates qui prétendraient les voler en soumettant des tablettes falsifiées au ministère. Étant d'une manière générale violemment jaloux de leurs richesses, les dragons se renseignent sur l'état de leurs finances dès qu'ils arrivent dans un endroit civilisé, en vérifiant toutes leurs dépenses ; ils sont ainsi prompts à remarquer le moindre versement suspect ou paiement omis. Et tous les rapports s'accordent à reconnaître que leur réaction face au vol n'a pas moins de force lorsqu'ils en sont victimes plus ou moins indirectement. La loi chinoise écarte expressément toute condamnation d'un dragon qui tue un homme jugé coupable de vol à son encontre ; d'ailleurs, la sanction ordinaire d'un tel vol est l'exposition du coupable au dragon. Cette sentence, qui se traduit invariablement par une mort violente, peut nous sembler un châtiment barbare, et cependant on m'a assuré à plusieurs reprises, aussi bien du côté du maître que du dragon, que c'est la seule façon de consoler un dragon victime de vol et de lui permettre de recouvrer son calme.

Cette même nécessité d'apaiser les dragons a également assuré la perpétuation régulière du système au cours de plus d'un millénaire ; chaque nouvelle dynastie qui s'empare du pouvoir veille avant tout à stabiliser l'écoulement de la monnaie, car on imagine aisément les effets d'une émeute de dragons en colère…

Le sol chinois n'est pas, par nature, plus arable que le sol européen ; les immenses troupeaux nécessaires sont principalement soutenus grâce à un vieux modèle d'organisation remarquablement conçu qui voit les bergers, ayant conduit une partie de leurs bêtes dans les villes afin de nourrir les dragons affamés, en revenir chargés d'une cargaison de fumier draconique hautement fermenté recueilli dans les fosses à purin de la ville, qu'ils échangent ensuite auprès des fermiers de leur district rural. Cette pratique consistant à recourir au fumier draconique en guise d'engrais, quasiment inconnue en Occident du fait de la relative rareté des dragons ainsi que de l'éloignement de leur habitat, semble particulièrement efficace pour le renouvellement de la fertilité des sols ; la science moderne reste pour l'instant incapable d'en donner la raison, mais c'est une réalité abondamment prouvée par le rendement des exploitations chinoises, lesquelles, ai-je pu apprendre de sources bien informées, produisent régulièrement des moissons d'un ordre de grandeur sans commune mesure avec les nôtres en termes de quantité…

Remerciements

Un deuxième roman soulève une toute nouvelle série de difficultés et d'inquiétudes, et je suis particulièrement reconnaissante envers mes éditrices, Betsy Mitchell chez Del Rey et Jane Johnson ainsi qu'Emma Coode chez HarperCollins UK, pour leurs critiques et leurs précieux conseils. Je dois également de nombreux remerciements à mon équipe de « lecteurs cobayes » pour leur aide et leurs encouragements : Holly Benton, Francesca Coppa, Dana Dupont, Doris Egan, Diana Fox, Vanessa Len, Shelley Mitchell, Georgina Paterson, Sara Rosenbaum, L. Salom, Micole Sudberg, Rebecca Tushnet et Cho We Zen.

Un grand merci à mon irréprochable agent, Cynthia Manson, pour m'avoir aidée et guidée, ainsi qu'à ma famille pour ses suggestions permanentes, son soutien et son enthousiasme. Enfin, je suis comblée au-delà de toute mesure par mon premier et mon meilleur lecteur, mon époux, Charles.

Je voudrais ajouter un remerciement spécial pour Dominic Harman, qui réussit toutes ces splendides couvertures aussi bien pour l'édition américaine que pour l'édition anglaise ; c'est une joie incomparable de voir mes dragons prendre vie sous ses pinceaux.

Remerciements

Les dragons de la série

Anglais

Anglewing (Ailes-des-Angles)
Bright Copper (Cuivre-Brillant)
Chequered Nettles (Orties-Quadrillées)
Grey Copper (Cuivre-Gris)
Grey Widowmaker (Faiseur-de-Veuves gris)
Greyling (Lingue-Grise)
Longwing (Longues-Ailes)
Malachite Reaper (Faucheur-Malachite)
Parnassian (Parnassien)
Pascal's Blue (Bleu-de-Pascal)
Regal Copper (Cuivre-Royal)
Sharpspitter (Cracheur-Tranchant)
Winchester
Yellow Reaper (Faucheur-Jaune)

Français

Chanson-de-Guerre
Flamme-de-Gloire
Fleur-de-Nuit
Grand-Chevalier
Honneur-d'Or

Pêcheur-Couronné
Pêcheur-Rayé
Petit-Chevalier
Pou(x)-de-Ciel

Espagnols
Flecha-del-Fuego (Flèche-de-Feu)
Cauchador Real (Attrapeur-Royal)
Conquistador (Conquérant)

Chinois
Impérial
Céleste

Scandinave
Lindorm

Inca
Copacati

Japonais
Ka-Riu

Russe
Ironwing (Ailes-de-Fer)

Achevé d'imprimer par GGP Media GmbH, Pößneck
en avril 2009
pour le compte de France Loisirs,
Paris

N° d'éditeur : 55149
Dépôt légal : mai 2009
Imprimé en Allemagne